✂ 자르는 선

실력 진단 평가

제한 시간	맞힌 개수	선생님 확인
30분	/ 20	

[01~04] 다음 글을 읽고 물음에 답하세요.

인간은 신체 능력을 겨루는 모든 종목에서 동물을 이길 수 없는 것일까요? 맨몸으로 하는 경기 중에서 유일하게 금메달이 유력한 종목은 바로 오래달리기입니다.

동물들의 움직임은 천적으로부터 살아남기 위한 생존을 우선으로 합니다. 이 때문에 동물들의 달리기는 짧은 시간 안에 가장 효율적으로 움직이는 데 초점이 맞추어져 있습니다. 동물들이 오래 달리지 못하는 까닭은 동물은 달리기에 많은 에너지를 소비하고, 체온과 호흡을 유지하는 데 어려움을 겪기 때문입니다.

반면 인간의 몸은 오래달리기에 최적화되어 있습니다. 다리가 신체 길이에 비해 길고, 발달한 엉덩이 근육이 상체를 곧게 펴고 유지할 수 있도록 도와줍니다. 이러한 조건 때문에 인간은 더 멀리, 더 오래 달릴수록 유리합니다.

01 **이 글의 내용은 무엇인지 빈칸에 쓰세요.**

인간이 동물보다 (　　　　　　)을/를 잘하는 까닭

[05~07] 다음 글을 읽고 물음에 답하세요.

고려청자는 청자의 빛깔, 독특한 장식 기법과 아름다운 형태로 유명하다. 고려청자를 만든 시기에는 중국과 우리나라에서만 질 높은 청자를 만들 수 있었다. 우리나라보다 중국이 먼저 청자를 만들고 세상에 알렸지만, 고려는 청자를 만드는 우수한 기술력과 아름다움을 인정받아 다른 나라 사람들에게 사랑을 받았다.

고려청자는 무엇보다 아름다운 빛깔로 더욱 주목받았다. 청자의 빛깔은 맑고 은은한 녹색이다. 이는 유약 안에 아주 작은 기포가 많아 빛이 반사되면서 은은하고 투명하게 비쳐 보이기 때문이다. 청자의 색이 짙고 푸른색 윤이 나는 구슬인 비취옥의 색깔과 닮았기 때문에 '비색'이라 불렸다.

청자의 상감 기법은 어느 나라에서도 찾아볼 수 없는 우리 고유의 독창적인 도자기 장식 기법이다. 고려인들은 중국의 청자를 받아들이면서 그저 모방하는 데 그친 것이 아니라, 아름다운 비색과 독특한 상감 기법으로 발전시킨 것이다.

05 **이 글에 알맞은 제목을 쓰세요.**

아름다운 비색을 지닌 (　　　　　　)

02 이 글의 내용으로 알맞지 않은 것은 무엇인가요?

① 동물의 움직임은 생존을 우선으로 한다.

② 동물들은 달리기에 많은 에너지를 소비한다.

③ 인간의 몸은 동물보다 오래달리기에 적합하다.

④ 인간은 신체 능력을 겨루는 모든 종목에서 동물을 이길 수 없다.

⑤ 동물들의 달리기는 짧은 시간 안에 효율적으로 움직이는 것에 초점이 맞추어져 있다.

03 인간의 몸이 장거리 달리기에 최적화된 조건을 쓰세요.

(　　　)이/가 신체에 비해 길고, 발달한 (　　　) 근육이 상체를 곧게 펴고 유지할 수 있도록 도와준다.

04 다음의 뜻을 가진 낱말을 이 글에서 찾아 쓰세요.

• 사람들의 관심이나 주의가 집중되는 사물의 중심 부분.

06 이 글의 내용으로 알맞지 않은 것은 무엇인가요?

① 우리나라보다 중국이 먼저 청자를 만들었다.

② 청자의 상감 기법은 중국에서부터 유래되었다.

③ 청자의 은은한 녹색 빛깔은 유약 안의 작은 기포 때문이다.

④ 고려청자는 다른 나라 사람들에게 기술력과 아름다움을 인정받았다.

⑤ 고려청자는 중국의 것을 받아들여 우리만의 기법으로 발전시킨 것이다.

07 청자의 색이 비취옥의 색깔과 닮아서 부른 색의 이름은 무엇인가요?

독해력을 키우는 단계별 · 수준별 맞춤 훈련

초등 국어

일등급 독해력

이 책을 추천합니다.

•• 초등학생에게 국어 독해 공부가 필요한 이유는 분명합니다. 글을 읽고 스스로 독해하는 능력이 부족하면 모든 과목의 학습 능력이 떨어질 수밖에 없습니다. 독해 능력은 무조건 책을 많이 읽는다고 길러지는 것이 아니라, 좋은 글감으로 쓰인 글을 읽고, 여기서 정보를 찾아 논리적으로 이해하는 연습을 반복할 때 길러지는 것입니다.
이 책은 초등학교 교과서에서 뽑은 다양한 글감을 다루고 있어 전 과목 연계 학습이 가능한 교재입니다. 초등학생들이 흥미롭게 읽을 수 있는 재미있는 글로 독해 연습을 시작한다면, 스스로 글을 읽으며 독해력을 크게 향상시킬 수 있을 것입니다.

– 문주호 (청봉초등학교 수석 교사, 〈초등 5·6학년 공부법의 모든 것〉 저자)

•• 수업 시간에 집중력이 떨어지는 학생들은 대부분 독해 능력도 부족합니다. 글을 읽고도 자신이 어떤 내용의 글을 읽었는지 정리해서 말하지 못하죠. 이렇게 독해 능력이 떨어지면 수업을 따라가지 못해서 공부에 흥미를 잃게 되기도 합니다. 자신이 읽은 글의 내용에 재미를 느끼고 궁금한 것이 생겨야 글 읽기가 학습으로 연결될 수 있습니다.
그래서 독해 공부가 중요합니다. 이 책으로 공부하면 쉽고 재미있는 짧은 글부터 어렵고 긴 글까지 단계별로 읽으며 독해력을 기를 수 있습니다. 매일 독해 공부를 한 뒤, 모르는 어휘에 대한 공부도 함께 하면서 독해력의 기초를 다질 수 있는 좋은 교재입니다.

– 오정남 (밀양초등학교 교사, 〈기적의 한 줄 쓰기〉 저자)

•• 초등학교 입학 전부터 꾸준히 독해 공부를 해 온 아이라, 다양한 글을 많이 읽을 수 있는 교재가 필요했습니다. 이 책에서는 문학 작품 외에도 인문, 사회, 과학, 기술, 예술 등 여러 분야의 글감을 골고루 접할 수 있습니다. 또한 문제를 통해 글의 주제를 잡고, 세부적으로 중요한 내용을 정리하면서 어휘까지 복습할 수 있어서 좋았습니다.
무엇보다 가장 좋았던 것은 아이의 생각을 글로 표현하는 '생각 글쓰기'였습니다. 전체적인 내용을 다시 한 번 기억하면서 지문에 제시된 주제 및 어휘를 이용하여 자신의 생각을 짧게 표현하는 훈련을 한다면 논술 공부에도 도움이 될 것이라 생각됩니다.

– 노인희 (방산초등학교 2학년 학부모)

•• 저희 아이는 원래 책을 읽는 것을 좋아하는 편이어서 평소 독해력이 부족하다고는 생각하지 않았는데, 이 책에서 다양한 글들을 읽으며 아이가 독해에 더 흥미를 갖게 된 것 같습니다. 또한 지문의 중심 내용을 파악하고 문제를 푸는 과정에서 자신이 글을 올바르게 이해했는지 확인하면서 독해 실력이 향상되는 것이 눈에 보였습니다.
해설도 아주 자세해서 채점을 한 다음에는 해설을 읽으며 자기가 이해한 내용이 맞는지 확인하면서 공부할 수 있었습니다. 지문과 문제를 잘 파악하고 이해하는 독해력이 뒷받침된다면 아이가 중학교에 입학해서도 즐겁게 공부할 수 있을 것이라고 생각합니다.

– 장은채 (원종초등학교 6학년 학부모)

•• 국어 영역은 모국어 능력을 평가한다는 이유로 학생들이 비교적 소홀히 여기기 쉬운 과목입니다. 하지만 국어 영역에서 요구하는 독해 능력은, '처음 보는 장문의 글'을 완벽히 이해하는 것입니다. 이러한 독해 능력은 중고등학생 때 내신 시험을 벼락치기 하듯 대비하여 생겨나는 것이 아닙니다. 초등학생 때부터 인문, 사회, 과학에 걸친 다양한 주제의 글들을 읽고 그 내용을 이해하는 연습을 꾸준히 해야만 얻을 수 있는 능력입니다.
〈초등 국어 일등급 독해력〉 시리즈를 통해 일찍부터 다양한 글을 독해하는 습관을 갖는다면, 앞으로 국어뿐만 아니라 다른 과목을 학습할 때에도 큰 도움이 될 것입니다.

– 백나경 (서울대 인문계열 19학번)

•• 독해는 모든 과목에서 반드시 필요합니다. 가령 수학을 공부하더라도, 문제에서 요구하는 것이 무엇인지 이해하지 못해 발목을 잡히곤 합니다. 게다가 갈수록 지문의 양이 많아지고 그 내용이 복잡해지는 요즘, 독해의 중요성은 나날이 올라가고 있습니다.
독해력이 하루아침에 상승하는 것은 기대하기 어렵습니다. 따라서 어렸을 때부터 국어 독해를 연습해 두어야 합니다. 좋은 글들을 많이 읽고 생각해 보는 연습, 이를 바탕으로 다양한 유형에 적용해 보는 연습, 수많은 어휘를 내 것으로 만들어 보려는 연습은 앞으로의 공부에 든든한 자양분이 될 것입니다. 여러분의 국어 실력 향상을 응원합니다!!

– 이재선 (서울대 생명과학부 19학번)

초등 국어 일등급 독해력 ⑥

초등 국어 독해, 왜 필요할까요?

1 초등학생에게 국어 독해가 중요한 이유

'독해'란 글을 읽고 뜻을 이해하는 것을 말합니다.
초등학생 때는 한글을 배우고 처음 글을 접하면서 독해력을 키우는 시기입니다.
이때 형성된 독서 습관이 생각하는 힘을 길러 주며, 모든 학습 능력의 기초가 됩니다.
글 속의 중심 생각과 정보를 자기 것으로 만들어 문제를 해결하는 능력은 한 번에 생기는 것이 아니므로, 좋은 글을 읽으며 차근차근 쌓아야 합니다.

2 초등학생 때부터 국어 독해를 잘 하기 위한 방법

❶ 다양한 글감으로 재미있게 독해하기
생활 속의 현상과 관계된 재미있는 글, 이야기, 동시 등 다양한 글감으로 독해에 흥미를 느끼게 합니다.

❷ 쉬운 글부터 어려운 글을 단계별로 학습하기
처음에는 쉽고 짧은 글부터 시작하여, 점점 길고 어려운 글을 읽으면서 독해력을 조금씩 향상합니다.

❸ 교과서와 연계된 글로 학교 공부 잡기
개정 교과서에서 찾은 다양한 글감을 읽으면서 자연스럽게 전 과목 교과서와 연계하여 학습합니다.

❹ 문제를 풀면서 사고력 기르기
글을 읽고 문제를 푸는 과정을 통해, 글에서 답을 찾아내는 연습을 하면서 스스로 생각하는 힘을 기릅니다.

❺ 글에 나온 어휘를 꼼꼼하게 익히기
독해 마무리 활동으로 글에 쓰인 어휘의 뜻과 쓰임을 예문을 통해 복습하면서 독해력을 완성합니다.

3 교과서와 연계된 다양한 글감으로 독해력 향상

비문학

제재	종류	회차	제목	교과 연계
인문	논설문	04회	동물원은 없어져야 한다	[국어 6-1 (가)] 4. 주장과 근거를 판단해요
인문	논설문	06회	올바른 우리말을 사용하자	[국어 6-1 (나)] 7. 우리말을 가꾸어요
인문	설명문	22회	경복궁	[국어 6-1 (나)] 6. 내용을 추론해요
인문	연설문	26회	나의 소원	[도덕 6] 1. 내 삶의 주인은 바로 나
인문	전기문	16회	신사임당	[미술 6] 2. 행복한 미술 여행
사회	논설문	11회	비무장 지대의 생태계를 보호하자	[도덕 6] 6. 함께 살아가는 지구촌
사회	논설문	14회	공정 무역을 확대하자	[도덕 6] 4. 공정한 생활
사회	논설문	21회	잊힐 권리	
사회	논설문	24회	노 키즈 존에 대한 시선	
사회	논설문	34회	의무 투표제를 실시하자	
사회	설명문	01회	세계의 다양한 음식	
사회	설명문	02회	미세 먼지 대처 방안	[국어 6-1 (가)] 독서 단원
사회	설명문	03회	조선 시대의 출산 휴가 제도	[도덕 6] 4. 공정한 생활
사회	설명문	05회	스마트폰 중독 문제와 예방법	[실과 6] 5. 생활과 혁신
사회	설명문	15회	국경 없는 의사회	[도덕 6] 6. 함께 살아가는 지구촌
사회	설명문	23회	사회적 기업 '빅이슈'	
사회	설명문	27회	멸종 위기의 수달	
과학	논설문	32회	발효 식품의 우수성	[국어 6-1 (가)] 4. 주장과 근거를 판단해요
과학	설명문	07회	공기를 이루는 기체	[과학 6-1] 3. 여러 가지 기체
과학	설명문	17회	친환경 농업	[실과 6] 2. 지속 가능한 생활
과학	설명문	35회	지구의 자전과 공전	[과학 6-1] 2. 지구와 달의 운동
과학	설명문	37회	미래 식량	
기술	설명문	12회	초소형 로봇	[실과 6] 5. 생활과 혁신
기술	설명문	25회	드론	
기술	설명문	31회	증강 현실	
예술	설명문	13회	전통 민화 속 동물들	[미술 6] 4. 함께하는 미술 마당
예술	설명문	33회	풍물놀이	[음악 6] 3. 즐겁게 신나게
예술	설명문	36회	픽토그램	[미술 5] 2. 행복한 미술 여행

문학

	갈래	회차	제목	교과 연계
문학	동시	08회	봄비	[국어 6-1 (가)] 1. 비유하는 표현
문학	시	18회	우리가 눈발이라면	
문학	시	38회	서시	[도덕 6] 3. 나를 돌아보는 생활
문학	시조	28회	(가) 하여가 (나) 단심가	[국어 6-1 (나)] 8. 인물의 삶을 찾아서
문학	고전	20회	홍길동전	
문학	동화	09회	칭기즈 칸의 매	
문학	동화	19회	황금 사과	[국어 6-1 (가)] 2. 이야기를 간추려요
문학	설화	10회	아기장수 설화	
문학	소설	29회	목걸이	
문학	소설	40회	소나기	[국어 6-1 (가)] 2. 이야기를 간추려요
문학	수필	30회	어느 날 자전거가 내 삶 속으로 들어왔다	
문학	일기	39회	난중일기	

1 다양한 글로 **사고력 키우기**

❶ **쉽고 짧은 독해부터 길고 어려운 독해**까지 10일씩 난이도를 높여 학습하는 40일 완성 독해 훈련서입니다.

❷ 학년별 **교과서 제재를 연계**하여 다양한 형식의 글로 엮었습니다.

❸ 독해하면서 학생들이 지루해하지 않도록 글의 내용에 맞는 **재미있는 그림과 사진**을 실었습니다.

❹ 글 속의 어려운 **낱말의 뜻을 풀이**하여, 그때그때 찾아보며 글을 읽을 수 있도록 하였습니다.

2 문제를 풀며 **독해력 키우기**

❶ 수능 문학, 비문학에 실제로 출제되는 **수능 출제 유형을 반영**하여 통일된 유형으로 문제를 출제하였습니다.

❷ 글을 읽은 뒤 스스로 글의 전체 구조를 학습하기 위한 **지문 구조화 문제**를 마지막에 수록하였습니다.

❸ 1~2문장으로 간단히 쓸 수 있는 **서술형 문제를 제시**하여 글을 읽고 느낀 점을 생각하게 하였습니다.

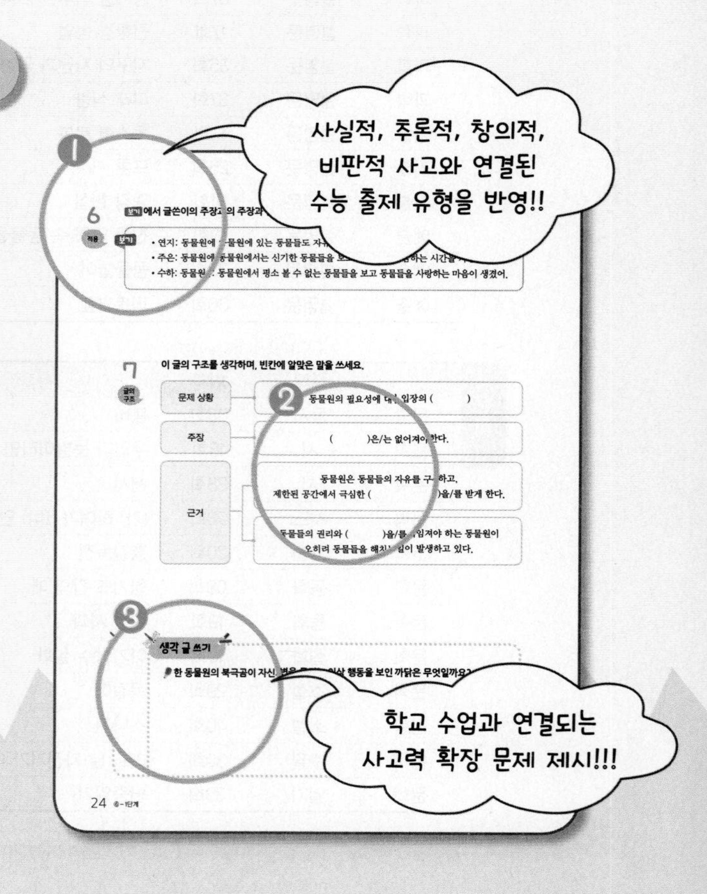

3 어휘 학습으로 **어휘력 키우기**

❶ 마무리 활동으로 글에 쓰인 어휘의 뜻과 쓰임을 복습하는 **어휘 다지기**, 문법 이론과 문제를 학습하는 **어법 다지기**를 수록하였습니다.

❷ 글을 읽고 어떤 문제 유형을 맞고 틀렸는지 **매일 스스로 평가하고 점검**할 수 있도록 하였습니다.

❸ 매일매일 맞은 문제 수에 따라 스스로 느낀 **학습 난이도를 스티커로** 붙이도록 하였습니다.

※ 스티커는 문제편 마지막 장에 수록되어 있습니다.

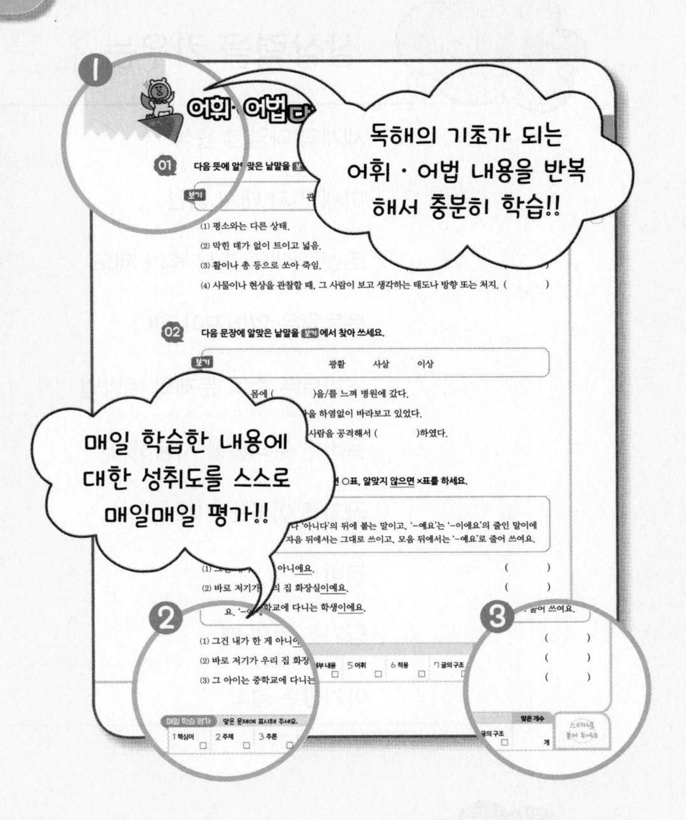

4 해설을 보며 **문제 해결력 키우기**

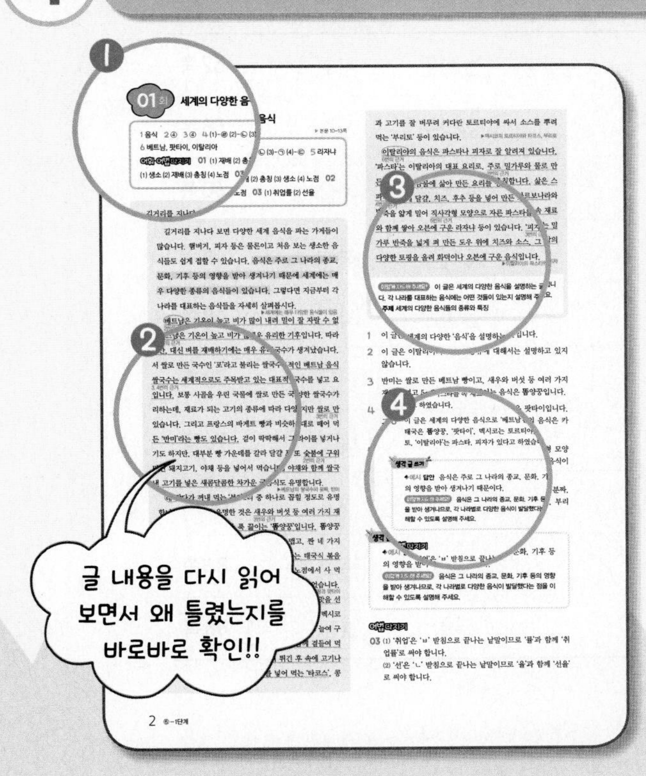

❶ 문제의 정답을 한 번에 맞춰 볼 수 있도록 **보기 쉽게 구성**하였습니다.

❷ **문단별 핵심 내용**과 문제 풀이의 근거가 되는 부분을 표시하고, 글 전체를 자세하고 꼼꼼하게 분석하였습니다.

❸ 학생들을 돕기 위한 **가이드 해설**을 실어서 학부모님과 교사분들이 직접 설명하고 지도하기 쉽게 구성하였습니다.

❹ 생각 글쓰기 문제의 **예시 답안**과, 학생들이 더 깊게 생각할 수 있는 해설을 수록하였습니다.

1단계 상상력을 키우는 짧은 독해

2단계 이해력을 키우는 재미있는 독해

3단계 사고력을 키우는 **다양한 독해**

4단계 독해력을 완성하는 **긴 독해**

상상력을 키우는 **짧은 독해**

❀ 자신의 학습 능력과 상황에 따라 꾸준하게 공부하는 것이 가장 중요합니다.

❀ 학습 계획을 먼저 세우고, 스스로 지킬 수 있도록 노력해 보세요.

				학습할 날짜
01회	세계의 다양한 음식	설명문	사회	월 일
02회	미세 먼지 대처 방안	설명문	사회	월 일
03회	조선 시대의 출산 휴가 제도	설명문	사회	월 일
04회	동물원은 없어져야 한다	논설문	인문	월 일
05회	스마트폰 중독 문제와 예방법	설명문	사회	월 일
06회	올바른 우리말을 사용하자	논설문	인문	월 일
07회	공기를 이루는 기체	설명문	과학	월 일
08회	봄비	문학	동시	월 일
09회	칭기즈 칸의 매	문학	동화	월 일
10회	아기장수 설화	문학	설화	월 일

길거리를 지나다 보면 다양한 세계 음식을 파는 가게들이 많습니다. 햄버거, 피자 등은 물론이고 처음 보는 *생소한 음식들도 쉽게 접할 수 있습니다. 음식은 주로 그 나라의 종교, 문화, 기후 등의 영향을 받아 생겨나기 때문에 세계에는 매우 다양한 종류의 음식들이 있습니다. 그렇다면 지금부터 각 나라를 대표하는 음식들을 자세히 살펴봅시다.

베트남은 기온이 높고 비가 많이 내려 밀이 잘 자랄 수 없지만, 대신 벼를 *재배하기에는 매우 유리한 기후입니다. 따라서 쌀로 만든 국수인 '포'라고 불리는 쌀국수가 생겨났습니다. 쌀국수는 세계적으로도 주목받고 있는 대표적인 베트남 음식입니다. 보통 사골을 우린 국물에 쌀로 만든 국수를 넣고 요리하는데, 재료가 되는 고기의 종류에 따라 다양한 쌀국수가 있습니다. 그리고 프랑스의 바게트 빵과 비슷하지만 쌀로 만든 '반미'라는 빵도 있습니다. 겉이 딱딱해서 그대로 떼어 먹기도 하지만, 대부분 빵 가운데를 갈라 달걀 프라이를 넣거나 말린 돼지고기, 야채 등을 넣어서 먹습니다. 또 숯불에 구워 낸 고기를 넣은 새콤달콤한 차가운 국물에 야채와 함께 쌀국수를 담갔다가 꺼내 먹는 '분짜'라는 음식도 유명합니다.

태국의 요리는 세계 6대 요리 중 하나로 꼽힐 정도로 유명합니다. 그중 가장 유명한 것은 새우와 버섯 등 여러 가지 재료를 넣고 5~6시간 동안 푹 끓이는 '똠양꿍'입니다. 똠양꿍은 세계 3대 수프 중 하나로, 시고, 달고, 맵고, 짠 네 가지 맛이 나는 독특한 음식입니다. 또 '팟타이'라는 태국식 볶음 쌀국수도 있습니다. 주로 거리 곳곳에 있는 *노점에서 사 먹을 수 있는 음식으로 태국 사람들의 국민 요리가 되었습니다.

멕시코에는 매콤하고 짭짤한 음식이 많아, 이러한 맛을 선호하는 한국인의 입맛에도 잘 맞는 요리들이 많습니다. 멕시코의 주식은 물에 불린 옥수수를 으깨서 얇게 원형으로 늘여 구운 '토르티야'인데, 주로 소스나 다양한 *소를 함께 곁들여 먹습니다. 토르티야를 U자형으로 만들어 튀긴 후 속에 고기나 콩, 양상추, 치즈 등의 다양한 재료를 넣어 먹는 '타코스', 콩과 고기를 잘 버무려 커다란 토르티야에 싸서 소스를 뿌려 먹는 '부리토' 등이 있습니다.

이탈리아의 음식은 파스타나 피자로 잘 알려져 있습니다. '파스타'는 이탈리아의 대표 요리로, 주로 밀가루와 물로 만든 반죽을 소금물에 삶아 만든 요리를 *총칭합니다. 삶은 스파게티 면에 달걀, 치즈, 후추 등을 넣어 만든 카르보나라와 반죽을 얇게 밀어 직사각형 모양으로 자른 파스타를 속 재료와 함께 쌓아 오븐에 구운 라자냐 등이 있습니다. '피자'는 밀가루 반죽을 넓게 펴 만든 도우 위에 치즈와 소스, 그 밖의 다양한 토핑을 올려 화덕이나 오븐에 구운 음식입니다.

낱말 뜻 풀이

- **생소**: 어떤 대상이 친숙하지 못하고 낯섦.
- **재배**: 식물을 심어 가꿈.
- **노점**: 길가의 한데에 물건을 벌여 놓고 장사하는 곳.
- **소**: 송편이나 만두 등을 만들 때, 맛을 내기 위하여 익히기 전에 속에 넣는 여러 가지 재료.
- **총칭**: 전부를 한데 모아 두루 일컬음.

1 제목

이 글에 알맞은 제목을 쓰세요.

세계의 다양한 (　　　　)

2 세부 내용

이 글에서 알 수 없는 내용은 무엇인가요?

① 파스타의 개념
② 분짜를 먹는 방법
③ 베트남 기후의 특징
④ 이탈리아의 디저트 종류
⑤ 멕시코 음식이 한국인의 입맛에 맞는 까닭

3 세부 내용

이 글의 내용으로 알맞지 않은 것은 무엇인가요?

① 똠양꿍은 세계 3대 수프 중 하나이다.
② 쌀국수는 세계적으로 주목받는 음식이다.
③ 토르티야는 주로 다양한 소를 함께 곁들여 먹는다.
④ 반미는 여러 가지 재료를 넣고 5~6시간 동안 끓인 음식이다.
⑤ 피자는 밀가루 반죽을 넓게 펴 만든 도우에 토핑을 올려 구운 음식이다.

4 적용

다음의 나라와 대표 음식을 선으로 알맞게 이으세요.

(1) 베트남 •	• ㉠ 타코스
(2) 태국 •	• ㉡ 팟타이
(3) 멕시코 •	• ㉢ 카르보나라
(4) 이탈리아 •	• ㉣ 쌀국수

5 이탈리아의 음식 중 하나인 보기 의 음식은 무엇인지 쓰세요.

추론

6 이 글의 내용을 생각하며, 빈칸에 알맞은 말을 쓰세요.

글의 구조

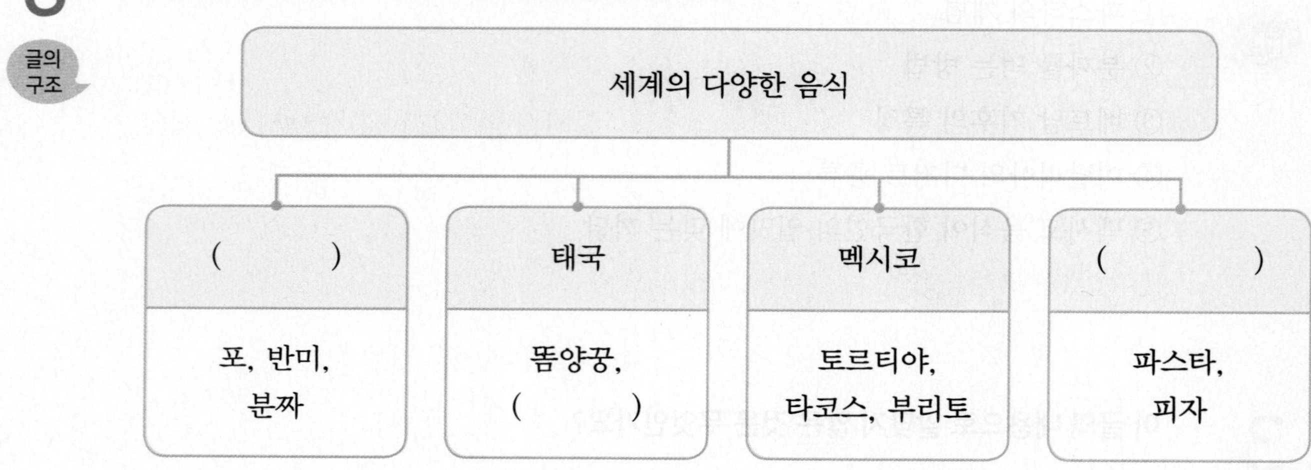

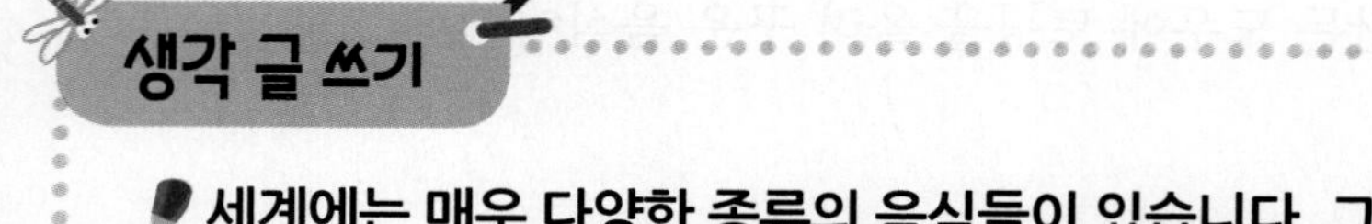

세계에는 매우 다양한 종류의 음식들이 있습니다. 그 까닭은 무엇일까요?

어휘·어법 다지기

01 다음 뜻에 알맞은 낱말을 보기 에서 찾아 쓰세요.

보기 노점 생소 재배 총칭

(1) 식물을 심어 가꿈. (　　　)

(2) 전부를 한데 모아 두루 일컬음. (　　　)

(3) 어떤 대상이 친숙하지 못하고 낯섦. (　　　)

(4) 길가의 한데에 물건을 벌여 놓고 장사하는 곳. (　　　)

02 다음 문장에 알맞은 낱말을 보기 에서 찾아 쓰세요.

보기 노점 생소 재배 총칭

(1) 도시에서 자란 나에게 농사일은 (　　　)했다.

(2) 할머니께서는 텃밭에서 상추와 배추를 (　　　)하신다.

(3) '장류'는 간장, 고추장, 된장 등을 (　　　)하는 용어이다.

(4) 어렸을 때 학교 앞 (　　　)에서 떡볶이를 자주 사 먹었다.

03 보기 를 읽고 알맞은 낱말을 골라 ○표를 하세요.

보기 **'-률'과 '-율'**
받침이 있는 말 다음에는 '률'로 적고, 'ㄴ' 받침이나 모음 뒤에서는 '율'로 적습니다.

(1) 취업률 / 취업율

(2) 선률 / 선율

매일 학습 평가	맞은 문제에 표시해 주세요.					맞은 개수
1 제목 ☐	2 세부 내용 ☐	3 세부 내용 ☐	4 적용 ☐	5 추론 ☐	6 글의 구조 ☐	개

언제부터인가 마음 편히 숨 쉬기도 쉽지 않고, 외출할 때면 꼭 마스크를 챙겨서 나가게 됩니다. 바로 미세 먼지 때문입니다. 미세 먼지는 지름이 10마이크로미터(1마이크로미터는 1,000분의 1밀리미터) 이하의 아주 작은 오염 물질로, 일반 먼지보다 크기가 매우 작아서 눈에 보이지 않습니다. 미세 먼지는 여러 종류의 오염 물질이 엉겨 붙어 공기 중에 머물러 있다가, 호흡기를 통해 우리 몸속으로 들어와 건강에 좋지 않은 영향을 미칩니다. 미세 먼지에 지속적으로 노출되면 천식이나 폐 질환, 뇌졸중, 치매 등의 질병 발병률과 *조기 사망률 증가에도 영향을 줄 수 있습니다. 특히 노약자 및 호흡기 질환자 등은 일반인보다 더 각별한 주의가 필요합니다. 그렇다면 이렇게 우리 건강을 위협하는 미세 먼지에 어떻게 대처해야 할까요?

첫째, 미세 먼지가 심한 날에는 외출을 삼가야 합니다. 특히 격렬한 외부 활동은 호흡량을 늘려 더 많은 미세 먼지를 마시게 하므로 조심해야 합니다. 집 안에 있을 때에도 문을 닫아 미세 먼지의 *유입을 차단하고, 충분한 습기 유지와 함께 공기 청정기 등을 켜서 공기를 깨끗하게 합니다. 하지만 꼭 외출을 해야 한다면 교통량이 많은 지역은 피하고, 식약청으로부터 허가받은 인증 마크가 있는 마스크와 긴 소매와 장갑, 목도리 등을 착용하여 몸을 가리는 것이 좋습니다. 또 눈으로 들어오는 미세 먼지로부터 눈을 보호하기 위해 렌즈보다는 안경을 착용하는 것이 도움이 됩니다.

둘째, 외출했다가 돌아와서는 즉시 몸을 깨끗이 씻어야 합니다. 온몸을 구석구석 씻고 특히 손, 발, 눈, 코를 흐르는 물에 씻고, 양치질도 해야 합니다. 미세 먼지는 피부에도 악영향을 미칩니다. 미세 먼지가 모공을 막아 여드름이나 뾰루지를 *유발하고 피부를 자극하여 아토피 피부염을 악화시키기도 하므로, 세안도 더 꼼꼼히 해야 합니다. 몸은 물론이고 두피에도 미세 먼지가 쌓이므로 머리도 바로 감는 것이 좋습니다. 또 옷을 탈탈 털어서 옷에 붙은 미세 먼지를 털어야 합니다.

셋째, 미세 먼지가 심한 날에는 물을 충분히 섭취합니다. 미세 먼지는 기관지를 통해 몸속에 흡수되는데, 호흡기가 촉촉하면 미세 먼지가 몸속으로 들어가지 않고 남아 있다가 가래나 코딱지 등으로 *배출된다고 합니다. 따라서 물은 기관지가 건조해지지 않도록 도와주고, 몸속에 쌓인 노폐물을 배출하는 데 중요한 역할을 합니다. 또 섬유질이 풍부한 과일과 야채 그리고 다시마, 미역과 같은 해조류를 자주 먹습니다. 이러한 과일과 야채, 해조류는 장운동을 활발하게 하여 몸속에 쌓인 중금속을 내보내는 효과가 있기 때문입니다.

뜻 풀이

- **조기**: 이른 시기.
- **유입**: 액체나 기체, 열 등이 어떤 곳으로 흘러듦.
- **유발**: 어떤 것이 다른 일을 일어나게 함.
- **배출**: 안에서 밖으로 밀어 내보냄.

1 핵심어

이 글의 중심이 되는 낱말을 쓰세요.

2

이 글의 제목으로 가장 알맞은 것은 무엇인가요?

① 맑은 공기가 그리워요.
② 미세 먼지, 이렇게 줄여 봐요.
③ 미세 먼지 심한 날, 이렇게 대처해요.
④ 미세 먼지와 황사의 차이점은 무엇일까?
⑤ 미세 먼지, 동물들에게 이렇게 위험해요.

3

이 글의 내용으로 알맞지 <u>않은</u> 것은 무엇인가요?

① 미세 먼지는 조기 사망률 증가에 영향을 미친다.
② 노약자는 미세 먼지에 대해 더 각별한 주의를 해야 한다.
③ 미세 먼지는 뇌졸중 등의 질병이 발병되는 데 영향을 준다.
④ 미세 먼지는 지름이 10마이크로미터 이하의 오염 물질이다.
⑤ 미세 먼지는 주로 귀를 통해 몸속에 들어와 건강에 악영향을 미친다.

4

이 글에서 설명한 미세 먼지 대처 방안이 <u>아닌</u> 것은 무엇인가요?

① 집 안에 있을 때에는 문을 닫는다.
② 미세 먼지가 심한 날에는 외출을 삼간다.
③ 미세 먼지가 심한 날에는 물을 많이 마신다.
④ 미세 먼지가 심한 날에는 돼지고기를 먹어서 중금속 배출을 돕는다.
⑤ 마스크는 식약청으로부터 허가받은 인증 마크가 있는 것을 착용한다.

5 **보기**에서 미세 먼지가 많은 날 알맞게 대처하지 않은 사람은 누구인지 쓰세요.

적용

보기
- 소미: 외출할 때 렌즈보다 안경을 써서 눈을 보호했어.
- 진이: 물은 8컵 이상 마시고, 다시마와 미역을 자주 먹었어.
- 일영: 모자를 쓰고 외출했기 때문에 머리를 제외하고 몸을 깨끗이 씻었어.

6 다음은 넷째 문단의 내용을 요약한 것입니다. 빈칸에 들어갈 알맞은 말을 쓰세요.

요약

미세 먼지가 심한 날에는 (　　　　)을/를 충분히 섭취하고, 과일과 (　　　　) 그리고 다시마, 미역과 같은 (　　　　)을/를 자주 먹어야 합니다.

7 이 글의 구조를 생각하며, 빈칸에 알맞은 말을 쓰세요.

글의 구조

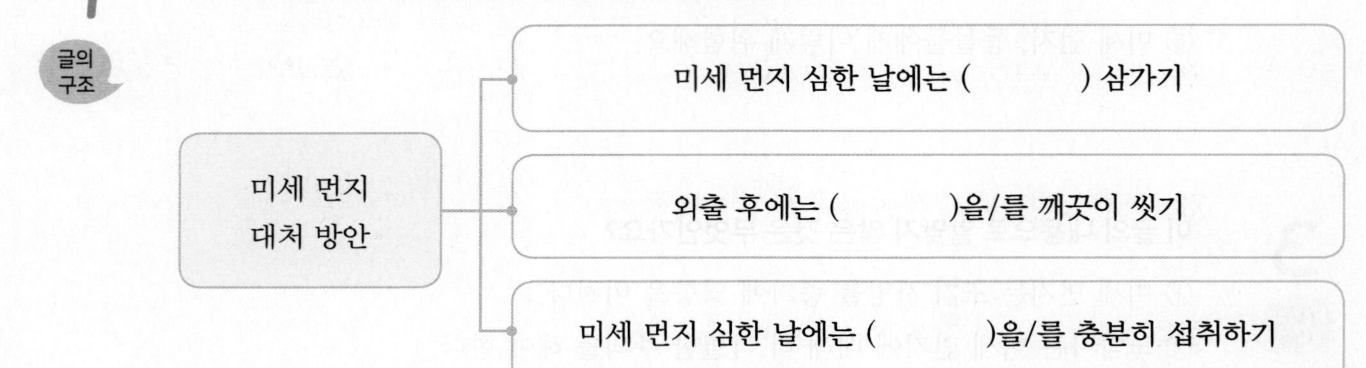

생각 글 쓰기

미세 먼지에 과일과 야채, 해조류가 미치는 긍정적인 영향은 무엇일까요?

어휘·어법 다지기

▶ 정답과 해설 3쪽

01 다음 뜻에 알맞은 낱말을 보기에서 찾아 쓰세요.

보기 배출 유발 유입 조기

(1) 이른 시기. ( )

(2) 안에서 밖으로 밀어 내보냄. ( )

(3) 어떤 것이 다른 일을 일어나게 함. ( )

(4) 액체나 기체, 열 등이 어떤 곳으로 흘러듦. ( )

02 다음 문장에 알맞은 낱말을 보기에서 찾아 쓰세요.

보기 배출 유발 조기

(1) 질병은 ( )에 발견해야 치료가 쉽다.

(2) 움직이는 장난감은 아기의 흥미를 ( )했다.

(3) 폐수를 함부로 하천에 ( )한 회사가 적발되었다.

03 보기를 읽고 다음 문장에 알맞은 낱말을 골라 ○표를 하세요.

보기

'지향'과 '지양'

'지향'은 '어떤 목표로 뜻이 쏠리어 향함. 또는 그 방향이나 그쪽으로 쏠리는 의지.'를 뜻하고, '지양'은 '더 높은 단계로 오르기 위하여 어떠한 것을 하지 아니함.'을 뜻하는 낱말이에요. 두 낱말은 전혀 다른 뜻이므로 잘 구별해서 사용해야 해요.

(1) 환경을 생각하지 않는 무분별한 개발은 (지향 / 지양)한다.

(2) 올림픽은 인류의 평화와 공존을 (지향 / 지양)하는 지구촌 축제이다.

매일 학습 평가 맞은 문제에 표시해 주세요.

1 핵심어	2 제목	3 세부 내용	4 세부 내용	5 적용	6 요약	7 글의 구조	맞은 개수
□	□	□	□	□	□	□	개

스티커를 붙여 주세요

설명문 | 사회

[도덕 6] 4. 공정한 생활

공부한 날 월 일

출산 휴가 제도는 ˚근로 기준법에 따라 임신 중인 여성 근로자에게 출산 전후에 부여하는 휴가를 말합니다. 출산 전후 90일 동안 여성 근로자의 근로 의무를 면제함으로써, 산모와 태아의 건강을 보호하고 출산 후 여성 근로자의 체력 ˚회복을 돕기 위해 시행되고 있습니다. 이에 따르면 사용자는 임신 중인 여성 근로자에게 시간 외 근로를 요구할 수 없으며, 출산 휴가가 끝난 후에는 휴가 전과 동일한 업무나 동등한 수준의 급여를 지급하는 직무로 ˚복귀시켜야 합니다.

그렇다면 이러한 출산 휴가 제도를 처음 시행한 인물은 누구일까요? 바로 훈민정음 창제라는 위대한 업적을 남긴 세종 대왕입니다. 조선 시대, 세종 대왕이 왕이 되기 전까지는 여자 노비들이 아이를 낳기 직전까지도 일을 해야 했고, 아이를 낳고도 7일만 쉬었다가 다시 일터에 나가야 했습니다. 따라서 만삭의 몸으로 힘겹게 일을 하고 아이를 낳고도 몸을 제대로 추스르지 못해, 여자 노비들의 출산 후 사망률은 극에 달했다고 합니다.

이를 해결하기 위해 세종 대왕은 여자 노비들에게 출산 후 휴가 100일을 주는 법을 ˚제정하였습니다. 그러나 정확한 ˚해산 날짜를 알지 못해 해산 당일까지 일을 하는 것은 물론이고 일을 하는 도중에 아이를 낳는 경우도 많아, 여자 노비들의 출산 후 사망률은 쉽게 낮아지지 않았습니다. 그래서 세종 대왕은 여자 노비들이 아이를 낳기 한 달 전에는 일을 쉬면서 건강을 잘 챙길 수 있도록 ˚법제화하였습니다.

그럼에도 불구하고 여자 노비들의 출산 후 사망률은 일정 비율로 계속 유지되고 있었습니다. 세종 대왕은 여자 노비들이 출산 전 한 달과 출산 후 100일의 휴가를 가질 수 있음에도 왜 사망하는 것인지 의문을 가졌습니다. 그리고 여자 노비들의 산후 ˚몸조리를 도와줄 사람이 없다는 것에서 그 이유를 찾았습니다. 이에 세종 대왕은 여자 노비들이 아이를 낳으면 그 남편 역시 30일 동안 일을 쉬면서 산모와 아이를 돌보게 하였습니다.

당시 노비의 생명권을 존중하는 제도가 있었던 나라가 드물었고, 오늘날의 출산 휴가 제도가 2007년이라는 늦은 시기에 시작된 것으로 볼 때, 세종 대왕은 시대를 앞섰던 ˚파격적인 제도를 실시했음을 알 수 있습니다. 특히 남편의 출산 휴가 제도는 세종 대왕이 세계 최초로 시행한 제도라는 점에서 큰 의미가 있습니다.

낱말 뜻 풀이

- **근로 기준법**: 헌법에 의거하여 근로 조건의 기준을 정하여 놓은 법률.
- **회복**: 원래의 상태로 돌이키거나 원래의 상태를 되찾음.
- **복귀**: 본디의 자리나 상태로 되돌아감.
- **제정**: 제도나 법률 등을 만들어서 정함.
- **해산**: 아이를 낳음.
- **법제화**: 법률로 정하여 놓음.
- **몸조리**: 허약해진 몸의 기력을 회복하도록 보살피는 일.
- **파격**: 일정한 격식을 깨뜨림. 또는 그 격식.

▶ 정답과 해설 4쪽

1

제목

이 글에 알맞은 제목을 쓰세요.

조선 시대의 (   )

2

세부 내용

오늘날의 출산 휴가 제도를 바르게 설명한 것은 무엇인가요?

① 산모와 태아의 건강을 보호하기 위해 시행된다.
② 출산 전후 30일 동안 여성 근로자의 근로 의무를 면제한다.
③ 임신 중인 여성 근로자에게 출산 전에만 부여하는 휴가를 말한다.
④ 출산 휴가가 끝난 후에는 휴가 전과 다른 수준의 급여를 지급한다.
⑤ 사용자는 임신 중인 여성 근로자에게 시간 외 근로를 요구할 수 있다.

3

세부 내용

세종 대왕이 왕이 되기 전의 상황으로 알맞지 않은 것은 무엇인가요?

① 여자 노비들의 출산 후 사망률은 매우 높았다.
② 여자 노비들은 만삭의 몸으로 힘겹게 일을 했다.
③ 여자 노비들은 아이를 낳기 직전까지도 일을 했다.
④ 여자 노비들은 아이를 낳고도 몸을 제대로 추스르지 못했다.
⑤ 여자 노비들은 아이를 낳고 3일만 쉰 후 다시 일터로 나갔다.

4

이 글에서 알 수 없는 내용은 무엇인가요?

① 근로 기준법의 세부 내용
② 오늘날 출산 휴가 제도의 내용
③ 조선 시대 출산 휴가 제도의 내용
④ 출산 휴가 제도를 처음 시행한 인물
⑤ 조선 시대에 출산 휴가 제도를 시행한 까닭

5

요약

보기는 세종 대왕의 출산 휴가 제도를 정리한 것입니다. 빈칸에 알맞은 숫자를 쓰세요.

보기

여자 노비들에게 출산 후 휴가 (   )일을 주는 법을 제정함.

⬇

출산 한 달 전에는 일을 쉬며 건강을 챙길 수 있도록 법제화함.

⬇

남편 역시 (   )일 동안 일을 쉬면서 산모와 아이를 돌보게 함.

6

글의 구조

이 글의 구조를 생각하며, 빈칸에 알맞은 말을 쓰세요.

첫째 문단	오늘날의 출산 휴가 제도의 개념과 내용
둘째 문단	조선 시대에 출산 휴가 제도를 처음 시행한 ( )
셋째 문단	여자 노비들의 출산 전후 휴가를 법제화한 세종 대왕
넷째 문단	여자 노비들의 ( )에게도 출산 휴가를 준 세종 대왕
다섯째 문단	시대를 앞선 파격적인 제도를 시행한 세종 대왕

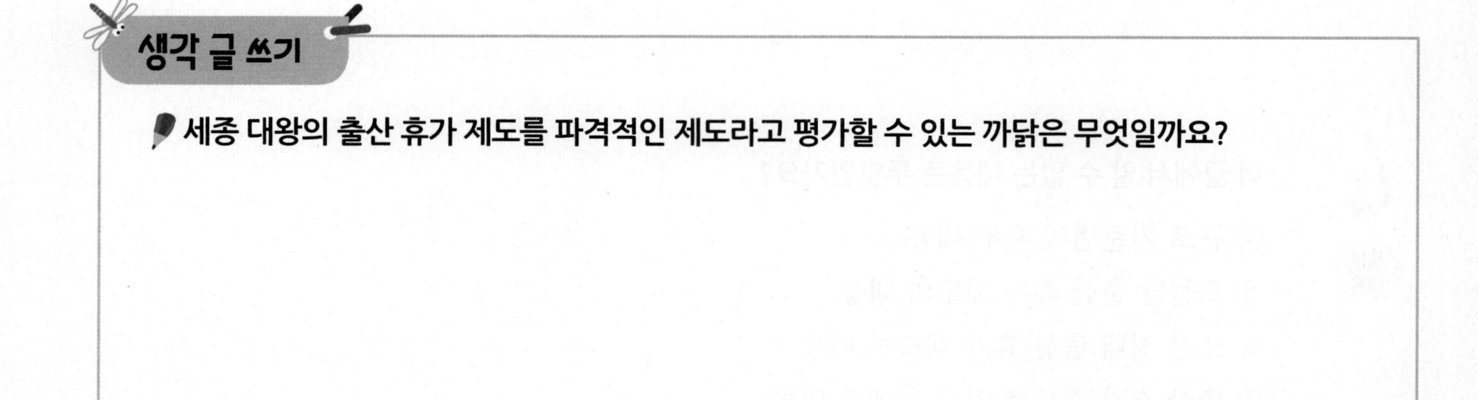

생각 글 쓰기

세종 대왕의 출산 휴가 제도를 파격적인 제도라고 평가할 수 있는 까닭은 무엇일까요?

01 다음 뜻에 알맞은 낱말을 보기 에서 찾아 쓰세요.

보기
복귀 제정 파격 해산

(1) 아이를 낳음. ( )

(2) 본디의 자리나 상태로 되돌아감. ( )

(3) 제도나 법률 등을 만들어서 정함. ( )

(4) 일정한 격식을 깨뜨림. 또는 그 격식. ( )

02 다음 문장에 알맞은 낱말을 보기 에서 찾아 쓰세요.

보기
복귀 제정 해산

(1) 어린이날은 1975년에 ( )되었다.

(2) 부상으로 출전하지 못했던 ○○○ 선수가 이번 경기부터 ( )하였다.

(3) 어머니께서 ( )하실 날이 가까워지자 아버지께서는 무척 초조해하셨다.

03 보기 를 읽고 다음 문장에서 명사를 골라 ○표를 하세요.

보기
명사
명사는 사람이나 사물, 추상적인 대상의 이름을 나타내는 낱말이에요. 예를 들어, '할머니, 사과, 사랑, 국어' 등의 낱말을 들 수 있어요.

(1) 바람이 분다.

(2) 은아는 반장이다.

(3) 인생은 길지 않다.

(4) 지아는 우유를 샀다.

매일 학습 평가	맞은 문제에 표시해 주세요.					맞은 개수
1 제목 ☐	2 세부 내용 ☐	3 세부 내용 ☐	4 세부 내용 ☐	5 요약 ☐	6 글의 구조 ☐	개

논설문 | 인문

[국어 6-1 (가)] 4. 주장과 근거를 판단해요

공부한 날 월 일

동물원은 살아 있는 동물들을 모아서 기르는 곳입니다. 자연 상태에서 보기 힘든 다양한 동물들을 가까이에서 볼 수 있어 동물들의 생태와 습성, 자연환경의 소중함을 배울 수 있는 교육 장소이지만, 동물들이 좁은 우리에 갇혀 스트레스를 받는 공간이기도 합니다. 이처럼 동물원이 필요하다는 입장과 동물원은 없어져야 한다는 입장이 계속해서 대립하고 있습니다.

동물원이 필요하다는 입장에서는 평소 쉽게 만날 수 없는 동물들을 가까이에서 볼 수 있어 큰 즐거움을 느낄 수 있다고 합니다. 또 야생에서 약한 동물들이 강한 동물들에게 공격을 당하거나 먹이가 없어 굶어 죽는 것을 막아 주기 때문에 동물들에게 훨씬 이롭다고 주장합니다. 하지만 이러한 주장들은 모두 인간의 이기적인 관점에서 비롯된 것들입니다.

동물원은 동물들의 자유를 구속하고, 동물들에게 사람의 구경거리가 되는 고통을 줍니다. 동물원에서 동물들은 제한된 공간에 갇혀 수많은 관람객과 항상 마주해야 합니다. 이러한 상황에서 동물들은 극심한 스트레스를 받습니다. 한 동물원에 있는 바다코끼리는 사육장 내의 철제 기둥에 입 부분을 지나치게 계속 문지르고, 다른 동물원의 북극곰은 하얀 털이 갈색이 될 정도로 자신의 몸에 대변을 묻힙니다. 이들은 모두 온종일 좁은 우리에 갇혀 눈요깃거리가 되는 생활에 스트레스를 받아 이상 행동을 보이는 것입니다.

또 동물들의 권리와 안전을 책임져야 하는 동물원이 오히려 동물들을 해치는 일이 발생하고 있습니다. 한 동물원에서 사육사의 부주의로 문이 제대로 잠기지 않아 퓨마 한 마리가 우리를 탈출했습니다. 관계자들은 퓨마를 생포하려고 했지만, 실패로 돌아가자 주변 시민들의 안전을 생각하여 퓨마를 사살했습니다. 이와 같이 동물들의 보호를 우선으로 해야 할 동물원에서 인간의 실수로 동물들을 해치는 일이 더 이상 발생해서는 안 됩니다.

동물들은 인간에게 즐거움을 줍니다. 하지만 동물들에게도 동물원이 즐거운 장소일까요? 친환경 동물원이 생기고 있지만 동물들이 원래 살던 환경을 그대로 동물원으로 옮기는 것은 불가능합니다. 동물들은 동물원보다 생태계가 어우러진 광활한 자연에서 살아야 합니다. 따라서 동물들에게 이로움보다 해로움이 훨씬 더 많은 동물원은 없어져야 합니다.

낱말 뜻 풀이

- **관점**: 사물이나 현상을 관찰할 때, 그 사람이 보고 생각하는 태도나 방향 또는 처지.
- **눈요깃거리**: 눈으로 보기만 하면서 어느 정도 만족을 느끼는 대상.
- **이상**: 평소와는 다른 상태.
- **사살**: 활이나 총 등으로 쏘아 죽임.
- **광활**: 막힌 데가 없이 트이고 넓음.

1 핵심어

이 글의 가장 중심이 되는 낱말은 무엇인가요?

2 주제

이 글에서 글쓴이가 주장하는 것은 무엇인가요?

① 동물원은 동물들을 위해 필요하다.
② 동물원은 인간에게 즐거움을 준다.
③ 동물원은 동물들의 권리를 보장한다.
④ 동물들을 위해 동물원을 늘려야 한다.
⑤ 동물들의 자유를 구속하는 동물원은 없어져야 한다.

3 추론

이 글의 특징으로 알맞지 않은 것의 기호를 쓰세요.

㉠ 인물의 생애를 기록한 글이다.
㉡ 예를 들어 주장을 뒷받침하고 있다.
㉢ 대상에 대한 글쓴이의 관점이 드러나 있다.
㉣ 글쓴이의 주장과 이를 뒷받침하는 근거로 이루어져 있다.

4 세부 내용

이 글의 내용으로 알맞지 않은 것은 무엇인가요?

① 동물원은 동물들의 권리와 안전을 책임져야 한다.
② 동물원보다 광활한 자연이 동물들에게 더 이롭다.
③ 동물원의 동물들은 제한된 공간에서 스트레스를 받는다.
④ 동물원에서 동물들은 항상 수많은 관람객과 마주해야 한다.
⑤ 동물들이 원래 살던 환경을 동물원에 그대로 옮기는 것은 가능하다.

5 어휘

보기에서 설명하는 낱말을 이 글에서 찾아 쓰세요.

보기: 눈으로 보기만 하면서 어느 정도 만족을 느끼는 대상.

6

보기에서 글쓴이의 주장과 같은 생각을 가진 사람은 누구인지 쓰세요.

- 연지: 동물원에 있는 동물들도 자유를 누릴 권리가 있어.
- 주은: 동물원에서는 신기한 동물들을 보고 동물들과 교감하는 시간을 가질 수 있어.
- 수하: 동물원에서 평소 볼 수 없는 동물들을 보고 동물들을 사랑하는 마음이 생겼어.

7

이 글의 구조를 생각하며, 빈칸에 알맞은 말을 쓰세요.

글의 구조

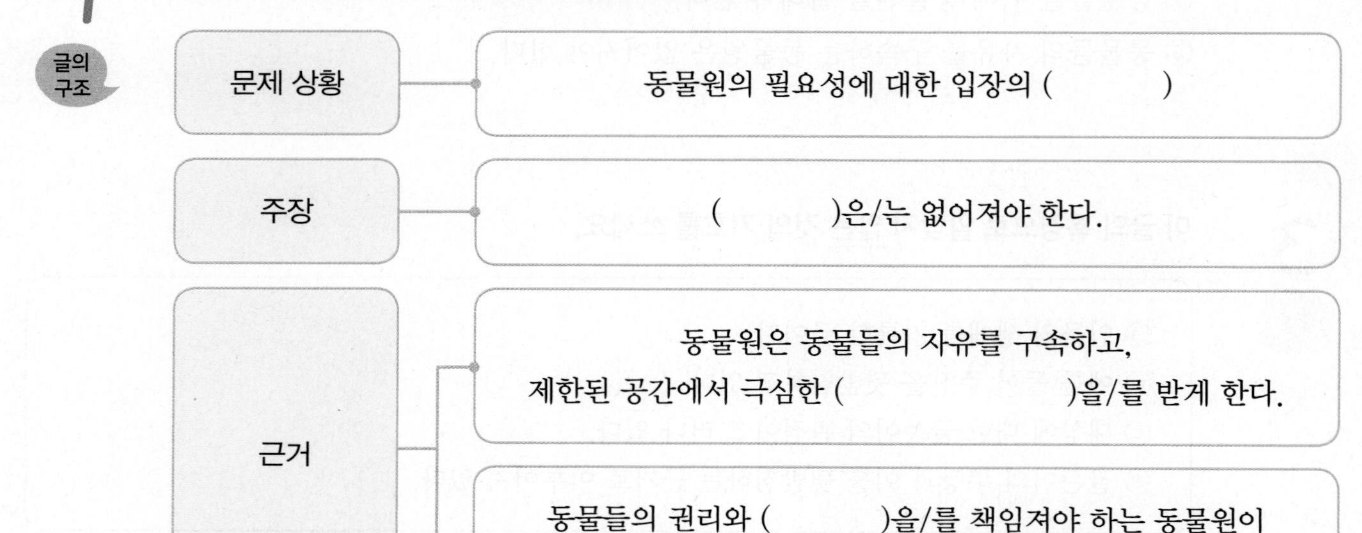

생각 글 쓀기

한 동물원의 북극곰이 자신의 몸에 대변을 묻히는 이상 행동을 보인 까닭은 무엇일까요?

어휘·어법 다지기

04회 ▶ 정답과 해설 5쪽

01 다음 뜻에 알맞은 낱말을 보기에서 찾아 쓰세요.

보기: 관점 광활 사살 이상

(1) 평소와는 다른 상태. ( )

(2) 막힌 데가 없이 트이고 넓음. ( )

(3) 활이나 총 등으로 쏘아 죽임. ( )

(4) 사물이나 현상을 관찰할 때, 그 사람이 보고 생각하는 태도나 방향 또는 처지. ( )

02 다음 문장에 알맞은 낱말을 보기에서 찾아 쓰세요.

보기: 광활 사살 이상

(1) 지현이는 몸에 ( )을/를 느껴 병원에 갔다.

(2) 그는 ( )한 들판을 하염없이 바라보고 있었다.

(3) 산에서 내려온 멧돼지가 사람을 공격해서 ( )하였다.

03 보기를 읽고 밑줄 친 부분이 알맞으면 ○표, 알맞지 않으면 ×표를 하세요.

보기
'-에요'와 '-예요'
'-에요'는 '이다'나 '아니다'의 뒤에 붙는 말이고, '-예요'는 '-이에요'의 줄인 말이에요. '-이에요'는 자음 뒤에서는 그대로 쓰이고, 모음 뒤에서는 '-예요'로 줄어 쓰여요.

(1) 그건 내가 한 게 아니<u>에요</u>. ( )

(2) 바로 저기가 우리 집 화장실<u>이예요</u>. ( )

(3) 그 아이는 중학교에 다니는 학생<u>이에요</u>. ( )

매일 학습 평가 맞은 문제에 표시해 주세요.

1 핵심어	2 주제	3 추론	4 세부 내용	5 어휘	6 적용	7 글의 구조	맞은 개수
□	□	□	□	□	□	□	개

05회

설명문 | 사회

[실과 6] 5. 생활과 혁신

공부한 날 ( )월 ( )일

오늘날 스마트폰을 포함한 정보 기기와 인터넷의 발달은 유용한 정보를 얻거나 게임, 음악 감상 등 취미 활동을 하는 데 도움을 줍니다. 그러나 정보 기기와 인터넷을 지나치게 사용하면 불안 증상, 분노 조절 장애, 시력 *감퇴와 같은 문제가 나타나기도 합니다. 이러한 문제로 일상생활에서 어려움을 겪는 상태를 사이버 *중독이라고 하는데, 특히 요즘 가장 눈에 띄는 사이버 중독은 국민 대부분이 사용하고 있는 스마트폰으로 인한 중독입니다.

한 조사에 따르면, 우리나라 청소년의 30.3퍼센트가 일상에서 과도하게 스마트폰을 사용하고 스마트폰 이용 정도를 스스로 조절하지 못해 가정과 학교생활에서 여러 문제를 겪는 스마트폰 과의존 상태라고 합니다. 과의존 상태는 중독과 같은 수준으로 해석할 수 있어 심각성이 매우 높고, 특히 청소년기의 스마트폰 중독은 성인에 비해 더 심각한 문제가 될 수 있습니다.

청소년기에 스마트폰에 중독되면 주의력과 집중력이 낮아져 학습 능력이 떨어질 수 있습니다. 전화번호 외우기, 간단한 계산 등 뇌가 학습하는 훈련을 스마트폰이 대신하여 뇌 발달에 나쁜 영향을 미칩니다. 또 스마트폰은 청소년기의 성장 발달에 악영향을 끼칩니다. 스마트폰을 장시간 고개를 숙이고 보게 되면 C자형을 이루어야 할 *경추가 점점 일자로 변하면서 거북목 증후군이 발생하고 목 디스크로 발전될 수 있습니다. 가까운 거리에 있는 작은 화면을 오랜 시간 집중해서 보게 되면, 눈에 과도한 피로를 주고 눈 깜박임을 줄어들게 해 눈물의 생성을 방해하여 안구 건조증까지 유발하기도 합니다.

그렇다면 이렇게 많은 문제들이 있는 스마트폰 중독을 예방하기 위해서는 어떤 방법들이 있을까요? 먼저, 스마트폰 사용은 정해진 시간에만 합니다. 하루에 몇 시간 정도 사용할 것인지 미리 계획하고 자신과의 약속을 지킬 수 있도록 노력합니다. 되도록 하루 최대 3시간은 넘기지 않는 것이 좋다고 합니다. 다음으로, 스마트폰 사용을 줄이고 가족이나 친구들과 함께하는 시간을 늘리거나 *건전한 취미 생활을 합니다. 가족과 함께 문화생활을 즐기거나, 친구들과 함께 야외에 나가 운동을 하며 건강한 신체를 만듭니다. 마지막으로, 스스로 스마트폰 사용 시간을 조절하기 어려울 때에는 주변에 도움을 청합니다. 부모님, 학교 선생님, 스마트폰 중독 예방 단체 등의 도움을 받아 스마트폰 중독을 예방할 수 있도록 합니다.

낱말 뜻 풀이

- **감퇴**: 기운이나 세력 등이 줄어 쇠퇴함.
- **중독**: 어떤 사상이나 사물에 젖어 버려 정상적으로 사물을 판단할 수 없는 상태.
- **경추**: 척추뼈 가운데 가장 위쪽에 있는 일곱 개의 뼈.
- **건전**: 사상이나 사물 등의 상태가 한쪽으로 치우치지 않고 정상적이며 위태롭지 않음.

▶정답과 해설 7쪽

1 핵심어

이 글의 중심이 되는 낱말을 쓰세요.

2 제목

이 글의 제목으로 가장 알맞은 것은 무엇인가요?

① 사이버 중독의 종류
② 스마트폰 중독 예방 단체
③ 스마트폰으로 할 수 있는 일
④ 어린이들의 스마트폰 중독 실태
⑤ 스마트폰 중독의 문제점과 예방법

3 세부 내용

이 글에 나타난 스마트폰 중독으로 인한 문제점이 아닌 것은 무엇인가요?

① 대인 관계가 나빠진다.
② 안구 건조증이 생긴다.
③ 학습 능력이 떨어진다.
④ 거북목 증후군이 발생한다.
⑤ 뇌 발달에 악영향을 미친다.

4

이 글에 나타난 스마트폰 중독 예방법이 아닌 것은 무엇인가요?

① 스마트폰 사용은 정해진 시간에만 한다.
② 스마트폰 사용 대신 가족과 함께 문화생활을 즐긴다.
③ 스마트폰 사용 대신 친구들과 함께 야외에서 운동을 한다.
④ 스스로 정한 스마트폰 사용 시간이 지나면 컴퓨터를 이용한다.
⑤ 스스로 조절이 어려울 때에는 스마트폰 중독 예방 단체의 도움을 받는다.

5 세부 내용

일상에서 과도하게 스마트폰을 사용하고 스마트폰 이용 정도를 스스로 조절하지 못해 가정과 학교생활에서 여러 문제를 겪는 것을 무엇이라고 하나요?

6 어휘

보기 에서 설명하는 낱말을 이 글에서 찾아 쓰세요.

보기
척추뼈 가운데 가장 위쪽에 있는 일곱 개의 뼈로, C자형으로 이루어져 있습니다.

7 글의 구조

이 글의 중심 내용을 생각하며, 빈칸에 알맞은 말을 쓰세요.

문단	중심 내용
첫째 문단	사이버 중독의 하나인 (　　　　　　) 중독
둘째 문단	청소년기 스마트폰 중독의 심각성
셋째 문단	청소년기 스마트폰 중독의 (　　　)
넷째 문단	스마트폰 중독의 (　　　)

스마트폰 중독이 특히 청소년에게 더 좋지 않은 영향을 미치는 까닭은 무엇일까요?

01 다음 뜻에 알맞은 낱말을 보기 에서 찾아 쓰세요.

보기
감퇴　　건전　　중독

(1) 기운이나 세력 등이 줄어 쇠퇴함. (　　　)

(2) 어떤 사상이나 사물에 젖어 버려 정상적으로 사물을 판단할 수 없는 상태. (　　　)

(3) 사상이나 사물 등의 상태가 한쪽으로 치우치지 않고 정상적이며 위태롭지 않음. (　　　)

02 다음 문장에 알맞은 낱말을 보기 에서 찾아 쓰세요.

보기
감퇴　　건전　　중독

(1) 건강한 신체에 (　　　　)한 정신이 깃든다.

(2) 나이가 들면 가장 먼저 시력이 (　　　　)된다.

(3) 형이 게임 (　　　　)에 빠질 것 같아 어머니께서 걱정이 많으시다.

03 보기 를 읽고 다음 문장에 알맞은 낱말을 골라 ○표를 하세요.

보기
- **어느**: ① 둘 이상의 것 가운데 대상이 되는 것이 무엇인지 물을 때 쓰는 말. ② 둘 이상의 것 가운데 똑똑히 모르거나 꼭 집어 말할 필요가 없는 막연한 사람이나 사물을 이를 때 쓰는 말.
- **여느**: 그 밖의 예사로운. 또는 다른 보통의.

(1) 옛날 (어느 / 여느) 마을에 한 형제가 살았다.

(2) 오늘은 (어느 / 여느) 때와 달리 일찍 일어났다.

매일 학습 평가	맞은 문제에 표시해 주세요.						맞은 개수	
1 핵심어 ☐	2 제목 ☐	3 세부 내용 ☐	4 세부 내용 ☐	5 세부 내용 ☐	6 어휘 ☐	7 글의 구조 ☐	개	스티커를 붙여 주세요

논설문 | 인문

[국어 6-1 (나)] 7. 우리말을 가꾸어요

공부한 날  월  일

국립 국어원에서 실시한 '청소년 언어문화 실태' 조사에 따르면, 초 · 중 · 고 재학생의 95퍼센트가 일상 대화 속에서 *신조어와 욕설을 섞어 쓰고 있는 것으로 나타났습니다. 실제로 요즘 청소년들의 대화를 유심히 들여다보면, 줄임말은 물론이고 비속어와 욕설 등을 빼면 대화가 힘들어 보일 만큼 청소년들 사이에 잘못된 언어 습관이 *만연해 있음을 알 수 있습니다. 이러한 문제의 원인으로는 인터넷의 대중화 그리고 스마트폰과 *SNS(소셜 네트워크 서비스)의 보편화, 파급력이 강한 방송에서 잘못된 언어 습관이 사용되고 있는 것 등을 들 수 있습니다. 그렇다면 청소년들은 올바른 우리말을 사용하기 위해 어떤 노력을 해야 할까요?

먼저, 다른 사람을 배려하며 말해야 합니다. 두 친구가 길을 걷다가 뜻하지 않게 서로 부딪혔을 때 서로 노려보며 "야, 넌 눈도 없냐? 똑바로 보고 다녀야지!", "뭐라고? 재수 없어. 네가 날 쳤잖아!"라고 말한다면, 더 큰 다툼이 일어날 것입니다. 하지만 같은 상황에서 "부딪쳐서 미안해. 다치지 않았니?"라고 배려하는 말을 건넨다면, 말하는 사람과 듣는 사람 모두 존중하고 있고 존중받고 있다는 생각에 기분이 좋아질 것입니다.

다음으로 부정적인 말보다는 긍정적인 말을 사용해야 합니다. 반 친구들과 공놀이를 할 때마다 실수해서 같은 편이 되기를 꺼려하는 친구가 있다고 해 봅시다. 대부분 그 친구와 같은 편이 되면 "망했어."라는 부정적인 말이나 비속어, 욕설을 합니다. 하지만 부정적인 말 대신 "힘내자, 넌 잘 할 수 있어."라고 긍정적인 말을 건넨다면, 말하는 사람과 듣는 사람 모두 기분이 좋아지고 듣는 사람은 자신감도 생길 것입니다.

마지막으로 고운 우리말을 사용하기 위해 노력해야 합니다. 거리를 걷다 보면 우리말 간판을 찾기가 ㉠하늘의 별 따기만큼 어렵고, 영어 이름을 마구 섞어 쓰거나 뜻 모를 외국어를 발음 그대로 쓴 간판을 볼 수 있습니다. 또 우리가 사용하는 단어에도 많은 외래어와 외국어가 있는데, 이러한 단어들은 고운 우리말로 *순화하여 사용해야 합니다. 예를 들어 떼었다 붙였다 할 수 있는 메모지인 '포스트잇'은 '붙임쪽지'로, 문자와 기호, 숫자 등을 조합하여 만든 그림 문자인 '이모티콘'은 '그림말', 죽음을 앞둔 사람이 죽기 전에 하고 싶은 일을 적은 목록인 '버킷 리스트'는 '소망 목록' 등으로 순화할 수 있습니다.

청소년기의 잘못된 언어 습관은 *언어폭력으로 이어질 수 있습니다. 우리말의 우수성과 가치를 깨닫지 못하고 줄임말, 신조어, 비속어와 욕설, 외래어와 외국어 등 잘못된 우리말을 *남용하는 청소년들은 스스로의 언어 습관을 반성해야 합니다. 또 올바른 우리말 사용에 책임감을 가지고 건전한 *소통을 할 수 있도록 노력해야 할 것입니다.

낱말 뜻 풀이

- **신조어**: 새로 생긴 말. 또는 새로 귀화한 외래어.
- **만연**: 전염병이나 나쁜 현상이 널리 퍼짐을 비유적으로 이르는 말.
- **SNS(Social Network Service)**: 소셜 네트워크를 형성하여 다른 사람들과 교류할 수 있도록 응용 프로그램이나 누리집 등을 관리하는 서비스.
- **순화**: 복잡하게 뒤섞인 것을 걸러서 순수하게 함.
- **언어폭력**: 말로써 온갖 음담패설을 늘어놓거나 욕설, 협박 등을 하는 일.
- **남용**: 일정한 기준이나 한도를 넘어서 함부로 씀.
- **소통**: 뜻이 서로 통하여 오해가 없음.

1

주제

이 글을 쓴 목적은 무엇일까요?

① 한글의 위대함을 알리기 위해
② 청소년들의 언어폭력 실태를 고발하기 위해
③ 올바른 우리말을 사용하자고 주장하기 위해
④ 청소년들이 주로 사용하는 말을 조사하기 위해
⑤ 한글이 영어보다 효율적이라는 것을 설명하기 위해

2

이 글에 나타난 청소년들의 언어 습관이 잘못된 까닭이 아닌 것은 무엇인가요?

① SNS의 보편화
② 인터넷의 대중화
③ 스마트폰의 보편화
④ 유행에 뒤처지지 않으려는 심리
⑤ 파급력이 강한 방송의 잘못된 언어 습관

3

이 글에서 올바른 우리말을 사용하기 위해 청소년들이 해야 할 노력이 아닌 것의 기호를 쓰세요.

(가) 다른 사람을 배려하는 말을 사용해야 한다.
(나) 부정적인 말보다는 긍정적인 말을 사용해야 한다.
(다) 여러 번의 토의 과정을 거쳐 신조어를 만들어야 한다.
(라) 외래어와 외국어는 고운 우리말로 순화해서 사용해야 한다.

4

적용

다음 중 긍정적인 우리말 사용의 예가 아닌 것에 ×표를 하세요.

(1) (자신감을 잃은 친구에게) 힘내자. 좋은 일이 생길 거야. ( )

(2) (새 옷이 잘 어울리는 친구에게) 우와, 정말 멋있어 보여. ( )

(3) (시험을 망쳐서 슬픈 친구에게) 어쩔 수 없어. 정말 망했어. ( )

5

어휘

㉠의 뜻으로 알맞은 것은 무엇인가요?

① 자기에게 해가 돌아올 짓을 함을 비유적으로 이르는 말.

② 별안간 아무도 모르게 사라져 버림을 비유적으로 이르는 말.

③ 어떤 일을 이루기 위해서는 자신의 노력이 중요함을 이르는 말.

④ 아무리 어려운 경우에 처하더라도 살아 나갈 방도가 생긴다는 말.

⑤ 무엇을 얻거나 성취하기가 매우 어려운 경우를 비유적으로 이르는 말.

6

글의 구조

이 글의 구조를 생각하며, 빈칸에 알맞은 말을 쓰세요.

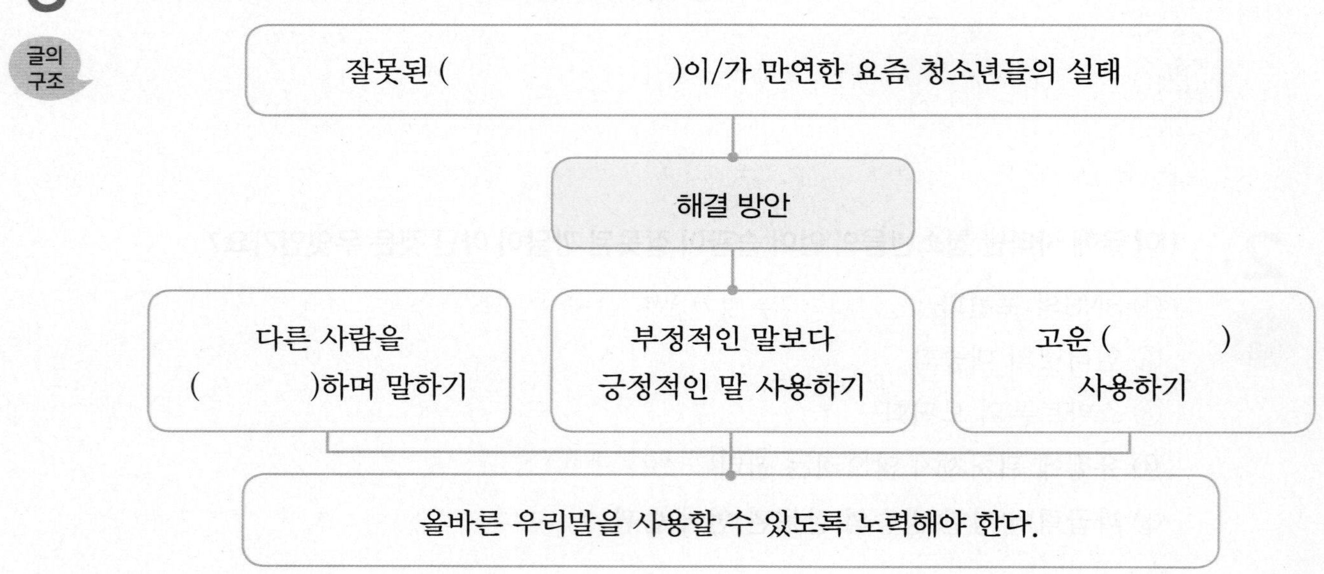

생각 글 쓰기

청소년기에 특히 올바른 우리말을 사용하기 위해 노력해야 하는 까닭은 무엇일까요?

어휘·어법 다지기

▶ 정답과 해설 8쪽

01 다음 뜻에 알맞은 낱말을 보기 에서 찾아 쓰세요.

보기

남용 소통 순화

(1) 뜻이 서로 통하여 오해가 없음. (　　　)

(2) 복잡하게 뒤섞인 것을 걸러서 순수하게 함. (　　　)

(3) 일정한 기준이나 한도를 넘어서 함부로 씀. (　　　)

02 다음 문장에 알맞은 낱말을 보기 에서 찾아 쓰세요.

보기

남용 만연 소통

(1) 우리 사회 각층에는 부정부패가 (　　　)해 있다.

(2) 약물을 (　　　)하면 오히려 건강을 해칠 수 있다.

(3) 현재는 서로 의견 (　　　)이 잘 이루어지고 있다.

03 보기 를 읽고 다음 문장의 밑줄 친 부분을 바르게 고쳐 쓰세요.

보기

'좇다'와 '쫓다'

'좇다'는 '꿈이나 목표, 이상, 행복 등을 추구하다.'라는 뜻이고, '쫓다'는 '어떤 대상을 잡거나 만나기 위해 뒤를 급히 따르다.'라는 뜻이에요. 간단히 말해서, 눈에 보이지 않는 목표나 생각을 따를 때에는 '좇다', 눈에 보이는 것을 뒤따를 때에는 '쫓다'를 써요.

(1) 꿈을 <u>쫓아</u> 노력하는 사람들이 많다. (　　　)

(2) 우리 집 강아지는 내 뒤만 졸졸 <u>좇는다</u>. (　　　)

(3) 오빠는 결국 부모님의 의견을 <u>쫓기로</u> 했다. (　　　)

매일 학습 평가 맞은 문제에 표시해 주세요.

1 주제	2 세부 내용	3 세부 내용	4 적용	5 어휘	6 글의 구조	맞은 개수
□	□	□	□	□	□	개

인간을 포함한 동물, 그리고 식물이 살아가는 데 있어 가장 중요하고 필요한 것은 공기입니다. 공기는 생명이 살 수 있는 곳이라면 어디든 함께 하며, 생명체의 *생존에 필수적인 소중한 존재입니다. 이러한 공기는 여러 가지 기체가 섞여 있는 *혼합물이라는 것을 알고 있나요? 공기의 대부분은 78퍼센트의 질소와 21퍼센트의 산소이지만, 이 밖에도 아르곤, 이산화 탄소, 네온, 헬륨, 메탄, 크립톤, 수소 등의 기체가 포함되어 있습니다. 공기를 *구성하고 있는 기체에 대해 자세히 살펴볼까요?

먼저, 질소는 공기의 대부분을 차지하고 있는 기체입니다. 질소는 색깔과 냄새가 없으며, 보통 온도에서는 공기보다 가볍고 물에 잘 녹지 않아 다른 물질과 거의 *화합하지 않습니다. 하지만 높은 온도에서는 여러 물질들과 화합하여 암모니아나 산화 질소 등을 만들어 냅니다. 질소는 식품의 내용물을 보존하거나 신선하게 보관하는 데 이용됩니다. 과자가 상하는 것을 막아 주기 위해 과자 봉지에 들어 있는 질소를 흔히 볼 수 있습니다. 또 충격이나 약품에 강한 물질을 만드는 데 쓰이거나 식물의 비료로 사용되기도 합니다.

질소 다음으로 공기에 많이 들어 있는 기체는 산소입니다. 산소는 공기보다 약간 무겁고, 질소와 마찬가지로 색깔과 냄새가 없습니다. 산소는 대부분 녹색 식물의 *광합성에 의해 만들어지며, 모든 생물의 생명 유지에 반드시 필요한 기체입니다. 따라서 의료용 생명 유지 장치나 산소통 등 일상생활에서 다양하게 이용되고 있습니다. 또 산소는 스스로는 타지 않지만 다른 물질이 타는 것을 도와 물질의 *연소가 일어나게 하므로, 불을 이용하는 산업에서도 사용되고 있습니다.

공기의 약 0.94퍼센트를 차지하는 아르곤이라는 기체도 있습니다. 아르곤 역시 질소와 산소처럼 색깔과 냄새가 없습니다. 주로 형광등 안에 넣는 가스로 이용되며, 형광등 안에서 쉽게 전류가 흐를 수 있도록 돕는 역할을 합니다.

이산화 탄소는 공기의 약 0.03퍼센트를 차지하지만 매우 중요한 기체입니다. 색깔과 냄새가 없고, 물질이 타는 것을 막는 성질이 있습니다. 그리고 지구의 식물이 광합성을 하는 데 꼭 필요하며, 소화기, 드라이아이스나 탄산음료, 액체 소화제 등을 만드는 데 이용됩니다.

이 밖에도 네온은 *특유의 빛을 내는 조명 기구나 네온 광고에 이용되며, 헬륨은 비행선이나 풍선을 공중에 띄우는 *용도로 이용됩니다. 수소는 청정 연료로써 전기를 만드는 데 이용되고 있으며, 우주에서 가장 흔한 원소이자 물을 구성하는 원소인 만큼 미래 에너지로 *각광을 받고 있습니다. 이처럼 공기를 이루고 있는 여러 가지 기체들은 우리 생활에서 다양하게 이용되고 있습니다.

낱말 뜻 풀이

- **생존**: 살아 있음.
- **혼합물**: 두 가지 이상의 물질이 각각의 성질을 지니면서 서로 화학적 결합을 하지 아니하고 뒤섞인 물질.
- **구성**: 몇 가지 부분이나 요소들을 모아서 일정한 전체를 짜 이룸.
- **화합**: 둘 또는 그 이상의 화학종이 결합하여 본래의 성질을 잃어버리고 새로운 성질을 가진 화학종이 됨.
- **광합성**: 녹색 식물이 빛 에너지를 이용하여 이산화 탄소와 수분으로 유기물을 합성하는 과정.
- **연소**: 물질이 산소와 화합할 때, 많은 빛과 열을 내는 현상.
- **특유**: 일정한 사물만이 특별히 갖추고 있음.
- **용도**: 쓰이는 길. 또는 쓰이는 곳.
- **각광**: 사회적 관심이나 흥미.

▶ 정답과 해설 10쪽

1 제목

이 글에 알맞은 제목을 쓰세요.

(　　　　)을/를 이루는 여러 가지 (　　　　)

2 주제

이 글을 쓴 목적은 무엇일까요?

① 공기 오염의 심각성을 알리기 위해
② 공기를 구성하는 기체를 설명하기 위해
③ 맑은 공기에 대한 감상을 표현하기 위해
④ 과학을 열심히 공부하도록 설득하기 위해
⑤ 공기를 정화시킬 수 있는 기계를 소개하기 위해

3 세부 내용

이 글의 내용으로 알맞은 것은 무엇인가요?

① 공기는 두 가지 기체로 이루어져 있다.
② 질소는 공기보다 무겁고 물에 잘 녹는다.
③ 산소는 공기에 가장 많이 들어 있는 기체이다.
④ 이산화 탄소는 질소 다음으로 공기에 많이 들어 있다.
⑤ 아르곤은 형광등 안에서 전류가 흐를 수 있도록 돕는다.

4 추론

이 글에서 알 수 있는 질소, 산소, 이산화 탄소의 공통점은 무엇인가요?

(　　　　)와/과 (　　　　)이/가 없다.

5

세부 내용

다음 기체가 일상생활에서 사용되는 예에 알맞게 선으로 이으세요.

(1) 질소	•	•	㉠ 탄산음료
(2) 산소	•	•	㉡ 과자 봉지
(3) 헬륨	•	•	㉢ 비행선, 풍선
(4) 이산화 탄소	•	•	㉣ 의료용 생명 유지 장치

6

이 글의 구조를 생각하며, 빈칸에 알맞은 말을 쓰세요.

공기를 구성하고 있는 기체
- 공기의 대부분을 차지하고 있는 (   )
- 질소 다음으로 공기에 많이 들어 있는 산소
- 공기의 약 0.94퍼센트를 차지하는 (   )
- 공기의 약 0.03퍼센트를 차지하지만 매우 중요한 (   )
- 공기를 구성하는 그 밖의 기체들

수소가 미래 에너지로 각광을 받는 까닭은 무엇일까요?

어휘·어법 다지기

01 다음 뜻에 알맞은 낱말을 보기에서 찾아 쓰세요.

보기 각광 구성 생존 용도

(1) 살아 있음. (　　　)

(2) 사회적 관심이나 흥미. (　　　)

(3) 쓰이는 길. 또는 쓰이는 곳. (　　　)

(4) 몇 가지 부분이나 요소들을 모아서 일정한 전체를 짜 이룸. (　　　)

02 다음 문장에 알맞은 낱말을 보기에서 찾아 쓰세요.

보기 각광 구성 생존

(1) 환경 파괴는 인간의 (　　　)에 위협적이다.

(2) 우리 지역은 최근 관광지로 (　　　)을 받고 있다.

(3) 탈춤과 농악 놀이는 흥겨운 몸짓을 위주로 (　　　)된다.

03 보기를 읽고 다음 문장에서 대명사를 골라 ○표를 하세요.

보기
대명사
사람이나 사물, 장소의 이름을 대신하여 나타내는 낱말을 대명사라고 해요. 즉, 명사를 대신해 주는 것이 대명사예요. 대명사는 크게 사람을 대신하는 것과 사물이나 장소를 대신하는 것으로 나눌 수 있어요.

(1) 여기에 사랑이 있어.

(2) 그는 참으로 좋은 사람이다.

매일 학습 평가	맞은 문제에 표시해 주세요.					맞은 개수
1 제목 ☐	2 주제 ☐	3 세부 내용 ☐	4 추론 ☐	5 세부 내용 ☐	6 글의 구조 ☐	개

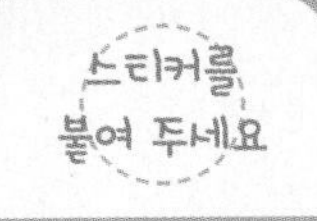

봄비

해님만큼이나
큰 •은혜로
내리는 •교향악

㉠이 세상
모든 것이 다
•악기가 된다.

달빛 내리던 지붕은
두둑 두드둑
큰북이 되고

아기 손 씻던
세숫대야 바닥은

㉡도당도당 도당당
작은북이 된다.

앞마을 냇가에선
퐁퐁 포옹 퐁
뒷마을 연못에선
풍풍 푸웅 풍

•외양간 엄마 소도 함께
댕그랑댕그랑

엄마 치마 주름처럼
산들 나부끼며
•왈츠
봄의 왈츠
하루 종일 •연주한다.

– 심후섭

낱말 뜻 풀이

- **은혜**: 고맙게 베풀어 주는 신세나 혜택.
- **교향악**: 관현악을 위해 만든 음악을 통틀어 이르는 말.
- **악기**: 음악을 연주하는 데 쓰는 기구를 통틀어 이르는 말.
- **외양간**: 말과 소를 기르는 곳.
- **왈츠**: 3박자의 경쾌한 춤곡. 또는 그에 맞추어 남녀가 한 쌍이 되어 원을 그리며 추는 춤.
- **연주**: 악기를 다루어 곡을 표현하거나 들려주는 일.

08회 ▶ 정답과 해설 11쪽

1 이 시의 중심 소재는 무엇인지 쓰세요.

2 이 시에서 악기가 되지 <u>않는</u> 것은 무엇인가요?

① 세숫대야 바닥
② 앞마을 냇가
③ 뒷마을 연못
④ 외양간 엄마 소
⑤ 엄마 치마 주름

3 이 시에서 대상과 비유하는 표현을 <u>잘못</u> 짝지은 것은 무엇인가요?

① 봄비 내리는 소리 – 교향악
② 이 세상 모든 것 – 악기
③ 지붕 – 큰북
④ 아기 손 – 작은북
⑤ 봄비 내리는 모습 – 왈츠

4 이 시는 몇 연 몇 행으로 이루어져 있는지 쓰세요.

5

표현

다음 중 ㉠과 같이 비유하여 표현한 것은 무엇인가요?

① 내 마음은 호수요

② 쟁반같이 둥근 달

③ 나는 찬밥처럼 방에 담겨

④ 별이 반짝 보석처럼 빛난다.

⑤ 배추 잎 같은 발소리 타박타박

6

적용

보기에서 ㉡과 운율을 나타내는 방법이 비슷한 것은 무엇인가요?

보기

단비는 봄 운동장
㉮ 까불까불 축구공

공 ㉯ 통통 단비 통통
공 데굴 단비 ㉰ 데굴

봄비는 텃밭에
㉱ 나폴나폴 봄 나비

㉲ 살금살금 무릎 굽혀 찹~
바람 타는 배추흰나비

– 오경근, 「나비 잡는 봄비」

① ㉮ ② ㉯ ③ ㉰ ④ ㉱ ⑤ ㉲

이 시에서 봄비 내리는 소리와 교향악의 공통점은 무엇일까요?

어휘·어법 다지기

▶ 정답과 해설 11쪽

01 **다음 뜻에 알맞은 낱말을 찾아 선으로 이으세요.**

(1) 말과 소를 기르는 곳. • • ㉠ 악기

(2) 고맙게 베풀어 주는 신세나 혜택. • • ㉡ 은혜

(3) 음악을 연주하는 데 쓰는 기구를 통틀어 이르는 말. • • ㉢ 외양간

02 **다음 뜻에 알맞은 낱말을 보기에서 찾아 쓰세요.**

보기: 댕그랑 둥둥 반짝 쨍그랑

(1) 큰북 등을 잇따라 두드리는 소리. (　　　)

(2) 작은 빛이 잠깐 나타났다가 사라지는 모양. (　　　)

(3) 얇은 쇠붙이나 유리 등이 떨어지거나 부딪쳐 맑게 울리는 소리. (　　　)

(4) 작은 쇠붙이, 방울, 종, 풍경, 워낭 등이 흔들리거나 부딪칠 때 나는 소리. (　　　)

03 **보기를 읽고 다음 중 밑줄 친 부분이 알맞지 않은 것을 고르세요.**

보기

'-로서'와 '-로써'

'-로서'는 지위나 신분 또는 자격을 나타내는 조사이고, '-로써'는 어떤 일의 수단이나 도구, 재료나 원료를 나타내는 조사에요. 사람일 때에는 주로 '-로서', 도구나 수단일 때에는 주로 '-로써'를 사용해요.

① 연필로써 글씨를 쓴다.
② 대화로서 오해를 풀었다.
③ 그 일은 교사로서 할 일이 아니다.
④ 그녀는 유명 작가로서 이름을 떨쳤다.
⑤ 대통령은 국가의 원수로서 책임을 다한다.

매일 학습 평가	맞은 문제에 표시해 주세요.					맞은 개수
1 소재 □	2 세부 내용 □	3 표현 □	4 전개 방식 □	5 표현 □	6 적용 □	개

[앞부분 줄거리] 대륙의 정복자 칭기즈 칸이 가장 아끼는 부하는 사람이 아니라 매였습니다. 어느 날 칭기즈 칸은 부하들을 거느리고 사냥을 나갔습니다. 여름 가뭄으로 좀처럼 사냥감이 눈에 띄지 않자, 칭기즈 칸은 부하들에게 모두 흩어져서 사냥감을 찾아보라고 명령하고 자신도 매와 함께 사냥감을 찾기 시작했습니다.

사냥감을 찾아 헤매던 칭기즈 칸은 자기도 모르게 숲속 깊은 곳까지 들어와 버렸습니다. 숲을 샅샅이 뒤져도 사냥감은 보이지 않았고, 몸은 점점 지쳐 갔습니다. 게다가 목이 타서 견딜 수가 없었습니다. 하지만 숲 속 어디에도 샘물은커녕 열매조차 보이지 않았습니다. 가뭄 때문에 숲도 말라 가고 있었던 것입니다.

"거기 아무도 없나? 다들 어디 있나!"

큰 소리로 부하들을 불러 봤지만 누구 하나 대답하는 이가 없었습니다. 칭기즈 칸은 슬슬 짜증이 나기 시작했습니다. 그는 들고 있던 칼을 마구 휘두르며 수풀을 헤쳐 나갔습니다. / "도대체 다들 어디로 간 거야?"

더위와 피로에 지친 칭기즈 칸은 부하들마저 보이지 않자 점점 더 화가 치밀어 올랐습니다.

"이놈들, 가만두지 않을 테다."

그때 어디선가 졸졸 물 흐르는 소리가 들려왔습니다. 칭기즈 칸은 소리가 나는 곳으로 허겁지겁 달려갔습니다.

놀랍게도 두 개의 바위틈으로 가느다란 물줄기가 흘러내리고 있었습니다. 칭기즈 칸은 허리춤에 늘 차고 다니는 은잔을 꺼냈습니다. 그리고 몸을 숙여 은잔에 물을 받기 시작했습니다. 물줄기가 워낙 가늘어서 잔이 가득 차기까지 한참이나 걸렸습니다. 칭기즈 칸은 입맛을 다시며 물이 찰 때까지 기다렸습니다.

드디어 물이 찰랑찰랑 넘치도록 잔이 채워졌습니다. 그런데 칭기즈 칸이 잔을 입에 가져가는 순간, ㉠갑자기 매가 날아오르더니 잔을 확 채어 떨어뜨리고 말았습니다. / "무슨 짓이야!"

칭기즈 칸은 버럭 고함을 질렀습니다. / 애써 담은 물을 다 쏟는 바람에 그는 화가 머리끝까지 났습니다. 하지만 워낙 아끼는 매였기에 꾹 참고 다시 잔을 들어 물을 받기 시작했습니다.

졸졸, 잔이 반쯤 찼을까? 매가 또다시 달려들더니 잔을 후려쳤습니다. / "아니, 이런 괘씸한 녀석!"

칭기즈 칸의 얼굴이 붉게 달아올랐습니다. / "네 이놈! 한 번만 더 그랬다간 내 용서치 않겠다!"

칭기즈 칸은 칼을 빼어 들고 매를 향해 두어 번 휘두르며 으름장을 놓았습니다. 하지만 매는 겁을 먹기는커녕 장난이라도 치듯이 허공에서 계속 날갯짓만 해 대고 있었습니다.

칭기즈 칸은 다시 잔을 주워 들어 물을 받기 시작했습니다. 물줄기는 갈수록 가늘어지더니 이제 한 방울씩 똑똑 떨어질 뿐이었습니다. 물이 차기를 기다리는 동안 매는 칭기즈 칸의 머리 위를 계속 맴돌고 있었습니다. / "저리 가, 저리 가!"

한쪽 손으로 물을 받으면서 다른 손으로 칼을 휘두르느라 여간 성가신 게 아니었습니다. 그렇게 겨우겨우 잔을 채워 물을 마시려는 순간, 어느새 매가 쏜살같이 날아와 또다시 잔을 채어 떨어뜨렸습니다. / "이 나쁜 놈!"

칭기즈 칸은 들고 있던 칼로 매를 내리쳤습니다. / 매는 바닥에 떨어져 애처롭게 날갯짓을 하더니 이내 죽고 말았습니다. 칭기즈 칸은 그래도 분이 가라앉지 않았는지 거친 숨을 내뱉었습니다.

잠시 후 다시 잔을 들어 물을 받으려 했지만 물줄기는 어느새 끊겨 있었습니다. 칭기즈 칸은 어쩔 수 없이 바위 절벽 위로 기어오르기 시작했습니다.

간신히 꼭대기까지 올라 물웅덩이를 보는 순간 칭기즈 칸은 깜짝 놀라고 말았습니다. 웅덩이 위에 커다란 뱀이 죽어 있었기 때문입니다.

–「칭기즈 칸의 매」

낱말 뜻 풀이

- **매:** 맷과의 새를 통틀어 이르는 말.
- **고함:** 크게 부르짖거나 외치는 소리.
- **으름장:** 말과 행동으로 위협하는 것.
- **허공:** 텅 빈 공중.

1 인물

이 글의 중심 인물을 쓰세요.

2

이 글의 내용으로 알맞은 것은 무엇인가요?

① 칭기즈 칸은 물을 세 잔 마셨다.
② 칭기즈 칸의 부하는 매를 죽였다.
③ 칭기즈 칸은 부하들과 함께 전쟁을 나갔다.
④ 칭기즈 칸은 허리춤에 늘 은잔을 차고 다녔다.
⑤ 칭기즈 칸은 부하 두 명과 함께 숲속 깊은 곳까지 들어갔다.

3 추론

매가 ㉠과 같은 행동을 한 까닭으로 알맞은 것은 무엇인가요?

① 칭기즈 칸을 보호하기 위해서
② 칭기즈 칸과 장난치고 싶어서
③ 칭기즈 칸을 약 올리고 싶어서
④ 사냥감을 찾느라 몸이 지치고 목이 타서
⑤ 더 이상 칭기즈 칸의 짜증을 받아줄 수 없어서

4~5 보기는 이 글 뒷부분의 줄거리입니다. 다음 물음에 답하세요.

보기

웅덩이에 죽어 있던 뱀은 무서운 독을 지니고 있었고, 물에는 그 독이 퍼져 있었습니다. 매는 주인을 살리기 위해 계속해서 잔을 떨어뜨렸던 것입니다. 칭기즈 칸은 죽은 매를 고이 안고 막사로 돌아와, 매의 날개에 '㉠분노로 행한 일은 반드시 실패로 돌아온다.', '㉡소중한 벗이 이상한 행동을 할 때는 분명히 그럴 만한 이유가 있기 마련이다.'라는 글귀를 적었습니다.

4

감상

이 글에 대한 설명으로 알맞지 않은 것은 무엇인가요?

① 매는 주인에 대한 충성심을 보여 주었다.
② 칭기즈 칸은 자신의 행동을 반성하고 있다.
③ 칭기즈 칸은 죽은 뱀을 불쌍히 여기고 있다.
④ 이 이야기의 교훈은 '신중하게 행동하자.'이다.
⑤ 이 이야기에 어울리는 속담은 '급할수록 돌아가라.'이다.

5

추론

보기의 ㉠과 ㉡이 가리키는 것이 무엇인지 각각 쓰세요.

(1) ㉠:

(2) ㉡:

생각 글 쓰기

칭기즈 칸이 매의 행동에 대해 과민하게 반응한 까닭은 무엇일까요?

어휘·어법 다지기

09회 ▶ 정답과 해설 12쪽

01 다음 뜻에 알맞은 낱말을 보기 에서 찾아 쓰세요.

보기 고함 매 으름장 허공

(1) 텅 빈 공중. ( )

(2) 말과 행동으로 위협하는 것. ( )

(3) 크게 부르짖거나 외치는 소리. ( )

(4) 맷과의 새를 통틀어 이르는 말. ( )

02 다음 문장에 알맞은 낱말을 보기 에서 찾아 쓰세요.

보기 고함 으름장 허공

(1) 우리는 그의 ( )에 잔뜩 겁을 먹었다.

(2) 나는 ( ) 소리에 놀라며 몸을 움츠렸다.

(3) 아이는 ( )에 비눗방울을 날리며 즐거워했다.

03 보기 를 읽고 다음 중 낱말의 쓰임이 알맞지 않은 문장을 고르세요.

보기

'웬'과 '왠'

'어찌 된', '어떠한'의 뜻을 나타낼 때에는 '웬'을 쓰고, '왜인지'의 줄인 말인 '왠지'를 쓸 때에는 '왠'을 써요. '왠지'를 제외하고는 '왠'으로 쓰지 않아요.

① 여기 웬 사람들이 이렇게 많아?
② 그의 방문이 왠지 달갑지 않았다.
③ 오늘따라 진호가 왠지 멋있어 보인다.
④ 주아는 이게 웬 떡이냐는 표정을 지었다.
⑤ 우리는 웬 까닭인지 몰라서 다들 놀랐다.

매일 학습 평가	맞은 문제에 표시해 주세요.				맞은 개수
1 인물 □	2 세부 내용 □	3 추론 □	4 감상 □	5 추론 □	개

스티커를 붙여 주세요

옛날 옛적에, 지금의 서울 동쪽 아차산 옆에 금실(琴瑟)이 좋기로 소문난 착한 부부가 살고 있었다. 신분은 평민이었고 재산도 그리 많지 않은 평범한 가정이었다. 그런데 딱 한 가지 근심이 있었는데 결혼한 지 10년이 지나도 아이가 없는 것이다. 아이를 낳기 위해 별의별 수단을 다 동원해 보았지만 효험이 없었다. 부부가 아이 낳기를 포기할 무렵, 태기를 느끼고 열 달 동안 금이야, 옥이야 하며 몸가짐을 바르게 하였다. 열 달이 지나 아이를 낳았는데 경사에 경사가 겹쳐 건강한 아들을 낳았고 마을 사람들도 함께 기뻐해 주었다. 너무 귀한 옥동자이기에 눈에 쏙 들어왔다.

부인이 첫국밥을 먹고 국물을 그 갓난아기 입에 축이고 부엌에 잠깐 나갔다 왔더니 이것이 어찌 된 일인가? 갓난아기가 온데간데없었다. 아기 부모는 화들짝 놀랐다.

"아기가 없어지다니, 세상에 이런, 귀신이 곡할 일이 있는가? 정말 환장할 노릇이군. 아기가 도대체 어디를 갔을까? 귀신이 곡할 노릇이네."

이렇게 혼자 두런두런하고 혹시나 하는 마음에 방구석을 둘러보니까 방 안에 있는 제법 높은 선반에 아기가 올라가 놀고 있었다.

"원 세상에, 갓난아기가 무슨 수로 저 높은 선반에 올라갔을까?"

하며 아기를 내려놓았다. 그리고 혹시 다친 곳은 없는지 살펴보기 위해 아기 몸을 들어올렸다. 그때, 겨드랑이에서 이상한 것이 손에 잡혔다. 얼른 아기의 양손을 올려 보았더니 겨드랑이에 날개가 달려 있는 것이었다. 부인이 남편을 바라보며 말하였다.

"아기가 날아서 선반에 올라갔으니 이것을 어쩐다지요?"

그 남편도 놀랐다. 아기가 겨드랑이에 날개가 달려서 방 안을 훨훨 날아다닌다니 이 아이는 장차 장수가 될 것이다. 이제 커서 방 안이 아니라 세상을 날아다니면 금방 어디든 갈 수 있으니까 축지법(縮地法)을 쓰는 셈이라, 장수가 될 인물이 틀림이 없었다.

여기까지 생각을 한 남편은 부인에게 조심스럽게 말하였다.

"아, 우리 집에 아기장수가 태어나다니…… 장차 큰일을 할 장수가 태어나다니……."

아내도 크게 걱정하면서 말하였다.

"우리 같은 가난한 백성 집에 이런 아기가 어찌 태어난다는 말인가요?"

남편이 이어서 말하였다.

"그래서 걱정이오, 가문도 재산도 없는 집에서 영웅이 태어난다는 것은 곧 역적이요. 이는 우리 집이 망할 징조라는 것이요."

"역적이라면 집안의 화근덩어리뿐만 아니라 이 나라의 화근덩어리잖아요. 우리가 죽는 것은 어쩔 수 없다지만, 아무리 이름 없는 가문일지언정 삼족(三族)이 멸할 텐데 어쩌면 좋아요?"

부부는 머리를 맞대고 밤새도록 의논에 의논을 거듭하였다. 결국 부부는 10년 만에 얻은 아이지만, 장차 역적이 될 겨드랑이에 날개 달린 아기장수를 죽이기로 하였다.

–「아기장수 설화」

낱말 뜻 풀이

- **금실**: 부부간의 사랑.
- **효험**: 일의 좋은 보람. 또는 어떤 작용의 결과.
- **첫국밥**: 아이를 낳은 뒤에 산모가 처음으로 먹는 국과 밥.
- **축지법**: 도술로 땅을 축소하여 먼 거리를 가깝게 하는 술법.
- **역적**: 자기 나라나 민족, 통치자를 반역한 사람.
- **화근**: 재앙의 근원.
- **삼족**: 부계(父系), 모계(母系), 처계(妻系)를 통틀어 이르는 말.

1 인물

이 글의 주인공은 누구인가요?

2 배경

이 글의 공간적 배경을 쓰세요.

3 세부 내용

이 글의 내용으로 알맞지 않은 것은 무엇인가요?

① 마을 사람들은 아기의 탄생을 함께 기뻐하였다.
② 부부는 아기장수에 대해 밤새도록 의논을 하였다.
③ 부부는 결혼한 지 10년이 지나도록 아이가 생기지 않았다.
④ 부인이 잠깐 나간 사이에 아기는 선반 위에 올라가 있었다.
⑤ 부부는 아기장수가 장차 집안을 살릴 것이라고 생각하였다.

4 세부 내용

아기장수에 대한 설명으로 알맞은 것은 무엇인가요?

① 아기장수는 두 명의 형제가 있다.
② 아기장수는 집밖을 훨훨 날아다녔다.
③ 아기장수의 부모는 양반집의 하인이다.
④ 아기장수의 겨드랑이에는 날개가 달려 있다.
⑤ 아기장수의 부모는 아기장수를 데리고 도망치기로 하였다.

5 인물

이 글을 통해 알 수 있는 부부의 성격으로 알맞은 것은 무엇인가요?

① 똑똑하다. ② 겁이 많다. ③ 꾀가 많다.
④ 변덕이 심하다. ⑤ 부끄러움이 많다.

6~7

보기는 이 글 뒷부분의 줄거리입니다. 다음 물음에 답하세요.

부부는 결국 아기장수를 무거운 곡식으로 눌러 죽이고 집 앞 산기슭에 곡식과 함께 묻었습니다. 그러던 어느 날 소문을 듣고 관군이 찾아왔습니다. 부부는 하는 수 없이 아기장수를 묻은 곳에 관군을 데려 갔고, 관군이 무덤을 파헤치자 군사가 된 곡식들과 함께 일어서려던 아기장수는 사그라들었습니다. 마을 사람들은 이를 안타까워하며 그 산을 용마산이라고 불렀습니다.

6 추론

이 글의 결말로 알맞은 것은 무엇인가요?

① 부부는 아기장수를 잘 키웠다.
② 아기장수는 바위에 눌려 죽임을 당했다.
③ 부부는 아기장수를 시냇가 근처에 묻었다.
④ 관군은 아기장수를 찾기 위해 바쁘게 돌아다녔다.
⑤ 죽임을 당한 아기장수는 일어서려 했지만 죽고 말았다.

7 배경

이 글의 배경이 된 실제 장소를 쓰세요.

생각 글 쓰기

부부가 자신들의 아기가 영웅이 될 것이라고 생각한 까닭은 무엇인가요?

01 다음 뜻에 알맞은 낱말을 보기 에서 찾아 쓰세요.

보기
금실 축지법 화근 효험

(1) 재앙의 근원. ( )

(2) 부부간의 사랑. ( )

(3) 일의 좋은 보람. 또는 어떤 작용의 결과. ( )

(4) 도술로 땅을 축소하여 먼 거리를 가깝게 하는 술법. ( )

02 다음 문장에 알맞은 낱말을 보기 에서 찾아 쓰세요.

보기
금실 축지법 화근

(1) 그는 ( )을/를 써서 하룻밤에 천리 길을 오갔다.

(2) 막무가내로 훼방을 놓는 민수는 우리 팀의 ( )이다.

(3) 그 부부는 다른 사람들의 부러움을 살 정도로 ( )이/가 좋다.

03 보기 를 읽고 다음 문장에서 수사를 골라 ○표를 하세요.

보기
수사
수사는 수량이나 순서를 나타내는 말이에요. 수사는 크게 수량을 나타내는 양수사와 순서나 차례를 나타내는 서수사로 구분할 수 있어요. 예를 들어, 양수사는 '하나, 둘, 셋', '일, 이, 삼'이고, 서수사는 '첫째, 둘째, 셋째'로 나타내요.

(1) 이 더하기 이는 사이다.

(2) 가게에서 빵 하나를 샀다.

(3) 첫째도 입조심, 둘째도 입조심해야 한다.

매일 학습 평가	맞은 문제에 표시해 주세요.						맞은 개수
1 인물 ☐	2 배경 ☐	3 세부 내용 ☐	4 세부 내용 ☐	5 인물 ☐	6 추론 ☐	7 배경 ☐	개

이해력을 키우는 **재미있는 독해**

자신의 학습 능력과 상황에 따라 꾸준하게 공부하는 것이 가장 중요합니다.
학습 계획을 먼저 세우고, 스스로 지킬 수 있도록 노력해 보세요.

회차	제목	갈래	영역	학습할 날짜
11회	비무장 지대의 생태계를 보호하자	논설문	사회	월 일
12회	초소형 로봇	설명문	기술	월 일
13회	전통 민화 속 동물들	설명문	예술	월 일
14회	공정 무역을 확대하자	논설문	사회	월 일
15회	국경 없는 의사회	설명문	사회	월 일
16회	신사임당	전기문	인문	월 일
17회	친환경 농업	설명문	과학	월 일
18회	우리가 눈발이라면	문학	시	월 일
19회	황금 사과	문학	동화	월 일
20회	홍길동전	문학	고전	월 일

비무장 지대는 군대가 °주둔하거나 무기 및 군사 시설이 들어설 수 없는 공간을 말합니다. 우리나라에도 °정전 °협정에 의해 설치된 비무장 지대가 있습니다. 휴전선으로부터 남북으로 각각 2킬로미터씩 물러난 구간이 바로 비무장 지대입니다. 그곳은 60년이 넘도록 사람들이 살지 않았기 때문에 자연스럽게 풀과 나무가 자랐고, 먹을 것을 찾아 동물들이 모여들면서 동식물의 낙원이 되었습니다.

사람들의 손길이 닿지 않는 비무장 지대는 많은 야생 동식물의 피난처입니다. 특히 곧 사라질 위기에 처한 멸종 위기종의 상당수가 비무장 지대에 서식하고 있습니다. 환경부의 조사에 의하면 수달, 담비, 산양, 금개구리 등의 동물과 가는동자꽃, 대청부채 등의 식물을 합해 총 101종의 멸종 위기 야생 생물이 비무장 지대에 살고 있다고 합니다. 또한 비무장 지대는 많은 철새들이 겨울을 나는 공간입니다. 가을이 되면 천연기념물로 지정된 두루미와 재두루미, 독수리 같은 새들이 비무장 지대로 날아옵니다. 수만 마리의 기러기 떼도 무리 지어 비무장 지대를 찾습니다.

이처럼 비무장 지대는 다양한 생물종의 °보고입니다. 우리는 비무장 지대의 생태계를 보호해야 합니다. 그 이유는 첫째, 생태계를 지키는 일이 곧 우리를 지키는 일이기 때문입니다. 지구를 구성하는 모든 생물종들은 혼자서는 살 수 없는, °상호 의존적인 존재입니다. 따라서 한 종이 영원히 사라져 버리면 그 결과로 우리에게 어떤 피해가 발생할지 아무도 모릅니다. 생물학자들은 지금 수준의 환경 파괴가 계속된다면 이번 세기의 말에는 지금 살고 있는 동식물의 절반이 사라질 것이라고 경고합니다. 그런 일이 벌어지고 난 뒤에는 돌이킬 수 없습니다. 그러므로 우리는 비무장 지대에 있는 멸종 위기종들이 사라지지 않도록 보호하고 관리해야 합니다.

둘째, 비무장 지대의 생태계를 보호하는 일이 남북한의 화합과 발전을 이끌어 낼 수 있기 때문입니다. 통일은 단순히 땅만 합치는 것이 아니라 서로의 사상과 문화, 언어, 그리고 생태를 이해하고 받아들이는 일입니다. 그러므로 남한과 북한의 경계에 있는 비무장 지대의 생태계를 남북한이 함께 조사하고 보존하는 일은 꼭 필요합니다. 남북한이 비무장 지대의 산과 늪, 동식물을 보호하려고 관심을 기울이는 동시에 그곳을 연구한다면 많은 과학적 지식도 얻을 수 있을 것입니다.

전쟁이 휩쓸고 지나간 후 비무장 지대는 누구도 발을 들이지 않는 °황폐한 공간이었습니다. 하지만 이제는 많은 동식물에게 없어서는 안 될 장소가 되었습니다. 우리는 아름답게 변한 이곳이 또다시 황폐해지지 않도록 잘 가꾸고 보호해야 합니다.

낱말 뜻 풀이

- **주둔**: 군대가 임무 수행을 위하여 일정한 곳에 집단적으로 얼마 동안 머무르는 일.
- **정전**: 교전 중에 있는 양방이 합의에 따라 일시적으로 전투를 중단하는 일.
- **협정**: 서로 의논하여 결정함.
- **보고**: 귀중한 것이 많이 나거나 간직되어 있는 곳을 비유적으로 이르는 말.
- **상호**: 상대가 되는 이쪽과 저쪽 모두.
- **황폐**: 집, 토지, 삼림 등이 거칠어져 못 쓰게 됨.

11회 ▶ 정답과 해설 15쪽

1 이 글은 무엇에 대해 쓴 글인가요?

2 이 글에서 알 수 없는 내용은 무엇인가요?

① 비무장 지대의 개념
② 비무장 지대에서 멸종된 동식물의 종류
③ 비무장 지대에 서식하는 동식물의 종류
④ 비무장 지대의 생태계를 지켜야 하는 이유
⑤ 비무장 지대에서 겨울을 나는 철새들의 종류

3 '비무장 지대'에 대한 내용으로 알맞지 않은 것은 무엇인가요?

① 전쟁이 휩쓸고 지나간 후 황폐한 모습으로 남아 있다.
② 군대가 주둔하거나 무기 및 군사 시설이 들어설 수 없다.
③ 멸종 위기종인 수달, 담비, 산양, 금개구리 등이 서식한다.
④ 비무장 지대를 연구하면 많은 과학적 지식을 얻을 수 있다.
⑤ 휴전선으로부터 남북으로 각각 2킬로미터씩 물러난 구간을 말한다.

4 이 글에서 글쓴이의 주장은 무엇인가요?

① 남한과 북한이 통일을 해야 한다.
② 비무장 지대의 생태계를 잘 가꾸고 보호해야 한다.
③ 비무장 지대는 전쟁의 위험성을 알리는 역할을 해야 한다.
④ 생태계 보호를 위해 비무장 지대가 앞으로 더 늘어나야 한다.
⑤ 남한과 북한이 함께 잘 살기 위해 비무장 지대의 자원을 개발해야 한다.

5 보기에서 글쓴이의 의견과 비슷한 것은 무엇인지 기호를 쓰세요.

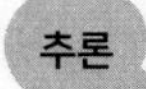

㉠ 비무장 지대 안의 용늪에는 많은 야생 식물이 있고, 해마다 철새가 찾아오므로 잘 보존해야 한다.

㉡ 그동안 막혀 있었던 남한과 북한을 하나로 연결하기 위해 비무장 지대를 가로지르는 철로를 지어야 한다.

6 이 글의 구조를 생각하며, 빈칸에 알맞은 말을 쓰세요.

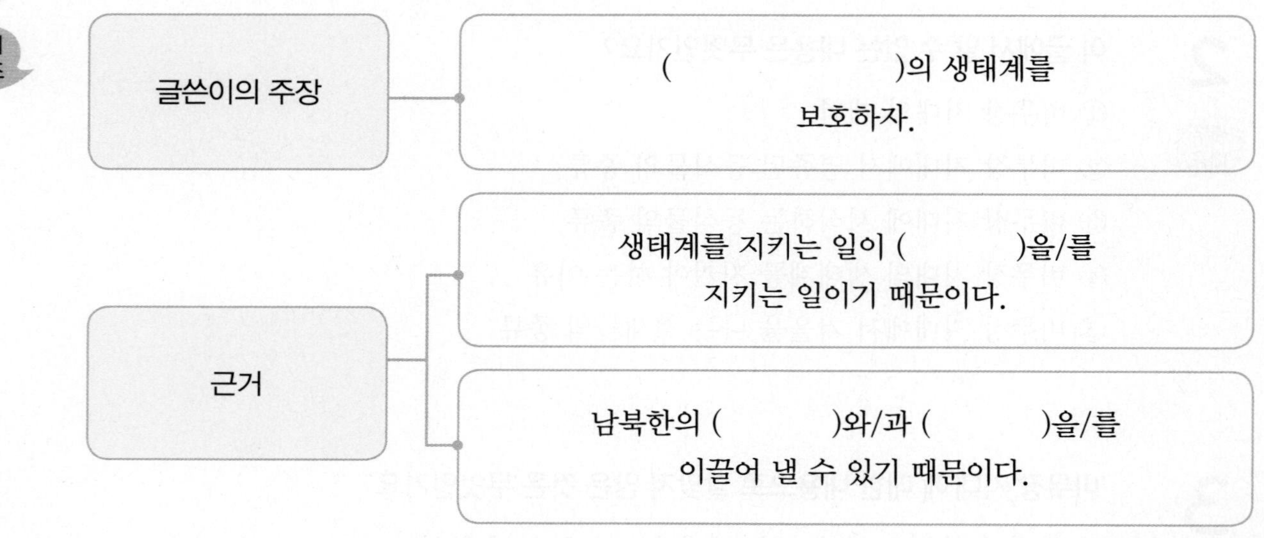

생각 글 쓰기

생태계를 지키는 일이 우리를 지키는 일인 까닭은 무엇일까요?

어휘·어법 다지기

01 **다음 뜻에 알맞은 낱말을 찾아 선으로 이으세요.**

(1) 서로 의논하여 결정함. •　　　• ㉠ 보고

(2) 상대가 되는 이쪽과 저쪽 모두. •　　　• ㉡ 상호

(3) 집, 토지, 삼림 등이 거칠어져 못 쓰게 됨. •　　　• ㉢ 협정

(4) 귀중한 것이 많이 나거나 간직되어 있는 곳을 비유적으로 이르는 말. •　　　• ㉣ 황폐

02 **다음 문장에 알맞은 낱말을 보기에서 찾아 쓰세요.**

보기　보고　상호　주둔　협정　황폐

(1) 도서관은 지식의 (　　　　)이다.

(2) 우리나라 의정부시에는 미군이 (　　　　)해 있다.

(3) 좋은 친구 사이가 되려면 (　　　　) 노력이 필요하다.

(4) (　　　　)해진 산림을 복구하기 위해 나무를 심어야 한다.

(5) 파리 기후 (　　　　)은/는 온실가스 배출량을 단계적으로 줄이자는 내용을 담고 있다.

03 **보기를 읽고 다음 문장에 알맞은 낱말을 골라 ○표를 하세요.**

- **부문(部門)**: 일정한 기준에 따라 분류하거나 나누어 놓은 낱낱의 범위나 부분.
- **부분(部分)**: 전체를 이루는 작은 범위. 또는 전체를 몇 개로 나눈 것의 하나.

(1) 감자에서 썩은 (부문 / 부분)을 잘라냈다.

(2) 민지는 교내 글짓기 대회 시 (부문 / 부분)에서 상을 받았다.

매일 학습 평가	맞은 문제에 표시해 주세요.					맞은 개수
1 핵심어 □	2 세부 내용 □	3 세부 내용 □	4 주제 □	5 추론 □	6 글의 구조 □	개

11회 ▶ 정답과 해설 15쪽

설명문 | 기술

[실과 6] 5. 생활과 혁신

공부한 날 ( )월 ( )일

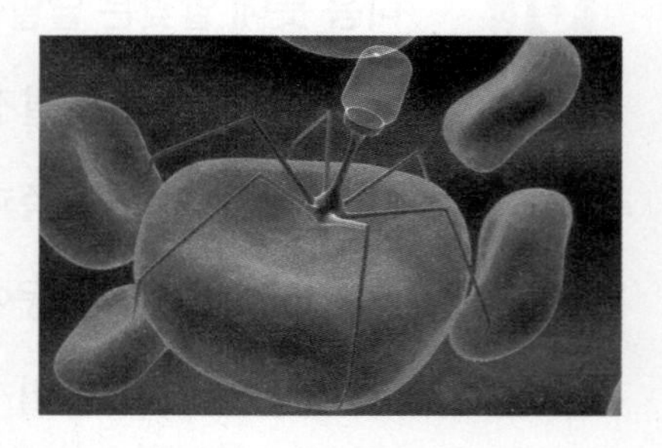

초소형 로봇은 아주 작은 전자 부품과 기계 장치를 이용해 만든 로봇을 말합니다. 사람의 혈관 안에 들어갈 만큼 작게 제작된 의료용 로봇은 우리의 몸을 탐색하고 치료합니다. 수색을 목적으로 만들어진 초소형 로봇은 방사능으로 오염된 곳이나 무너진 건물 안과 같이 사람이 갈 수 없는 장소를 대신 살핍니다. 적의 눈에 잘 띄지 않을 만큼 작게 제작되어 정찰 활동에 쓰이는 군사용 초소형 로봇도 있습니다. 이처럼 초소형 로봇은 우리 생활에서 점차 활용 영역을 넓혀가고 있습니다.

'로보비(Robobee)'는 미국의 하버드 대학교 연구진이 만든 벌 모양의 초소형 로봇입니다. 무게가 약 80밀리그램, 길이가 약 3센티미터 정도인 로보비는 1초당 날개를 120회 정도 움직이며, 실제 꿀벌처럼 날개를 이용해 상하좌우로 날아다닐 수 있습니다. 로보비는 그 몸체 안에 탑재할 만큼 작은 배터리를 찾지 못했기 때문에 아직까지는 컴퓨터와 연결해서만 쓸 수 있습니다. 하지만 연구자들이 초소형 로봇에 들어갈 만큼 작은 제어 시스템과 배터리를 개발한다면 로보비가 스스로 움직이는 것이 가능해집니다. 그렇게 되면 로보비가 사라져 가는 꿀벌을 대신해 꽃가루를 다른 꽃으로 옮기는 역할도 할 수 있을 것입니다.

'소금쟁이 로봇'은 우리나라의 서울대학교 연구진에 의해 개발된 초소형 로봇으로, 물 위를 떠다니는 소금쟁이의 모습을 본떠 만든 로봇입니다. 이처럼 실제로 살고 있는 생물체의 특징을 모방해서 만든 로봇을 생체 모방형 로봇이라고 하는데, 앞서 살펴본 로보비도 생체 모방형 로봇의 일종입니다. 무게가 60밀리그램 정도 나가는 소금쟁이 로봇은 실제 소금쟁이처럼 수면에 떠 있는 것은 물론 수면에서 공중으로 14센티미터가량을 뛰어오르는 것도 가능합니다. 이 로봇은 개발이 완료되면 주로 오염 지역이나 전쟁터 같은 위험 지역에 사용될 계획입니다.

'마이크로 터그 로봇'은 미국 스탠퍼드 대학교의 한 연구소에서 개발되었습니다. 이 초소형 로봇은 자기 몸무게에 비해 훨씬 무거운 물체를 들 수 있는 개미를 본떠 만든 생체 모방형 로봇으로, 무게가 약 17그램에 불과하지만 자기 무게의 2,000배에 달하는 물체를 끌 수 있는 강력한 힘을 지니고 있습니다. 따라서 마이크로 터그 로봇을 잘 활용하면 빼내기 어려운 곳에 있는 무거운 물건을 가져올 수 있습니다. 마이크로 터그 로봇을 제작한 연구팀에 의하면 이 초소형 로봇 여섯 대를 합해 1.8톤짜리 차를 끄는 데 성공했다고 합니다.

낱말 뜻 풀이

- **수색**: 구석구석 뒤지어 찾음.
- **정찰**: 작전에 필요한 자료를 얻으려고 적의 정세나 지형을 살피는 일.
- **탑재**: 배, 비행기, 차 등에 물건을 실음.
- **제어**: 기계나 설비 또는 화학 반응 따위가 목적에 알맞은 작용을 하도록 조절함.
- **불과**: 그 수량에 지나지 아니한 상태임을 이르는 말.

1

핵심어

이 글은 무엇에 대해 쓴 글인가요?

2

세부 내용

이 글의 내용으로 알맞지 않은 것은 무엇인가요?

① 군사용 초소형 로봇은 정찰 활동에 쓰인다.
② 로보비는 미국의 하버드 대학교 연구진이 개발했다.
③ 소금쟁이 로봇은 소금쟁이의 모습을 본떠 만들었다.
④ 마이크로 터그 로봇 한 대로 1.8톤짜리 차를 끄는 데 성공했다.
⑤ 초소형 로봇은 우리 생활에서 활용 영역을 점차 넓혀 가고 있다.

12회 ▶ 정답과 해설 16쪽

3

요약

다음 특징에 알맞은 초소형 로봇을 선으로 이으세요.

(1) 무게가 약 17그램이다. •   • ㉠ 로보비
(2) 수면에 떠 있을 수 있다. •   • ㉡ 소금쟁이 로봇
(3) 꿀벌처럼 날개가 달려 있다. •   • ㉢ 마이크로 터그 로봇

4

이 글에 대한 설명으로 알맞은 것은 무엇인가요?

① 초소형 로봇들의 차이점을 중심으로 대조하고 있다.
② 초소형 로봇의 장점과 단점을 중심으로 설명하고 있다.
③ 의료용으로 만들어진 초소형 로봇의 종류를 나열하고 있다.
④ 여러 가지 수치를 통해 초소형 로봇들의 특징을 자세히 설명하고 있다.
⑤ 초소형 로봇의 장점을 근거로 초소형 로봇 시장의 확대를 주장하고 있다.

5

'실제로 살고 있는 생물체의 특징을 모방해서 만든 로봇'을 무엇이라고 하는지 쓰세요.

6

보기에서 초소형 로봇을 잘못 사용한 예는 무엇인지 기호를 쓰세요.

㉠ 땅속 생물을 조사하기 위해 벌과 닮은 로보비를 사용했다.
㉡ 공장에서 기계들 사이로 짐을 옮길 때 마이크로 터그 로봇을 사용했다.
㉢ 사람이 빠질 위험이 있는 늪지에 소금쟁이 로봇을 띄워 물의 오염도를 조사했다.

7

이 글의 구조를 생각하며, 빈칸에 알맞은 말을 쓰세요.

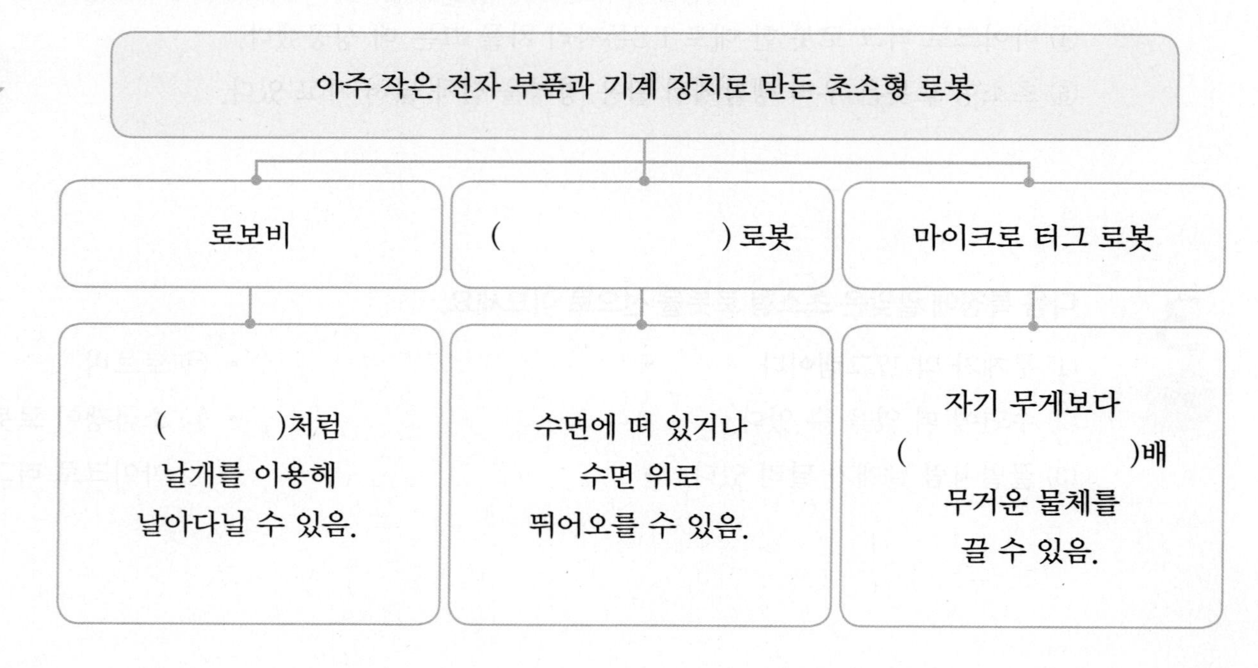

생각 글 쓰기

로보비를 컴퓨터와 연결해서만 쓸 수 있는 까닭은 무엇일까요?

어휘·어법 다지기

01 다음 뜻에 알맞은 낱말을 보기 에서 찾아 쓰세요.

보기
수색 정찰 탑재

(1) 구석구석 뒤지어 찾음. ( )

(2) 배, 비행기, 차 등에 물건을 실음. ( )

(3) 작전에 필요한 자료를 얻으려고 적의 정세나 지형을 살피는 일. ( )

02 다음 문장에 알맞은 낱말을 보기 에서 찾아 쓰세요.

보기
정찰 제어 탑재

(1) 이 우주선에는 적외선 망원경이 ( )되어 있다.

(2) 전쟁에서 승리하려면 ( )을/를 소홀히 해서는 안 된다.

(3) 자전거를 탈 때 브레이크를 잡으면 속도를 ( )할 수 있다.

03 보기 를 읽고 밑줄 친 낱말의 쓰임이 알맞으면 ○표, 알맞지 않으면 ×표를 하세요.

보기
'뵈다'는 '웃어른을 대하여 보다.'라는 뜻이에요. '할머니를 뵈러 시골에 갔다.', '선생님을 언제 찾아뵐까?'와 같이 쓰지요. 만약 어른들께 뵈자고 말씀드릴 때는 어떻게 할까요? 그럴 때에는 '뵈다'의 '뵈'에 '어'와 '요'를 붙여서 '뵈어요'라고 쓰면 돼요. 이것을 줄여서 '봬요'로 쓸 수도 있지요. 하지만 '어'를 빠뜨리고 '뵈요'라고 쓰면 틀린 말이에요.

(1) 아주머니, 내일 또 봬요. ( )

(2) 선생님, 학교에서 뵈어요. ( )

(3) 돌아오는 목요일에 이 앞에서 뵈요. ( )

12회 ▶ 정답과 해설 16쪽

매일 학습 평가	맞은 문제에 표시해 주세요.						맞은 개수
1 핵심어 □	2 세부 내용 □	3 요약 □	4 전개 방식 □	5 세부 내용 □	6 적용 □	7 글의 구조 □	개

예로부터 사람들은 자신들의 생활 습관이나 종교, 전설, 풍속 등을 그림으로 표현하였습니다. 이러한 그림을 '민화'라고 합니다. 민화를 그린 사람은 대개 이름난 화가가 아닌 평범한 백성들이었습니다. 백성들은 민화를 벽에 걸어 두면 집을 아름답게 꾸밀 수 있을 뿐만 아니라 민화가 귀신을 쫓고 복을 가져다준다고 믿었습니다. 그렇기 때문에 백성들은 좋은 의미를 담고 있는 동식물과 사물을 골라 반복해서 그렸습니다. 특히 몇몇 동물들은 아주 좋은 의미를 가지고 있었기 때문에 자주 그려졌습니다.

옛사람들은 사슴을 •신령한 동물이라고 생각했습니다. 따라서 민화 속 사슴도 지상과 천상을 이어준다는 신성한 의미를 담고 있었습니다. 사람들은 사슴을 그려서 걸어 두면 오래 살 수 있다고 믿었습니다. 사슴뿔은 떨어져도 다시 돋아나는 •재생력을 가진데다가 달여 먹으면 아픈 사람이 몸을 회복할 수 있었기 때문입니다. 민화 속 사슴은 장수 이외에도 벼슬, 우애 등의 의미가 있었습니다.

호랑이는 '벽사'를 상징했습니다. 벽사는 악한 귀신을 물리친다는 뜻입니다. 사람들은 호랑이 그림을 벽에 걸어 두면 나쁜 것들은 물러가고 좋은 일이 생긴다고 믿었습니다. 이처럼 옛사람들의 사랑을 받았던 호랑이는 용맹하고 사나운 모습으로 그려진 것이 아니라 친근하고 우스꽝스러운 모습으로 표현되었습니다. 또, 까치와 함께 그려지는 경우가 많았습니다. 까치와 호랑이가 함께 있는 그림은 기쁜 소식을 뜻하기도 하고, 인간 존중을 의미하기도 했습니다.

개는 우리와 아주 친밀한 동물인 만큼 상징하는 것도 많았습니다. 우선 개는 신뢰와 충성, 믿음을 상징했습니다. 주인을 잘 따르고 좋아하는 개의 특성과 잘 어울리지요. 또한 개는 귀신을 물리치는 벽사를 의미하기도 했습니다. 개는 털의 빛깔에 따라 의미하는 바가 달라지기도 했는데, 백구는 불길한 기운을 누르는 벽사의 의미가 강조되었고 황구는 •풍요로움을 상징했습니다.

동이 틀 무렵이면 울음소리로 하루가 시작되었음을 알리는 닭은 어둠을 물리치고 빛을 몰고 오는 동물입니다. 따라서 닭 그림 역시 벽사의 의미가 있었습니다. 닭은 부부간의 금실과 자손 •번창을 상징하기도 했습니다. 이는 알을 많이 낳는 닭의 특성과 연관이 있겠지요?

이처럼 전통 민화 속 동물들은 우리 민족의 다양한 소망을 담고 있습니다. 앞서 설명한 동물 이외에도 고양이, 나비, 매, 원앙이나 물고기 한 쌍도 민화에서 자주 사용되는 소재였습니다. 고양이는 수호신 역할을 했고, 장수를 상징하기도 했습니다. 나비도 장수를 의미했지요. 매는 악귀를 몰아내고 자연재해를 방지한다는 의미가 있었습니다. 원앙이나 물고기를 한 쌍 그려 넣은 것은 부부가 한평생 함께 살고 함께 늙는다는 '해로'와 부부간의 사랑을 상징했답니다.

낱말 뜻 풀이

- **신령한**: 신기하고 영묘한.
- **재생력**: 상실되거나 손상된 생물체의 한 부분에 새로운 조직이 생겨 다시 자라나는 힘.
- **풍요로움**: 흠뻑 많아서 넉넉함이 있음.
- **번창**: 번화하게 창성함.

1

이 글에서 설명하고 있는 것은 무엇인가요?

전통 민화 속 (   )들

2

이 글에서 알 수 없는 내용은 무엇인가요?

① 민화는 무엇인가?
② 벽사는 무엇을 뜻하는가?
③ 백구와 황구는 각각 무엇을 상징하는가?
④ 옛날 사람들은 왜 사슴 그림을 벽에 걸어 두었는가?
⑤ 까치와 호랑이 그림이 인간 존중을 의미하는 까닭은 무엇인가?

3

민화 속 호랑이가 상징하는 것은 무엇인가요?

① 믿음
② 벽사
③ 충성
④ 부부 해로
⑤ 자연재해 방지

4

추론

'사슴, 고양이, 나비'가 공통적으로 상징하는 것은 무엇인가요?

13회 ▶ 정답과 해설 18쪽

5 의 물음에 알맞은 대답은 무엇인가요?

적용

보기

다은이는 지난 일요일에 결혼한 이모께 동물이 들어간 민화를 선물로 드리려고 합니다. '서로 사랑하며 잘 지내기를 바란다.'라는 의미가 담긴 것으로 어떤 민화를 드려야 할까요?

① 매 ② 까치 ③ 사슴 ④ 호랑이 ⑤ 원앙 한 쌍

6 이 글의 구조를 생각하며, 빈칸에 알맞은 말을 쓰세요.

글의 구조

민화에 등장하는 동물들	동물들의 의미
사슴	지상과 천상을 이음, 장수, 벼슬, ( )
( )(까치와 함께 있는 그림)	벽사(기쁜 소식, 인간 존중)
개	신뢰, 충성, 믿음, 벽사, 풍요로움
( )	벽사, 부부간의 금실, 자손 번창
고양이, 나비, 매, 원앙이나 물고기 한 쌍	• 고양이: 수호신, 장수 • 나비: 장수 • 매: 벽사, 자연재해 방지 • 원앙, 물고기: 부부 해로, 부부간의 사랑

생각 글 쓰기

개가 '신뢰와 충성, 믿음'을 상징하는 까닭은 무엇일까요?

어휘·어법 다지기

01 다음 뜻에 알맞은 낱말을 찾아 선으로 이으세요.

(1) 번화하게 창성함. • • ㉠ 번창

(2) 신기하고 영묘한. • • ㉡ 신령한

(3) 흠뻑 많아서 넉넉함이 있음. • • ㉢ 재생력

(4) 상실되거나 손상된 생물체의 한 부분에 새로 운 조직이 생겨 다시 자라나는 힘. • • ㉣ 풍요로움

02 다음 문장에 알맞은 낱말을 보기 에서 찾아 쓰세요.

보기

번창 신령한 재생력

(1) 석굴암에서 본 불상에서 ( ) 기운이 느껴졌다.

(2) 새로 연 가게 앞에 놓인 화분에는 '( )하세요.'라고 적혀 있었다.

(3) 간은 인간의 장기 가운데 ( )이 가장 뛰어난 것으로 알려져 있다.

03 보기 를 읽고 다음 문장에 알맞은 보조사를 골라 ○표를 하세요.

보기

보조사

보조사는 앞말에 특별한 뜻을 더해 주는 조사를 말해요. 우리나라에는 다양한 뜻을 가진 보조사가 있답니다. '도'는 이미 누군가, 혹은 무언가가 들어 있는 무리에 '도'가 붙은 낱말을 추가한다는 뜻이 있는 보조사예요. '만'은 '만'이 붙은 낱말을 다른 것으로부터 제한해서 그것으로 한정하는 보조사예요.

(1) 난 안경을 쓰는데 너(도 / 만) 안경을 쓰는구나.

(2) 좋아하는 반찬(도 / 만) 먹지 말고 골고루 먹어라.

(3) 오늘 모임에 지수(도 / 만) 오고 나머지는 아무도 안 왔다.

매일 학습 평가	맞은 문제에 표시해 주세요.					맞은 개수
1 핵심어 ☐	2 세부 내용 ☐	3 세부 내용 ☐	4 추론 ☐	5 적용 ☐	6 글의 구조 ☐	개

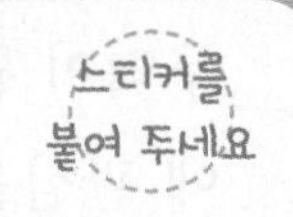

카카오는 초콜릿의 원료로, 일일이 사람 손이 닿아야 수확할 수 있는 까다로운 작물입니다. 긴 낫으로 열매를 딴 뒤 칼로 딱딱한 껍질을 벗기고 그 안에 있는 카카오 콩을 햇빛에 말려야 하는데, 이 모든 작업이 기계가 아닌 사람의 손으로 이루어지기 때문에 농민들은 1년 내내 카카오 농사에 매달려야 합니다. 그러나 정작 돈을 버는 것은 농민들이 아니라 카카오를 수입하는 사람들과 초콜릿 회사입니다. 그렇기 때문에 농민들은 일꾼을 고용하지 못하고 대신 임금이 싼 아이들을 일터로 내몰고 있습니다.

이러한 문제를 해결하기 위해 시작된 것이 바로 공정 무역입니다. 공정 무역은 노동의 대가를 공정하게 지불하는 무역입니다. 즉, 생산자와 기업 간의 경제적 불균형을 없애 개발 도상국의 생산자가 경제적으로 자립할 수 있도록 도와주고, 중간 상인의 개입을 줄여 유통 비용을 낮추는 효과를 내는 무역 방식을 말합니다. 생산자는 노동에 대한 정당한 대가를 받고 소비자는 더욱 저렴한 가격으로 좋은 품질의 제품을 구입할 수 있습니다.

우리는 공정 무역을 확대해 나가야 합니다. 공정 무역은 생산자들에게 공정한 가격을 지불하고 그들에게 건강한 작업 환경을 제공합니다. 공정 무역을 하는 단체들은 개발 도상국 사람들이 생산하는 농작물을 정당한 값에 사들이고, 형편이 어려운 생산자들에게는 물건 값을 미리 지불하기도 합니다. 또 공정 무역 단체들의 도움을 통해 생산자들은 농업 기술을 배우고 해당 시장에 대한 지식을 쌓으며, 무역 과정에서 발생할 수 있는 부당한 대우를 피할 수 있게 됩니다.

공정 무역은 어린이들을 보호합니다. 공정한 방식으로 무역이 진행되면 생산자들은 노동의 대가를 정당하게 받을 수 있어 소득이 증가합니다. 따라서 아이들을 노동에 참여시키지 않아도 되고, 학교에 보낼 수도 있게 됩니다. 실제로 공정 무역을 하는 생산자들 스스로가 어린 아이들에게 힘든 일을 시키지 않고 환경과 소비자를 위한 질 좋은 물건을 생산할 것을 약속하고 있습니다.

공정 무역이 확대되려면 일상생활 속에서 공정 무역 제품을 이용해야 합니다. 공정 무역 제품에는 초콜릿, 축구공, 커피, 설탕 등이 있습니다. 이러한 제품을 구입할 때에는 공정 무역 인증 표시가 붙어 있는지 확인합니다. 또 공정 무역 홍보 캠페인에 참여하고, 적은 금액이라도 공정 무역이 활성화될 수 있도록 기부할 수도 있습니다. 작은 소비에서부터 많은 사람들이 공정 무역에 관심을 갖는다면 공정 무역은 자연스럽게 확대될 수 있을 것입니다.

낱말 뜻 풀이

- **임금**: 근로자가 노동의 대가로 사용자에게 받는 보수.
- **개발 도상국**: 산업의 근대화와 경제 개발이 선진국에 비하여 뒤떨어진 나라.
- **유통**: 상품 등이 생산자에서 소비자, 수요자에 도달하기까지 여러 단계에서 교환되고 분배되는 활동.
- **대우**: 어떤 사회적 관계나 태도로 대하는 일.

1

이 글에서 가장 중심이 되는 낱말을 쓰세요.

2

이 글에서 글쓴이가 주장하는 것은 무엇인가요?

① 공정 무역을 확대해야 한다.
② 공정 무역을 통해 아이들은 일을 해야 한다.
③ 어린 아이들일수록 일과 공부를 함께 해야 한다.
④ 생산하기 까다로운 농작물은 재배하지 말아야 한다.
⑤ 공정 무역 인증 표시가 붙은 제품은 사지 말아야 한다.

3

이 글의 내용으로 알맞은 것은 무엇인가요?

① 카카오 생산의 모든 작업은 기계로 이루어진다.
② 공정 무역을 하면 아이들이 노동에 참여하지 않아도 된다.
③ 공정 무역 단체는 생산자들에게 물건 값을 미리 지불하지는 않는다.
④ 공정 무역에 참여하는 생산자들은 비싼 물건을 생산할 것을 약속한다.
⑤ 공정 무역은 중간 상인의 개입을 높여 유통 비용을 높이는 무역 방식이다.

4

이 글에서 글쓴이가 주장에 대한 근거로 제시하지 않은 것은 무엇인가요?

㉮ 공정 무역은 어린이들을 보호한다.
㉯ 공정 무역은 생산자들에게 공정한 가격을 지불한다.
㉰ 공정 무역은 생산자들에게 건강한 작업 환경을 제공한다.
㉱ 공정 무역을 통해 소비자들은 생산자들에게 직접 돈을 지불할 수 있다.

5

이 글에 제시된 공정 무역 제품은 무엇인지 모두 쓰세요.

14회 ▶ 정답과 해설 19쪽

6

다음 중 일상생활에서 공정 무역을 실천하고 있지 않은 사람은 누구인지 기호를 쓰세요.

㉠ 지유는 공정 무역 단체에 용돈을 모아 기부했다.
㉡ 나겸이는 커피 공정 무역 홍보 캠페인에 참여했다.
㉢ 민아는 공정 무역 인증 표시가 붙은 초콜릿을 사 먹었다.
㉣ 세현이는 공정 무역 인증 표시 대신 유명 브랜드 로고가 있는 축구공을 샀다.

7

글의 구조

이 글의 구조를 생각하며, 빈칸에 알맞은 말을 쓰세요.

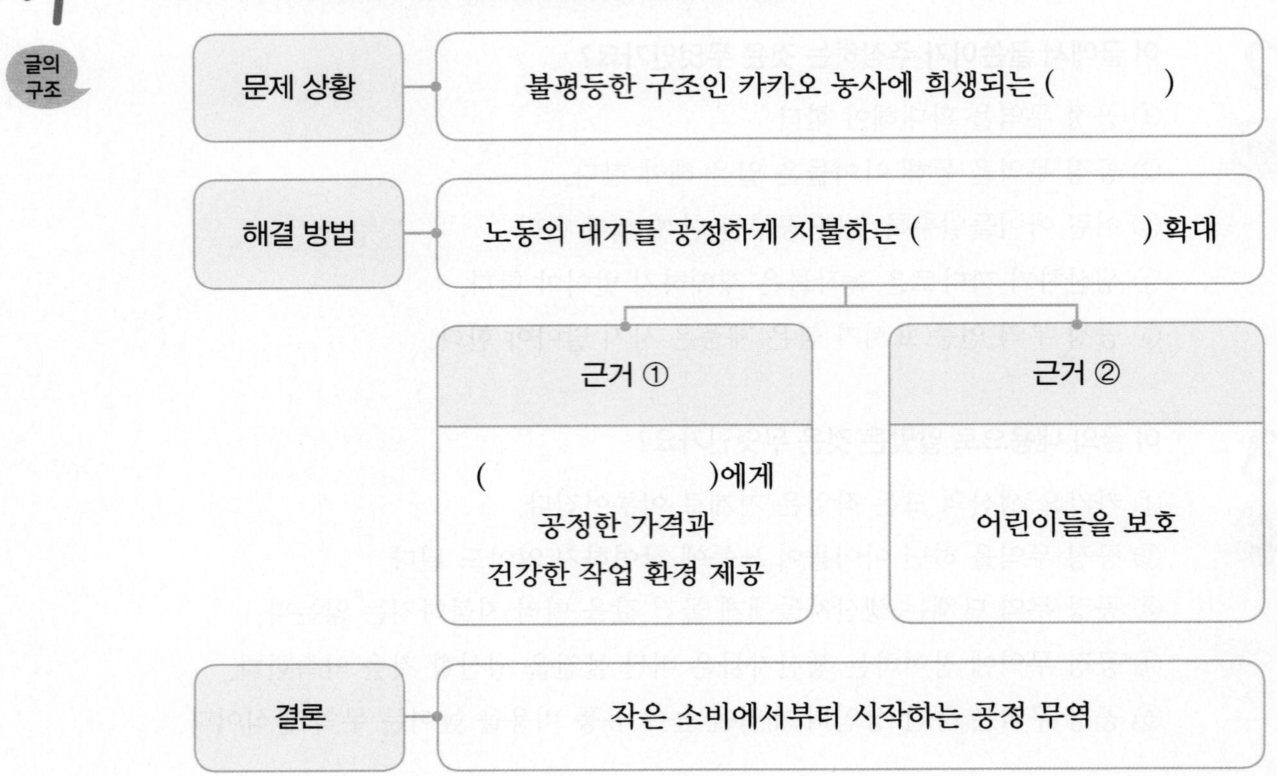

어린 아이들이 학교에 가지 못하고 카카오 농장에서 일하는 까닭은 무엇일까요?

어휘·어법 다지기

01 다음 뜻에 알맞은 낱말을 보기 에서 찾아 쓰세요.

보기
대우　　유통　　임금

(1) 어떤 사회적 관계나 태도로 대하는 일. (　　　)

(2) 근로자가 노동의 대가로 사용자에게 받는 보수. (　　　)

(3) 상품 등이 생산자에서 소비자, 수요자에 도달하기까지 여러 단계에서 교환되고 분배되는 활동. (　　　)

02 다음 문장에 알맞은 낱말을 보기 에서 찾아 쓰세요.

보기
대우　　유통　　임금

(1) 아파트 단지 앞에 농산물 (　　　) 센터가 생겼다.

(2) 아르바이트생에 대한 부당한 (　　　)이/가 심각하다.

(3) 회사는 근로자의 노동에 대한 정당한 (　　　)을/를 지급해야 한다.

03 보기 를 읽고 다음 문장에 알맞은 낱말을 골라 ○표를 하세요.

보기
'일체'와 '일절'
'일체'는 '모든 것', '전부' 또는 '완전히'의 뜻을 나타내는 말이에요. 그리고 '일절'은 '아주, 전혀, 절대로'의 뜻으로, 흔히 행위를 그치게 하거나 어떤 일을 하지 않을 때에 쓰는 말이에요. 즉, '일체'는 전부를 나타내는 말이고, '일절'은 부인하거나 금지할 때 쓰는 말이므로, 두 낱말을 잘 구분해서 사용해야 해요.

(1) 나에게 (일체 / 일절) 간섭하지 마세요.

(2) 그는 재산 (일체 / 일절)을/를 학교에 기부하였다.

매일 학습 평가	맞은 문제에 표시해 주세요.						맞은 개수
1 핵심어 □	2 주제 □	3 세부 내용 □	4 세부 내용 □	5 세부 내용 □	6 적용 □	7 글의 구조 □	개

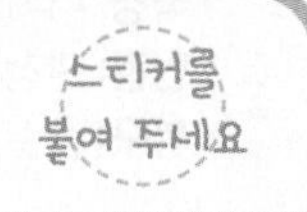

14회 ▶ 정답과 해설 19쪽

*국경 없는 의사회는 전쟁, 질병, 굶주림, 자연재해 등으로 고통받는 세계 각 지역의 주민들을 돕는 국제 *민간 의료 구호 단체입니다. 이 단체는 1971년 의사와 언론인 열두 명이 프랑스 파리에 모여 설립한 단체로, 인종, 종교, 계급, 성별, 정치적 성향에 관계없이 도움이 필요한 사람들에게 의료 혜택을 주기 위해 만들어졌습니다. 이 단체가 생기기 전까지 사람들은 나와 전혀 다른 사람을 돕기 위해 낯선 곳에 간다고 생각하지 못했습니다. 하지만 국경 없는 의사회는 위험을 무릅쓰고 국경을 넘었습니다. 국경 너머에 아프고 가난한 사람들이 있었기 때문입니다.

국경 없는 의사회가 설립될 때 만들어진 3대 원칙은 '중립', '공평', '자원'입니다. 국경 없는 의사회는 아픈 사람을 낫게 하는 일에 어떠한 목적도 갖지 않으며, 다양한 사회적 논쟁에서 ㉠중립을 지킵니다. 또한 국경 없는 의사회는 모든 사람들을 공평하게 돕습니다. 누구나 인간이라는 이유만으로 구호를 받을 권리가 있기 때문입니다. 국경 없는 의사회에 속한 사람들은 국경 없는 의사회가 제공할 수 있는 것 외에는 어떠한 보상도 바라지 않습니다. 그들은 자신들이 수행하는 임무의 위험성과 부담을 알고 있으면서도 아프고 가난한 사람들을 돕는 일에 자원했기 때문입니다.

국경 없는 의사회가 하는 가장 큰 일은 '치료'입니다. 국경 없는 의사회는 자연재해나 전쟁으로 피해를 입은 지역에 가능한 한 빨리 가서 피 흘린 사람들을 수술하고 치료합니다. 이와 동시에 무너진 병원과 진료소를 *복구하고 음식을 보급하며, 현지의 의료진을 교육합니다. 재해 지역에 전염병이 돌아 2차 피해가 생기는 것을 막기 위해 예방 접종을 하고 공중위생 프로그램을 운영하기도 합니다. 전쟁으로 마음에 상처를 입은 사람들의 정신 건강을 살피는 것도 국경 없는 의사회의 일입니다. 현재까지 국경 없는 의사회로부터 이러한 도움을 받은 나라는 약 70개국에 이릅니다.

국경 없는 의사회의 또 다른 주요한 일은 '증언'입니다. 이들은 재난 현장에서 자신들이 보고 겪은 것을 이야기함으로써 고통받는 사람이 있다는 사실을 전 세계에 알립니다. 한 예로 국경 없는 의사회는 이라크가 화학 무기를 *살포한 사실을 전 세계에 알렸고, 1995년 르완다에서 양민 *학살 사건이 있었음을 폭로하기도 했습니다. 국경 없는 의사회의 증언은 재난 지역의 상황이 더 빨리 종결되도록 도와주고, 국경 없는 의사회의 힘만으로는 해결할 수 없는 문제를 다른 단체나 국가가 나서서 *타개할 수 있게 해 줍니다.

낱말 뜻 풀이

- **국경**: 나라와 나라의 영역을 가르는 경계.
- **민간**: 관청이나 정부 기관에 속하지 않음.
- **복구**: 손실 이전의 상태로 회복함.
- **살포**: 액체, 가루 등을 흩어 뿌림.
- **학살**: 가혹하게 마구 죽임.
- **타개**: 매우 어렵거나 막힌 일을 잘 처리하여 해결의 길을 엶.

1

핵심어

이 글에서 설명하고 있는 것은 무엇인가요?

2

세부 내용

'국경 없는 의사회'에 대한 설명으로 알맞지 않은 것은 무엇인가요?

① 1971년에 프랑스 파리에서 설립되었다.
② 이 단체의 도움을 받은 나라는 약 70개국에 이른다.
③ 재난 현장에서 자신들이 보고 겪은 것을 전 세계에 알린다.
④ 위험한 일을 하므로 정부나 언론 기관으로부터 다양한 보상을 받는다.
⑤ 재해 지역의 전염병을 막기 위해 공중위생 프로그램을 운영하기도 한다.

3

세부 내용

국경 없는 의사회가 모든 사람들을 공평하게 돕는 까닭은 무엇인가요?

① 많은 사람들을 도울수록 더 많은 보상을 받기 때문이다.
② 모든 사람들의 인종과 종교, 계급이 동일하기 때문이다.
③ 도움을 받지 못한 사람들이 불평할 가능성이 있기 때문이다.
④ 모든 사람들에게 혜택을 줄 만큼 의료 자원이 풍부하기 때문이다.
⑤ 누구나 인간이라는 이유만으로 구호를 받을 권리가 있기 때문이다.

4

어휘

㉠의 뜻으로 알맞은 것은 무엇인가요?

① 차별이 있어 고르지 아니함.
② 어떤 견해나 의견에 같은 생각을 가짐.
③ 공정하지 못하고 한쪽으로 치우친 생각.
④ 어떤 일을 자기 스스로 하고자 하여 나섬.
⑤ 어느 편에도 치우치지 아니하고 공정하게 처신함.

15회 ▶ 정답과 해설 20쪽

5

보기의 상황에서 국경 없는 의사회가 할 일이 아닌 것은 무엇인가요?

> **보기**
> ○○ 마을에 갑자기 많은 양의 비가 내려 산사태가 나고 건물이 모두 물에 잠겼다. 이 사고로 많은 사람들이 다치고 집을 잃었다.

① 흙더미에 깔려 다친 사람들을 치료한다.
② ○○ 마을의 심각한 상황을 전 세계 사람들에게 알린다.
③ 다친 사람들이 먹고 몸을 회복하도록 음식을 나누어 준다.
④ 산사태로 무너진 ○○ 마을 사람들의 집을 다시 지어 준다.
⑤ 마을에 전염병이 돌 수 있으므로 마을 사람들에게 예방 주사를 놓아 준다.

6

이 글의 구조를 생각하며, 빈칸에 알맞은 말을 쓰세요.

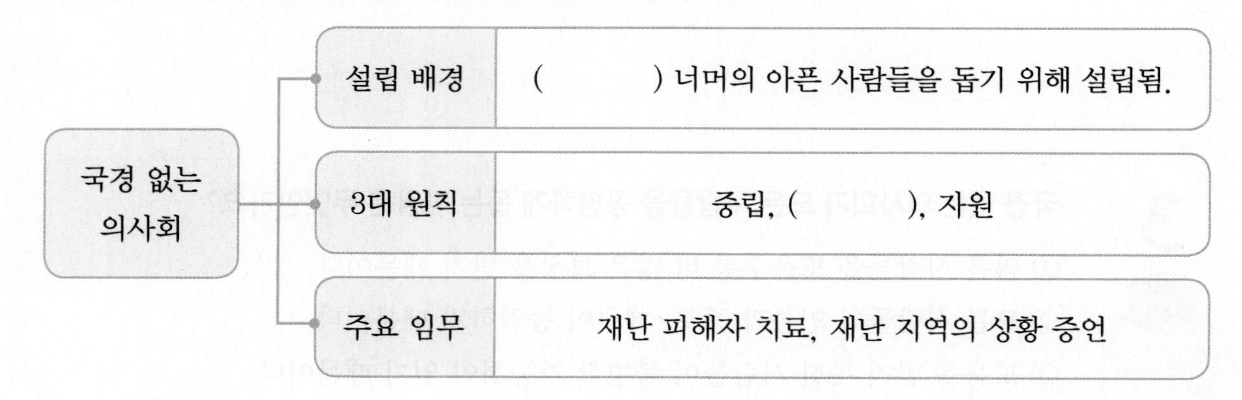

생각 글 쓰기

국경 없는 의사회가 재난 현장에서 보고 겪은 것을 증언하는 까닭은 무엇일까요?

어휘·어법 다지기

▶ 정답과 해설 20쪽

01 **다음 뜻에 알맞은 낱말을 찾아 선으로 이으세요.**

(1) 손실 이전의 상태로 회복함. •   • ㉠ 국경

(2) 나라와 나라의 영역을 가르는 경계. •   • ㉡ 복구

(3) 매우 어렵거나 막힌 일을 잘 처리하여 해결의 길을 엶. •   • ㉢ 타개

02 **다음 문장에 알맞은 낱말을 보기에서 찾아 쓰세요.**

보기: 민간   복구   살포   타개

(1) 이번 일에는 국가 기관과 (   ) 기관이 함께 참여한다.

(2) 해충 피해를 예방하기 위해 살충제를 (   )하기로 했다.

(3) 새로운 기계를 도입하여 농촌 지역의 일손 부족 문제를 (   )했다.

(4) 김 회장은 가뭄 피해 지역을 (   )하는 데 힘써 달라며 1억 원을 기부했다.

03 **보기를 읽고, 다음 문장에 알맞은 낱말을 골라 ○표를 하세요.**

보기
- **축적**: 지식, 경험, 자금 등을 모아서 쌓음. 또는 모아서 쌓은 것.
  예 그 부자는 구두를 팔아서 재산을 축적했다.
- **축척**: 지도에서의 거리와 땅에서의 실제 거리와의 비율.
  예 축척이 5만분의 1인 지도가 필요하다.

(1) 책을 읽으면 지식이 (축적 / 축척)된다.

(2) 대동여지도는 16만분의 1 (축적 / 축척) 지도이다.

(3) 양파는 우리 몸속에 지방이 (축적 / 축척)되는 것을 막아 준다.

매일 학습 평가 맞은 문제에 표시해 주세요.

1 핵심어	2 세부 내용	3 세부 내용	4 어휘	5 적용	6 글의 구조	맞은 개수
□	□	□	□	□	□	개

신사임당은 조선 시대에 활동한 예술가입니다. 또한 조선 시대의 대표적인 학자이자 정치가인 율곡 이이의 어머니이기도 합니다. 과거에 신사임당은 율곡 이이를 훌륭하게 길러 낸 어머니로서 많은 존경을 받았습니다. 조선의 유학자들은 율곡 이이가 뛰어난 이론과 저서를 남긴 것이 그의 어머니 덕분이라고 칭송했습니다. 하지만 현대 사회로 들어오면서 사람들은 신사임당의 예술가적 모습에 더 관심을 기울이고 있습니다. 신사임당은 여성이 활동하기 힘들었던 사대부 중심의 조선 사회에서 그림과 글씨로 이름을 알린 우수한 화가이자 서예가로서 주목받고 있습니다.

신사임당은 1504년 강원도 강릉에서 아버지 신명화와 어머니 용인 이씨의 다섯 딸 가운데 둘째로 태어났습니다. 신사임당의 부모님은 딸들에게도 학문과 예술을 가르쳤습니다. 특히 신사임당은 관찰력이 뛰어나고 감수성이 풍부해 그림에 재능이 있었습니다. 이것을 알아본 신사임당의 외할아버지는 신사임당이 마음껏 재능을 펼칠 수 있도록 도왔고, 조선 초기의 유명한 화가였던 안견의 그림을 구해다 주기도 했습니다. 신사임당은 일곱 살 때 안견의 그림을 모방해 산수화를 완성했는데, 사람들은 신사임당의 산수화가 안견의 그림에 버금간다며 칭찬했습니다.

신사임당이 산수화만큼 잘 그리는 것은 우리 주변에서 흔히 볼 수 있는 풀과 나무, 벌레들이었습니다. 다른 사람들은 당시 유행하던 중국 그림을 베껴 그렸지만 신사임당은 자신이 직접 관찰한 것들을 그렸습니다. 신사임당은 포도, 수박, 수박을 서리하는 생쥐, 맨드라미, 맨드라미 옆을 지나가는 쇠똥구리, 가지, 사마귀 등 자신의 눈에 보이는 것을 마치 살아 있는 것처럼 사실적인 모습으로 화폭에 담았습니다. 신사임당이 볕에 말리려고 내놓은 풀벌레 그림을 닭들이 진짜인 줄 알고 쪼아서 종이가 뚫어질 뻔했을 정도로 그녀의 그림은 섬세했습니다.

신사임당은 아름다운 서체를 구사한 명필가이기도 합니다. 신사임당이 활동했던 16세기에는 명나라 중기의 초서체가 들어와 유행했습니다. 이 서체는 거침없는 필법으로 아주 심하게 흘려 쓰는 글씨체였습니다. 신사임당은 이 서체를 그대로 쓰는 대신 다른 방식으로 초서체를 사용했습니다. 초서체는 본래 많이 흘려 쓰는 글씨체이지만 신사임당은 이 서체를 단아하고 깔끔하게 표현했습니다. 그 덕분인지 그녀의 작품은 전체적으로 단정하고 차분한 인상을 줍니다. 이러한 신사임당의 서체는 「초서 당시오절」에 잘 드러나 있습니다.

낱말 뜻 풀이

- **칭송**: 칭찬하여 일컬음. 또는 그런 말.
- **감수성**: 외부 세계의 자극을 받아들이고 느끼는 성질.
- **버금간다며**: 으뜸의 바로 아래가 된다며.
- **화폭**: 그림을 그려 놓은 천이나 종이의 조각.
- **필법**: 글씨나 문장을 쓰는 법.

1 이 글에서 소개하는 인물은 누구인가요?

2 '신사임당'에 대한 설명으로 알맞지 않은 것은 무엇인가요?

① 1504년 강원도 강릉에서 태어났다.
② 조선 시대의 학자이자 정치가인 율곡 이이의 어머니이다.
③ 16세기에 유행한 명나라 중기의 초서체를 그대로 사용했다.
④ 관찰력이 뛰어나고 감수성이 풍부해 그림에 재능이 있었다.
⑤ 자신의 눈에 보이는 것을 사실적인 모습으로 화폭에 담았다.

16회
▼ 정답과 해설 22쪽

3 이 글에 대한 설명으로 알맞은 것은 무엇인가요?

① 신사임당과 율곡 이이를 비교 및 대조한 글이다.
② 신사임당의 예술가적 모습에 대하여 소개한 글이다.
③ 신사임당이 작품을 완성하는 과정을 소개한 글이다.
④ 신사임당이 율곡 이이를 교육한 방식을 소개한 글이다.
⑤ 신사임당의 사대부 여성으로서의 훌륭한 모습을 소개한 글이다.

4 이 글의 내용을 생각하며, 다음 중 빈칸에 알맞은 말을 찾아 선으로 이으세요.

(1) 신사임당이 마음껏 재능을 ( ). • • ㉠ 담다
(2) 사실적인 모습으로 화폭에 ( ). • • ㉡ 펼치다
(3) 신사임당의 예술가적 모습에 관심을 ( ). • • ㉢ 기울이다

5 신사임당의 서체가 잘 드러난 작품의 이름은 무엇인가요?

6 **보기**는 이 글에 대한 대화로, 알맞지 <u>않게</u> 말한 사람은 누구인지 쓰세요.

보기

- 재은: 신사임당은 좋은 어머니이기도 하지만 재능이 뛰어난 예술가이기도 하구나.
- 영은: 신사임당은 당시 유행하던 중국 화풍과 서체를 흉내 내지 않고 자신만의 개성을 드러냈구나.
- 예진: 신사임당이 현대 사회에서 위인으로 평가받는 것은 신사임당의 아들인 율곡 이이가 뛰어난 학자이기 때문이구나.

7 이 글의 순서에 맞게 차례대로 기호를 쓰세요.

글의 구조

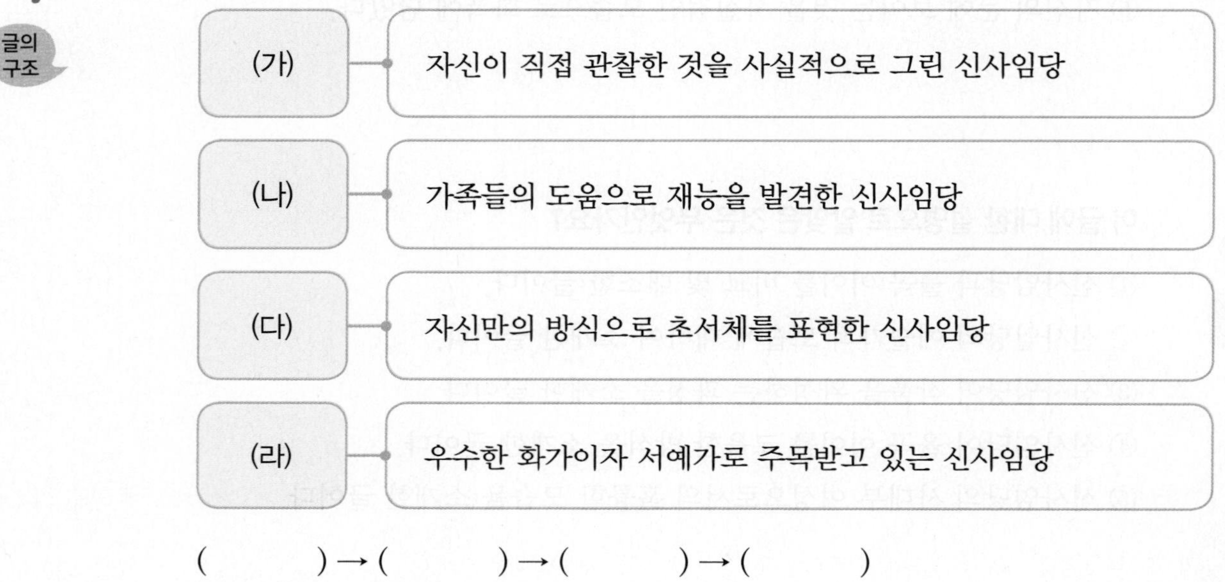

생각 글 쓰기

16세기에 우리나라에 들어온 명나라 초서체와 신사임당의 초서체의 다른 점은 무엇일까요?

어휘·어법 다지기

01 다음 뜻에 알맞은 낱말을 보기에서 찾아 쓰세요.

보기: 칭송 필법 화폭

(1) 글씨나 문장을 쓰는 법. ( )

(2) 칭찬하여 일컬음. 또는 그런 말. ( )

(3) 그림을 그려 놓은 천이나 종이의 조각. ( )

02 다음 문장에 알맞은 낱말을 보기에서 찾아 쓰세요.

보기: 감수성 칭송 필법 화폭

(1) 아름다운 풍경을 ( )에 그대로 옮겨 놓았다.

(2) 마을 사람들 모두가 우리 학교 교장 선생님을 ( )했다.

(3) 그는 ( )이 풍부해서 영화를 보다가 종종 눈물을 흘린다.

(4) 이 작품은 이전에 선보인 적 없는 새로운 ( )으로 글씨를 쓴 것이다.

03 보기를 읽고 다음 문장에서 동사를 골라 ○표를 하세요.

보기
동사
동사는 생물이나 사물의 움직임 혹은 작용을 나타내는 낱말이에요. 예를 들어 '철수가 울다.'에서 철수가 어떻게 하고 있는지 나타내는 '울다'가 동사입니다.

(1) 비가 쏟아진다.

(2) 강아지가 꼬리를 흔든다.

(3) 나는 아침 일곱 시에 일어난다.

매일 학습 평가	맞은 문제에 표시해 주세요.						맞은 개수
1 핵심어 □	2 세부 내용 □	3 전개 방식 □	4 어휘 □	5 세부 내용 □	6 적용 □	7 글의 구조 □	개

17회

설명문 | 과학

[실과 6] 2. 지속 가능한 생활

공부한 날 월 일

•지속 가능한 발전이란 미래 세대가 살아갈 환경을 해치지 않는 선에서 우리의 생활 환경을 향상시키는 발전을 말합니다. 미래 세대를 배려하지 않고 자원을 마구 사용하거나 생태계를 파괴하면 당장은 우리 삶이 편해지지만 언젠가는 자원이 고갈되고 환경 오염에 의한 피해를 입게 됩니다. 발전을 위해 했던 일들이 미래 사회의 발전을 멈추는 결과를 가져오는 것입니다. 이러한 비극을 불러오지 않기 위해 최근 여러 분야에서는 지속 가능한 발전을 추구하고 있습니다. 농업 분야도 예외는 아닙니다.

스스로 양분을 만들 수 없는 인간은 땅에서 식물을 가꾸고 동물을 키우는 활동을 꼭 해야 합니다. 하지만 농업 생산량을 늘리기 위해 •과도하게 사용하는 농약과 화학 비료는 땅과 강, 바다를 오염시킵니다. 또한, 농기계와 온실의 냉난방 장치를 가동하는 데 사용되는 화석 연료는 온실가스를 배출해 지구의 온도를 높입니다. 이와 같은 환경 파괴는 결국 사람들의 건강을 위협하는 결과를 낳습니다. 뿐만 아니라 오염된 땅에서는 더 이상 농작물이 생산되지 않습니다. 따라서 우리는 눈앞의 농업 생산량을 늘리는 일에 집중할 것이 아니라 지속 가능한 발전이 일어날 수 있도록 노력해야 합니다. 그 노력의 한 가지로 친환경 농업을 들 수 있습니다. 친환경 농업은 농산물을 생산하고 이용하고 •폐기하는 중에 발생하는 오염 물질을 최소화하는 농업으로, 농작물을 안정적으로 얻으면서도 자연환경을 해치지 않는 산업입니다.

친환경 농업을 실천할 수 있는 방법으로는 우선 생산 단계에서 땅을 산성화하는 화학 비료를 쓰지 않고 자연 •퇴비를 이용하는 방법을 들 수 있습니다. 농약을 치는 대신 논에 오리나 우렁이를 풀어 벌레와 잡초를 제거하는 •천적 농법을 사용하는 것도 좋은 방법입니다. 친환경 연료로 농기계를 돌리거나 태양광 온실에서 식물을 키우면 대기 오염도 크게 줄일 수 있습니다.

이용 단계에서는 소비자도 친환경 농업으로 생산된 농산물을 적극 이용함으로써 친환경 농업에 참여할 수 있습니다. 지역 사회와 생산자는 친환경 농업으로 재배한 질 좋은 먹거리들을 홍보하고, 소비자는 친환경 인증을 받은 농산물을 구입하는 것입니다.

마지막으로 폐기 단계에서는 가축의 •분뇨를 자연 퇴비로 만들어 활용하는 방법을 들 수 있습니다. 이 방법은 동물의 분뇨로 인해 환경이 오염되는 것과 생산 단계에서 화학 비료가 남용되는 것을 막아 줍니다.

낱말 뜻 풀이

- **지속**: 어떤 상태가 오래 계속됨. 또는 어떤 상태를 오래 계속함.
- **과도**: 정도에 지나침.
- **폐기**: 못 쓰게 된 것을 버림.
- **퇴비**: 풀, 짚 또는 가축의 배설물 등을 썩힌 거름.
- **천적**: 잡아먹는 동물을 잡아먹히는 동물에 상대하여 이르는 말.
- **분뇨**: 분(糞)과 요(尿)를 아울러 이르는 말.

1

이 글에 알맞은 제목을 쓰세요.

(   )(으)로 미래를 가꿔요.

2

이 글에 대한 설명으로 알맞은 것은 무엇인가요?

① 천적 농법의 과정을 순서대로 설명했다.
② 화학 비료의 구성 성분을 자세하게 분석했다.
③ 지구의 온도를 높이는 온실가스의 종류를 설명했다.
④ 친환경 농업의 실천 방법을 다양한 측면에서 살펴보았다.
⑤ 친환경 농업으로 생산된 채소를 먹은 경험을 바탕으로 글을 썼다.

17회 ▶ 정답과 해설 23쪽

3

세부 내용

이 글의 내용으로 알맞지 않은 것은 무엇인가요?

① 친환경 농업은 지속 가능한 발전을 가능하게 한다.
② 친환경 농업을 실천하기 위해 천적 농법을 활용할 수 있다.
③ 화석 연료로 냉난방 장치를 가동하면 온실가스가 발생한다.
④ 친환경 농업은 자연환경을 보존할 수 있지만 안정적이지 못하다.
⑤ 과도한 농약과 화학 비료는 생태계를 파괴하고 사람들의 건강을 위협한다.

4

이 글을 읽고 난 후의 반응으로 알맞지 않은 것은 무엇인가요?

① 농업 활동은 인간에게 꼭 필요한 일이구나.
② 생산자가 아니어도 친환경 농업에 참여할 수 있구나.
③ 친환경 농업을 실천하더라도 오염 물질이 줄어들지는 않겠네.
④ 화학 비료를 계속 사용한다면 미래에는 농작물을 얻을 수 없겠어.
⑤ 친환경 농업을 이용하면 지구의 온도가 높아지는 것도 막을 수 있겠네.

5 적용

다음 중 친환경 농업의 모습으로 알맞지 않은 것의 기호를 쓰세요.

㉠ 우진이네 삼촌은 우렁이 농법으로 벼농사를 지으신다.
㉡ 아영이네 아버지는 농사를 지으실 때 화학 비료 대신 자연 퇴비를 쓰신다.
㉢ 지훈이네 할머니는 태양빛을 이용한 태양광 온실에서 고추 농사를 하신다.
㉣ 슬기네 고모는 벌레가 배추를 갉아먹는 것을 막기 위해 배추밭에 농약을 사용하신다.

6

이 글의 구조를 생각하며, 빈칸에 알맞은 말을 쓰세요.

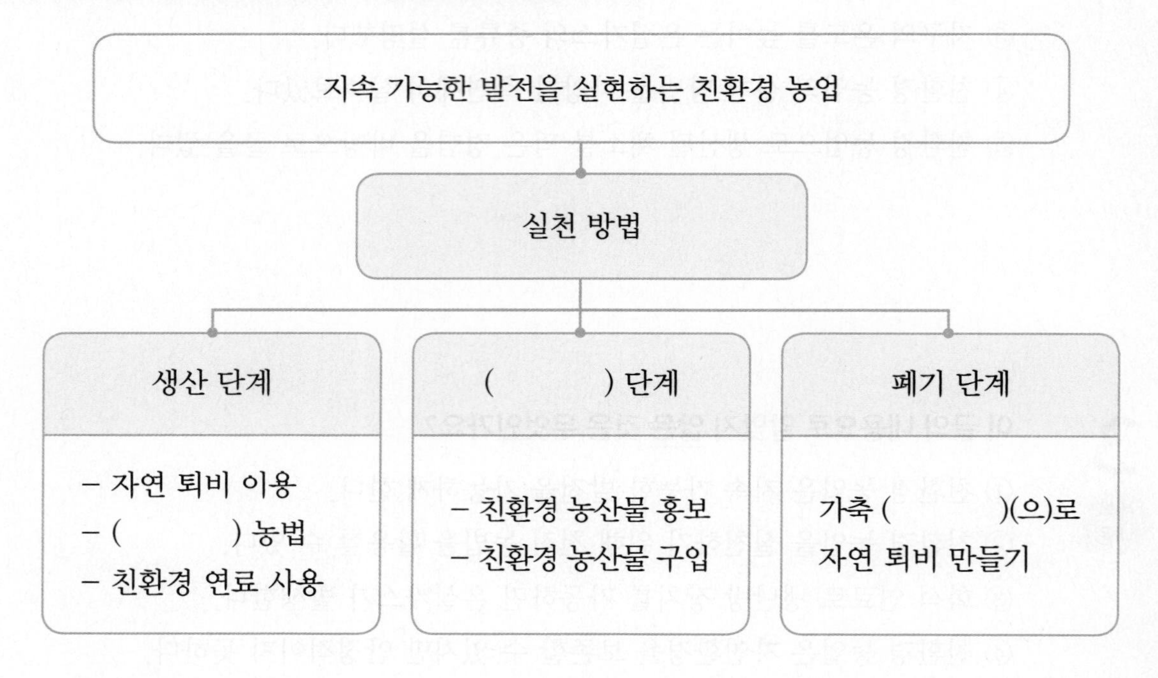

지속 가능한 발전을 추구해야 하는 까닭은 무엇일까요?

어휘·어법 다지기

17회 ▶ 정답과 해설 23쪽

01 **다음 뜻에 알맞은 낱말을 찾아 선으로 이으세요.**

(1) 정도에 지나침. • • ㉠ 과도

(2) 풀, 짚 또는 가축의 배설물 등을 썩힌 거름. • • ㉡ 천적

(3) 잡아먹는 동물을 잡아먹히는 동물에 상대하여 이르는 말. • • ㉢ 퇴비

02 **다음 문장에 알맞은 낱말을 보기 에서 찾아 쓰세요.**

보기
분뇨 지속 천적 폐기

(1) 뱀은 쥐의 (   )이다.

(2) ○○ 회사는 잘못 만들어진 제품을 전부 (   )하기로 했다.

(3) 장마는 6월에서 7월 사이에 (   )적으로 비가 내리는 현상이다.

(4) 도시에 비둘기 떼가 나타나면서 비둘기의 (   )이/가 문제되고 있다.

03 **보기 를 읽고 다음 문장에 알맞은 낱말을 골라 ○표를 하세요.**

보기

– **운용**: 무엇을 움직이게 하거나 부리어 씀.
※ 어울리는 단어: 기금, 예산, 물품, 자본, 법…
예 자산 운용을 대신 해 주는 로봇이 개발되었다.

– **운영**: ① 조직이나 기구, 사업체 등을 운용하고 경영함.
② 어떤 대상을 관리하고 운용하여 나감.
※ 어울리는 단어: 학교, 당, 기업, 상점, 학원…
예 학교에서 도서관을 운영하기로 했다.

(1) 서울시에서 청소년들을 위해 직업 학교를 (운용 / 운영)하기로 했다.

(2) 우리 학교 학생들이 기부한 돈을 (운용 / 운영)하여 어려운 이웃들을 돕기로 했다.

매일 학습 평가	맞은 문제에 표시해 주세요.					맞은 개수	
1 제목 □	2 전개 방식 □	3 세부 내용 □	4 추론 □	5 적용 □	6 글의 구조 □	개	스티커를 붙여 주세요

우리가 눈발이라면

우리가 눈발이라면
•허공에서 쭈빗쭈빗 흩날리는
•진눈깨비는 되지 말자
세상이 바람 불고 춥고 어둡다 해도
사람이 사는 마을
가장 낮은 곳으로
따뜻한 •함박눈이 되어 내리자
우리가 눈발이라면
잠 못 든 이의 창문가에서는
편지가 되고
그이의 깊고 붉은 상처 위에 돋는
새살이 되자

– 안도현

 뜻 풀이

- **허공**: 텅 빈 공중.
- **진눈깨비**: 비가 섞여 내리는 눈.
- **함박눈**: 굵고 탐스럽게 내리는 눈.

1

'함박눈'과 뜻이 비슷한 시어를 모두 찾아 쓰세요.

2

말하는 이가 우리에게 되지 말자고 한 것은 무엇인가요?

18회 ▶ 정답과 해설 25쪽

3

표현

이 시에 대한 설명으로 알맞지 않은 것은 무엇인가요?

① 우리를 '눈발'로 가정했다.
② 1연 12행으로 이루어져 있다.
③ '눈발'을 사람인 것처럼 표현했다.
④ '진눈깨비'와 '함박눈'을 대조하여 표현했다.
⑤ '-자'를 반복하여 말하는 이의 소망을 드러냈다.

4

이 시의 말하는 이에 대한 설명으로 알맞은 것은 무엇인가요?

① 누군가를 그리워하고 있다.
② 어려운 일을 당해 힘들어하고 있다.
③ 함박눈을 차갑고 부정적인 것으로 보고 있다.
④ 눈송이처럼 하늘을 날아다니고 싶어 하고 있다.
⑤ 세상을 바람 불고 춥고 어두운 곳으로 바라보고 있다.

5

이 시의 주제로 알맞은 것은 무엇인가요?

① 어려운 일이 생겨도 포기하지 말자.
② 세상을 아름다운 공간으로 바라보자.
③ 지금까지 하지 못했던 말을 편지로 표현하자.
④ 함박눈처럼 때 묻지 않은 순수한 사람이 되자.
⑤ 주변의 어려운 이웃을 위로하는 따뜻한 사람이 되자.

6 에서 이 시를 잘못 감상한 사람은 누구인지 쓰세요.

감상

보기

- 시현: '잠 못 든 이'는 고통과 슬픔에 빠진 사람을 말하는 것 같아.
- 지훈: '사람이 사는 마을 / 가장 낮은 곳'은 평평한 땅을 뜻하는 것 같아.
- 진혁: '진눈깨비'는 어려운 사람을 더 힘들게 하는 존재를 뜻하는 것 같아.

7 이 시의 구조를 생각하며, 빈칸에 알맞은 말을 쓰세요.

글의 구조

행	내용
1~3행	우리가 (　　　　)이라면 진눈깨비는 되지 말자.
4~7행	사람이 사는 가장 낮은 곳에 (　　　　)이/가 되어 내리자.
8~12행	잠 못 든 이에게는 (　　　　)이/가 되고 상처 위에 돋는 (　　　　)이/가 되자.

생각 글 쓰기

이 시에서 '진눈깨비' 같은 사람과 '함박눈' 같은 사람은 각각 어떤 사람일까요?

어휘·어법 다지기

▶ 정답과 해설 25쪽

01 **다음 뜻에 알맞은 낱말을 찾아 선으로 이으세요.**

(1) 텅 빈 공중. •   • ㉠ 진눈깨비

(2) 비가 섞여 내리는 눈. •   • ㉡ 함박눈

(3) 굵고 탐스럽게 내리는 눈. •   • ㉢ 허공

02 **다음 문장에 알맞은 낱말을 보기에서 찾아 쓰세요.**

보기
진눈깨비   함박눈   허공

(1) 아이는 (   )에 비눗방울을 불었다.

(2) 눈보라가 잦아들더니 (   )이/가 추적거린다.

(3) 밤새도록 내린 (   )에 온 세상이 하얗게 변했다.

03 **보기를 읽고 다음 중 형용사가 없는 문장을 고르세요.**

보기
형용사
형용사는 생물이나 사물의 성질이나 상태를 나타내는 낱말이에요. 예를 들어 '얼음은 차갑다.'에서 얼음이 어떤 성질을 띠는지 나타내는 '차갑다'는 형용사입니다. '나는 영화를 보고 나서 슬펐다.'에서 나의 상태를 나타내는 '슬프다'도 형용사입니다.

① 국이 너무 뜨겁다.
② 봄 햇살이 따뜻하다.
③ 철수가 집까지 달려간다.
④ 우리 집 고양이는 아주 예쁘다.
⑤ 운동회에서 우리 편이 이겨서 기쁘다.

매일 학습 평가 맞은 문제에 표시해 주세요.

1 시어의 의미	2 세부 내용	3 표현	4 화자	5 주제	6 감상	7 글의 구조	맞은 개수
☐	☐	☐	☐	☐	☐	☐	개

문학 | 동화

[국어 6-1 (가)] 2. 이야기를 간추려요

월 일

[앞부분 줄거리] 옛날 작은 도시에 황금 사과가 열리는 나무를 가운데에 둔 두 동네가 있었다. 황금 사과를 갖기 위해 다투던 윗동네와 아랫동네 사람들은 사과를 나누어 갖기 위해 땅바닥에 금을 긋고, 각각 금의 왼쪽과 오른쪽에 열리는 사과를 갖기로 한다. 그러나 사과를 따려고 금을 넘어가는 사람이 생기고, 사람들은 이를 막기 위해 작은 문이 달린 *울타리를 세운다. 하지만 울타리도 사람들의 욕심을 막지 못한다. 사람들은 돌담을 세워 *보초를 두고 감시한다. 돌담은 점점 높아지고, 두 동네 사람들은 서로를 의심하다 결국 미워하게 된다.

세월이 흘러갈수록 담은 점점 더 높아졌지.
그러다 어느 때부터인가 아무도 그 담에 관심을 갖지 않게 되었어.
언제 담을 세웠는지, 왜 세웠는지조차 사람들은 까맣게 잊고 만 거야.
담을 넘는 사람들이 없어지자 보초도 사라졌고, 황금 사과까지 사라졌어.
오직 남은 것은 가슴 깊숙이 뿌리박힌 서로 미워하는 마음뿐이었지.
어느 날, 한 꼬마 아이가 물었어.
"엄마, 저 담 너머에는 누가 살아요?"
"쉿! 아가야, 절대로 저 담 옆에 가면 안 돼. 저 담 너머에는 심술궂고 못된, 아주 나쁜 사람들이 산단다."
그 아이가 어른이 되어 다시 딸을 낳았지.
어느 날, 어린 딸이 물었어.
"엄마, 저 담 너머에는 누가 살아요?"
"쉿! 아가야, 절대로 저 담 옆에 가면 안 돼. 저 담 너머에는 무시무시한 괴물들이 산단다."
시간이 지날수록 윗동네는 점점 바뀌어 갔어.
어느새 커다란 현대식 건물들로 가득 찬 엄청나게 큰 동네가 되었지.
하지만 아랫동네는 높은 담 때문에 멀리까지 그늘이 졌어.
그래서 낮에도 햇볕이 들지 않고, 동네는 늘 어두웠어.
그늘진 곳에 살던 사람들은 따뜻하고 밝은 곳을 찾아 멀리 떠났지.
그러던 어느 날, 한 꼬마 아이가 공놀이를 하다가 공을 놓치고 말았어.
공은 떼굴떼굴 담 쪽으로 굴러갔지.
아이는 아무도 살지 않는 으스스한 그곳으로 걸어갔어.
그런데 담 쪽으로 다가가 보니 작은 문이 *언뜻 보이는 거야.
몸이 오싹거렸지만 그 아이는 계속 다가갔어.
열쇠 구멍에서 희미한 빛이 새어 나왔거든.
아이는 무서운 마음을 꾹 누르고 구멍 속을 들여다보았어.
"와, 세상에 이럴 수가!"
아이의 눈에 보인 건 공을 가지고 즐겁게 노는 아이들이었어.

엄마가 말한 끔찍한 괴물들이 아니라 자기하고 비슷한 *또래 친구들 말이야.
끼이이이익—
아이가 문을 밀자 쓱 열렸어.
문은 낡았고, 자물쇠는 망가져 있었거든.
환한 햇살 때문에 아이는 눈이 부셨지.
아이는 친구들에게 다가가 말했어.
"얘들아, 안녕! 내 이름은 사과야. 너희 이름은 뭐야?"

— 송희진, 「황금 사과」

낱말 뜻 풀이

- **울타리**: 풀이나 나무 등을 얽어서 경계를 지어 막는 물건.
- **보초**: 부대의 경계선이나 각종 출입문에서 경계와 감시의 임무를 맡은 병사.
- **언뜻**: 지나는 결에 잠깐 나타나는 모양.
- **또래**: 나이나 수준이 서로 비슷한 무리.

19회

▶ 정답과 해설 26쪽

1 소재

윗동네 사람들과 아랫동네 사람들이 다툰 까닭은 무엇인가요?

(　　　　　　)을/를 갖기 위해서이다.

2 세부 내용

이 글의 내용으로 알맞지 않은 것은 무엇인가요?

① 아랫동네는 현대식 건물들로 가득 찬 큰 동네가 되었다.
② 엄마는 딸에게 담 너머에 괴물들이 산다고 알려 주었다.
③ 황금 사과가 열리는 나무는 두 동네의 가운데에 있었다.
④ 사람들은 황금 사과를 나누어 갖기 위해 땅바닥에 금을 그었다.
⑤ 공놀이를 하던 꼬마 아이는 담에 있는 문을 열고 친구들을 만났다.

3 적용

이 글의 동네 사람들과 비슷한 태도를 보이는 사람은 누구인가요?

① 슬기는 새로 온 전학생과 사이좋게 지내기로 했다.
② 세화는 선생님이 주신 초콜릿을 상진이에게 양보했다.
③ 민영이는 자기를 미워하는 친구에게 먼저 다가가 오해를 풀었다.
④ 은아는 택배가 없어지자 한번도 보지 못한 옆집 사람을 비난했다.
⑤ 영석이는 새로운 동네에 이사를 온 뒤 동네 사람들에게 떡을 돌렸다.

4

추론

이 글을 읽은 후의 반응으로 알맞지 않은 것은 무엇인가요?

① 시간이 지날수록 사람들은 담 너머로 가고 싶어 했을 거야.

② 아랫동네 사람들은 담으로 생기는 그림자 때문에 힘들었겠군.

③ 황금 사과는 사라졌지만 윗동네와 아랫동네 사람들이 서로 미워하는 마음은 사라지지 않았구나.

④ 윗동네와 아랫동네가 서로를 의심하게 된 것은 사람들이 규칙을 정해 놓고 지키지 않았기 때문이야.

⑤ 꼬마 아이가 놀란 까닭은 괴물들이 살고 있을 것이라고 생각했던 담 너머에 자기와 비슷한 평범한 아이들이 있었기 때문이야.

5

보기의 ㉠~㉣을 이 글의 순서에 따라 차례대로 쓰세요.

㉠ 황금 사과가 열리는 나무를 두고 윗동네와 아랫동네 사람들이 다투었다.

㉡ 공놀이를 하던 꼬마가 공을 주우러 갔다가 우연히 담 너머를 보고 그곳으로 넘어갔다.

㉢ 어른들은 아이들이 담 근처에 가지 못하게 했고, 사람들은 담 너머에 괴물이 산다고 믿게 되었다.

㉣ 두 동네 사람들은 황금 사과를 지키기 위해 담을 세웠지만 시간이 흐르자 담을 세운 이유를 잊은 채 서로를 미워했다.

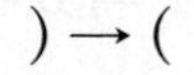

( ) → ( ) → ( ) → ( )

엄마가 꼬마 아이에게 담 너머에 괴물이 산다고 말한 까닭은 무엇일까요?

어휘·어법 다지기

19회 ▶ 정답과 해설 26쪽

01 **다음 뜻에 알맞은 낱말을 찾아 선으로 이으세요.**

(1) 나이나 수준이 서로 비슷한 무리. • 　　• ㉠ 또래

(2) 지나는 결에 잠깐 나타나는 모양. • 　　• ㉡ 보초

(3) 부대의 경계선이나 각종 출입문에서 경계와 감시의 임무를 맡은 병사. • 　　• ㉢ 언뜻

02 **다음 문장에 알맞은 낱말을 보기에서 찾아 쓰세요.**

보기: 또래 　 보초 　 언뜻 　 울타리

(1) 우리는 까치발을 하고 (　　　　) 너머로 집 안을 살폈다.

(2) 영화 속에서 수백 명의 (　　　　)이/가 성 앞을 지키고 있었다.

(3) 몇 년 만에 만난 친구의 얼굴은 (　　　　) 보기에도 많이 변해 있었다.

(4) 아주머니는 옆에 있는 아이가 나와 같은 (　　　　)라며 사이좋게 지내라고 하셨다.

03 **보기를 읽고 다음 문장에서 관형사를 골라 ○표를 하고, 관형사의 종류를 쓰세요.**

보기

관형사

관형사는 대상의 이름을 나타내는 명사를 꾸며 주는 기능을 하는 낱말이에요. 관형사에는 세 가지 종류가 있습니다.

1) 성상 관형사: 명사의 성질이나 상태를 나타냅니다. 예 새 집, 순 거짓말

2) 지시 관형사: 어떤 대상을 가리킵니다. 예 이 친구, 그 사람, 저 가게

3) 수 관형사: 수량이나 순서 등의 수 개념을 나타냅니다. 예 세 명

(1) 이제 헌 옷은 그만 입고 싶어. → (　　　　) 관형사

(2) 엄마, 공책 다섯 권만 사다 주세요. → (　　　　) 관형사

(3) 길 건너 저 아이가 노래를 잘한다며? → (　　　　) 관형사

매일 학습 평가 맞은 문제에 표시해 주세요.					맞은 개수
1 소재 □	2 세부 내용 □	3 적용 □	4 추론 □	5 글의 구조 □	개

공부한 날 월 일

길동이 점점 자라 여덟 살이 되자, *총명하기가 보통이 넘어 하나를 들으면 백 가지를 알 정도였다. 그래서 공은 길동을 더욱 귀여워하면서도 길동의 출생이 천하여, 길동이 '아버지'나 '형'이라고 부르면 즉시 꾸짖어 그렇게 부르지 못하게 하였다. 길동은 열 살이 넘도록 감히 부형을 부르지 못하고 종들로부터 천대받는 것을 뼈에 사무치도록 한탄하면서 마음 둘 바를 몰랐다.

어느 가을 9월 보름께가 되자, 달빛은 처량하게 비치고 맑은 바람은 쓸쓸히 불어와 사람의 마음을 울적하게 하였다. 길동은 서당에서 글을 읽다가 문득 책상을 밀치고 탄식하기를,

"대장부가 세상에 나서 공맹을 본받지 못할 바에야, 차라리 병법이라도 익혀, 대장인을 허리춤에 비스듬히 차고 *동정서벌하여 나라에 큰 공을 세우고 이름을 만대에 빛내는 것이 장부의 통쾌한 일이 아니겠는가! 나는 어찌하여 일신이 *적막하고, 부형이 있는데도 아버지를 '아버지'라 부르지 못하고 형을 '형'이라 부르지 못하니 심장이 터질지라, 이 어찌 통탄할 일이 아니겠는가!"

하고 뜰에 내려와, 검술을 익히고 있었다.

그때 마침, 공이 또한 달빛을 구경하다가, 길동이 서성거리는 것을 보고 즉시 불러 물었다.

"너는 무슨 흥이 있어서 밤이 깊도록 잠을 자지 않느냐?"

길동이 공경하는 자세로 대답했다.

"소인은 마침 달빛을 즐기는 중입니다. 그런데 만물이 생겨날 때부터 오직 사람이 귀한 존재인 줄 아옵니다만, 소인에게는 귀함이 없사오니 어찌 사람이라 하겠습니까?"

공은 그 말의 뜻을 짐작은 했지만, 일부러 *책망하는 체하며,

"너 그게 무슨 말이냐?"

했다. 길동이 절하고 말씀드리기를,

"소인이 평생 서러워하는 바는, 소인이 대감의 정기를 받아 당당한 남자로 태어났고, 또 낳아서 길러 주신 어버이의 은혜를 입었는데도 아버지를 '아버지'라 못 하옵고 형을 '형'이라 못 하오니, 어찌 사람이라 하겠습니까?"

하고, 눈물을 흘리며 *적삼을 적셨다.

공이 듣고 나자 비록 불쌍하다는 생각은 들었으나, 그 마음을 위로하면 *방자해질까 염려되어 크게 꾸짖어 말했다.

㉠ "재상 집안에 천한 종의 몸에서 태어난 자식이 너뿐이 아닌데, 네가 어찌 이다지도 방자하냐? 앞으로 다시 이런 말을 하면 내 눈앞에 서지도 못하게 하겠다."

이렇게 꾸짖으니, 길동은 감히 한마디도 더 하지 못하고, 다만 땅에 엎드려 눈물을 흘릴 뿐이었다. 공이 물러가라 하자, 그제서야 길동은 침소로 돌아와 슬퍼해 마지않았다. 길동이 본래 재주가 뛰어나고 *도량이 활달하나, 마음을 가라앉히지 못해 밤이면 잠을 이루지 못하곤 했다.

–「홍길동전」

낱말 뜻 풀이

- **총명**: 썩 영리하고 재주가 있음.
- **동정서벌**: 이리저리로 여러 나라를 정벌함을 이르는 말.
- **적막**: 의지할 데 없이 외로움.
- **책망**: 잘못을 꾸짖거나 나무라며 못마땅하게 여김.
- **적삼**: 윗도리에 입는 홑옷.
- **방자**: 어려워하거나 조심스러워하는 태도가 없이 무례하고 건방짐.
- **도량**: 사물을 너그럽게 용납하여 처리할 수 있는 넓은 마음과 깊은 생각.

20회 ▶ 정답과 해설 27쪽

1 인물

이 글의 주인공은 누구인가요?

2

이 글의 내용으로 알맞지 않은 것은 무엇인가요?

① 길동은 종들로부터 천대를 받았다.
② 공은 출생이 천한 길동을 미워했다.
③ 길동과 공이 대화한 때는 어느 가을 9월 보름께이다.
④ 길동은 아주 총명해서 하나를 들으면 백 가지를 알았다.
⑤ 길동은 아버지와 형을 '아버지', '형'이라고 부르지 못했다.

3 배경

이 글에 나타난 당시 조선 시대의 모습으로 알맞은 것은 무엇인가요?

① 출생이 천하든 귀하든 동등하게 대우받았다.
② 가난을 이기지 못해 산에 들어가 사는 사람이 많았다.
③ 양반 집안에서 첩의 자식으로 태어나는 사람이 많았다.
④ 학문을 익히는 일보다 병법을 익히는 일을 더 중시하였다.
⑤ 총명한 사람이면 누구든 학문을 익혀 벼슬에 나아갈 수 있었다.

4

㉠에 담긴 뜻으로 알맞은 것은 무엇인가요?

① 다른 사람의 말에 마음 쓰지 말라.
② 부모님께 무례하게 행동하지 말라.
③ 자신의 어리석음을 깨닫고 더 공부하라.
④ 다른 형제들과 화해하고 사이좋게 지내라.
⑤ 첩의 자식으로 태어나 천대받는 현실에 순응하라.

5

전개 방식

이 글에 대한 설명으로 알맞은 것은 무엇인가요?

① 공간적 배경이 자주 바뀐다.
② 글 속에 또 다른 글이 있는 구성이다.
③ 길동에 대한 글쓴이의 비판이 드러난다.
④ 글을 통해 당시 사회의 모습을 짐작할 수 있다.
⑤ 길동이 직접 자신에 대한 이야기를 글로 쓴 것이다.

6

공과 대화를 한 후 길동의 마음으로 알맞은 것은 무엇인가요?

① 놀람 ② 슬픔 ③ 뿌듯함 ④ 즐거움 ⑤ 행복함

7

보기의 ㉠~㉣을 사건의 흐름에 따라 차례대로 쓰세요.

보기
㉠ 길동이 공에게 평생 서러워했던 바를 이야기함.
㉡ 공의 꾸지람을 들은 길동이 눈물을 흘리고 침소로 돌아감.
㉢ 마음이 답답했던 길동이 밤에 자지 않고 검술을 익히다 공을 만남.
㉣ 길동은 총명해서 공의 사랑을 받았으나 공을 '아버지'라 부르지 못함.

(　　　) → (　　　) → (　　　) → (　　　)

생각 글 쓰기

길동이 병법을 익히려고 한 까닭은 무엇일까요?

어휘·어법 다지기

01 **다음 뜻에 알맞은 낱말을 보기 에서 찾아 쓰세요.**

보기 방자 적막 적삼

(1) 윗도리에 입는 홑옷. ( )

(2) 의지할 데 없이 외로움. ( )

(3) 어려워하거나 조심스러워하는 태도가 없이 무례하고 건방짐. ( )

02 **다음 문장에 알맞은 낱말을 보기 에서 찾아 쓰세요.**

보기 방자 적막 책망

(1) 선생님께서 왜 거짓말을 했느냐고 나를 ( )하셨다.

(2) 왕 앞에서 ( )하게 행동하던 신하는 결국 벌을 받았다.

(3) 친구들이 다 집에 가고 교실에 혼자 남으니 ( )한 기분이 들었다.

03 **보기 를 읽고 다음 문장에 알맞은 낱말을 골라 ○표를 하세요.**

보기

다음 중 어떤 일이 일어날지도 모른다고 예상할 때, 혹은 어떤 일이 벌어질지 궁금해하거나 의심할 때 쓰는 표현은 무엇일까요?

① –ㄹ는지 ② –ㄹ런지 ③ –ㄹ른지

정답은 바로 ①번 '–ㄹ는지'입니다. 예를 들어 볼까요? '눈이 올는지 아까부터 차고 습한 바람이 분다.'라고 하면 눈이 올지도 모른다고 예상하는 말이 됩니다.

(1) 그 애가 정말 나를 (좋아할는지 / 좋아할런지 / 좋아할른지).

(2) 오늘 좋은 일이 (일어날는지 / 일어날런지 / 일어날른지) 꿈에 용이 나왔다.

20회 ▶ 정답과 해설 27쪽

매일 학습 평가 맞은 문제에 표시해 주세요.

1 인물	2 세부 내용	3 배경	4 추론	5 전개 방식	6 인물	7 글의 구조	맞은 개수
□	□	□	□	□	□	□	개

사고력을 키우는 **다양한 독해**

🏵 자신의 학습 능력과 상황에 따라 꾸준하게 공부하는 것이 가장 중요합니다.
🏵 학습 계획을 먼저 세우고, 스스로 지킬 수 있도록 노력해 보세요.

				학습할 날짜
21회	잊힐 권리	논설문	사회	월 일
22회	경복궁	설명문	인문	월 일
23회	사회적 기업 '빅이슈'	설명문	사회	월 일
24회	노 키즈 존에 대한 시선	논설문	사회	월 일
25회	드론	설명문	기술	월 일
26회	나의 소원	연설문	인문	월 일
27회	멸종 위기의 수달	설명문	사회	월 일
28회	(가) 하여가 (나) 단심가	문학	시조	월 일
29회	목걸이	문학	소설	월 일
30회	어느 날 자전거가 내 삶 속으로 들어왔다	문학	수필	월 일

논설문 | 사회

공부한 날 월 일

'인간은 *망각의 동물이다.'라는 말이 있습니다. 사람들은 누구나 시간이 흐르면 과거의 일을 잊어버릴 수밖에 없는 처지에 있다는 뜻이지요. 그런데 어떤 일이든 서서히 잊을 수밖에 없다는 사실이 정말 불행하기만 한 일일까요? *프리드리히 니체가 '망각은 새로운 것을 받아들이게 하는 적극적이고 능동적인 힘.'이라고 말했듯이, 결국 잊어버린다는 사실은 과거에 얽매이지 않고 현재를 살아갈 수 있는 *원동력이 되기도 한답니다. 더욱이 슬프거나 괴로운 일들은 하루빨리 잊어버려야 삶이 건강해질 수 있겠지요.

그런데 자연스레 잊혀야 할 일들이 도무지 잊히지 않아 괴로워하는 사람들이 있습니다. 오늘날 널리 사용되는 인터넷이 그 원인입니다. 그들은 잊고 싶은 과거의 흔적이나 뜻하지 않게 퍼진 사진 때문에 고통받는다고 합니다. 이렇듯 원치 않게 유출된 정보들은 인터넷이라는 특성상 한 번 떠돌기 시작하면 다시 *회수하는 것이 어렵고, 아무리 오랜 시간이 지나도 사라지지 않는다는 특성이 있어서 피해자들은 *구제받을 방법이 마땅하지 않다고 합니다. 그러다 보니 최근에는 잊힐 권리라는 말이 등장했습니다. 잊힐 권리는 개인이 온라인상에 올라가 있는 자신과 관련된 특정 기록의 삭제나 *정정을 요구할 수 있는 권리를 말합니다.

최근 이러한 잊힐 권리의 법적 허용 문제가 논란이 되고 있습니다. 노출되길 원하지 않았던 사진이나 동영상 등이 인터넷에 유출되어 정신적 피해를 입고 있는 사람들에게는 뾰족한 대응 수단이 없습니다. 자신의 사진이나 동영상 등이 올라간 사이트를 찾아다니며 일일이 삭제 요청을 하는 수밖에 없지요. 그러나 이런 방식에는 분명 한계가 있으므로 법적으로 확실하게 잊힐 권리를 보장해야 합니다. 디지털 세탁이라는 말을 들어 보았나요? 디지털 세탁은 과거 온라인상에 개인이 남긴 여러 가지 정보들을 지우는 행위를 일컫는 말입니다. 정보 유출이 일반화된 요즘, 많은 사람들이 알게 모르게 유출된 자신과 관련된 흔적들을 지우고 싶어 한다는 증거입니다. 또, 디지털 장례식이라는 것도 등장했습니다. 이는 온라인상에 떠도는 죽은 사람의 디지털 정보를 정리하는 사업입니다. 실제로 죽은 사람의 주민 등록 번호와 개인 정보로 휴대 전화를 개통해 범죄에 *악용하는 경우도 발생하는데, 이 세상을 떠날 때 자신과 관련된 디지털 정보를 삭제할 수 있는 권리가 법적으로 보장되어야 범죄로 발전될 가능성을 줄일 수 있을 것입니다.

잊힐 권리의 법제화에 대한 반대의 목소리 또한 만만치 않습니다. 잊힐 권리가 때에 따라 더욱 중요한 알 권리를 침해하게 되며, 잊힐 권리를 법적으로 보장하게 되면 법적인 권력을 가진 사람들에게 악용될 소지가 크다고 말하기도 합니다. 하지만 해당 정보가 단순한 개인 정보라면 사생활을 보호하기 위해서라도 그 정보의 삭제를 요청할 수 있는 권리는 지켜져야 합니다.

낱말 뜻 풀이

- **망각**: 어떤 사실을 잊어버림.
- **프리드리히 니체**: 독일의 철학자, 시인.
- **원동력**: 어떤 움직임의 근본이 되는 힘.
- **회수**: 도로 거두어들임.
- **구제**: 자연적인 재해나 사회적인 피해를 당하여 어려운 처지에 있는 사람을 도와줌.
- **정정**: 글자나 글 등의 잘못을 고쳐서 바로잡음.
- **악용**: 알맞지 않게 쓰거나 나쁜 일에 씀.

1 이 글의 중심이 되는 낱말을 쓰세요.

핵심어

2 이 글에서 글쓴이가 주장하는 것은 무엇인가요?

주제

① 인간은 망각의 동물이다.
② 잊힐 권리는 알 권리를 침해한다.
③ 잊힐 권리는 법적으로 보장되어야 한다.
④ 정신적 피해를 주는 인터넷 사용을 줄여야 한다.
⑤ 슬프거나 괴로운 일들은 하루빨리 잊어버려야 한다.

3 이 글의 내용으로 알맞지 않은 것은 무엇인가요?

세부 내용

① 인터넷상에 유출된 정보는 다시 회수하기 어렵다.
② 인터넷상의 과거 정보는 시간이 지나면 차례대로 소멸된다.
③ 디지털 장례식은 죽은 사람의 디지털 정보를 정리하는 것이다.
④ 잊어버린다는 사실은 현재를 살아갈 수 있는 원동력이 되기도 한다.
⑤ 디지털 세탁은 과거 온라인상에 개인이 남긴 여러 정보들을 지우는 행위이다.

4 보기에서 글쓴이의 주장과 같은 생각을 가진 사람은 누구인지 쓰세요.

추론

보기

- 지하: 공개된 정보를 당사자가 원하지 않는다는 이유로 삭제하는 것은 정보의 지나친 통제이다.
- 소진: 개인적인 영역을 사생활로 철저히 보장해 주는 것은 민주주의의 중요한 가치 중 하나이다.

21회 ▶ 정답과 해설 29쪽

5

다음 중 개인 정보 유출로 인한 피해가 아닌 것은 무엇인가요?

① 보이스피싱 전화가 오는 경우
② 택배가 도착한다고 연락이 오는 경우
③ 모르는 곳에서 계속 광고 전화가 오는 경우
④ 모르는 인터넷 사이트에서 광고 메일이 오는 경우
⑤ 자신의 SNS에 올린 사진이 인터넷 검색 사이트에 올라가 있는 경우

6

이 글의 구조를 생각하며, 빈칸에 알맞은 말을 쓰세요.

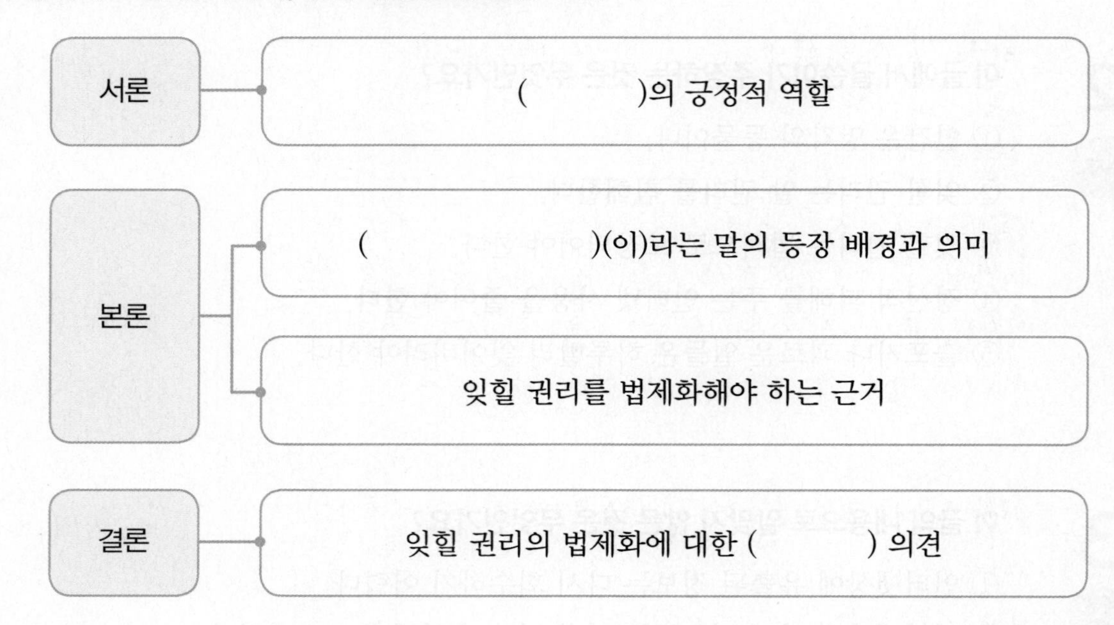

당사자가 잊힐 권리를 내세워도 삭제하면 안 되는 정보에는 어떤 것들이 있을까요?

어휘·어법 다지기

01 다음 뜻에 알맞은 낱말을 보기 에서 찾아 쓰세요.

보기
망각 악용 회수

(1) 도로 거두어들임. ( )

(2) 어떤 사실을 잊어버림. ( )

(3) 알맞지 않게 쓰거나 나쁜 일에 씀. ( )

02 다음 문장에 알맞은 낱말을 보기 에서 찾아 쓰세요.

보기
구제 악용 정정

(1) 틀린 글자를 ( )해 주세요.

(2) 과학이 인류를 위협하는 수단으로 ( )될 수도 있다.

(3) 산불로 고립된 사람들의 ( )을/를 위해 헬기를 보냈다.

03 보기 를 읽고 다음 문장에서 부사를 골라 ○표를 하세요.

보기
부사

부사는 주로 뒤에 오는 용언(동사, 형용사)을 꾸며 주는 기능을 하는 말이에요. 주로 용언을 꾸며 주지만, 문장 내의 다른 부사, 관형사, 체언, 문장 전체를 꾸미기도 하죠. 예를 들어, '여행을 매우 자주 떠난다.'에서 부사 '매우'는 부사 '자주'를 꾸며 주고, '가방 바로 옆에 있다.'에서 부사 '바로'는 체언 '옆'을 꾸며 주어요.

(1) 나는 오늘 너무 속상하다.

(2) 아침에 사온 꽃향기가 정말 좋다.

(3) 현빈이는 학교에 늦어서 빨리 뛰어갔다.

매일 학습 평가 맞은 문제에 표시해 주세요.

1 핵심어	2 주제	3 세부 내용	4 추론	5 적용	6 글의 구조	맞은 개수
□	□	□	□	□	□	개

스티커를 붙여 주세요

21회 ▶ 정답과 해설 29쪽

설명문 | 인문

[국어 6-1 (나)] 6. 내용을 추론해요

공부한 날 월 일

현재 서울에 남아 있는 조선 시대의 궁궐은 모두 다섯 곳으로 경복궁, 창덕궁, 창경궁, 경희궁, 경운궁이다. 이 중 '큰 복을 누리며 번성하라.'라는 뜻의 경복궁은 조선 시대 최초의 궁궐이면서 여러 궁궐 가운데 가장 대표적이다. 경복궁은 태조 이성계가 조선을 세운 뒤에 한양, 즉 지금의 서울에 세운 조선의 *법궁이다. 1592년 임진왜란으로 불타 없어졌다가 고종 때인 1867년 *중건되었다. 이후 일제 강점기 때에는 일본에 의해 계획적으로 훼손되어 일부 건물만 남게 되었고, 심지어 조선 총독부 청사로 인해 궁궐 자체가 가려지는 시련도 겪었다. 다행히 1990년부터 본격적인 복원 사업이 추진되어 점차 제 모습을 되찾아 가고 있다.

경복궁의 건물은 7,600여 칸으로 규모가 어마어마하다. 경복궁에서 가장 웅장한 건물은 '부지런히 나라를 다스리라.'라는 뜻을 지닌 근정전이다. 근정전은 왕의 즉위식이나 세자 책봉식, 왕실의 혼례식, 공식적인 조회 행사, 외국 사신의 접견 등 국가의 중요한 행사를 치르던 곳이다. 근정전 내부에 왕이 앉는 의자인 용상 뒤에는 '일월오봉도'라고 부르는 병풍 그림이 있다. 이는 해와 달, 5개의 산봉우리로 이루어진 그림인데, 조선 시대 왕의 존재와 권위를 상징했다. 또 이 그림에는 왕이 올바른 정치를 통해 평화로운 나라를 건설하고 백성들의 삶을 풍요롭게 만들어 주기를 바라는 염원이 담겨 있기도 하다. 그래서 왕이 있는 모든 공식적인 자리에는 일월오봉도가 항상 세워져 있었다.

경복궁의 안쪽에 자리 잡은 교태전은 왕비가 생활하던 곳이다. 교태전은 경복궁의 가운데에 있다고 하여 '중전'이라고 부르기도 했는데, 이 말을 왕비를 부르는 명칭으로도 사용했다. 교태전은 중앙에 대청마루를 두고 왼쪽과 오른쪽에 온돌방을 놓은 구조로 되어 있다. 교태전 뒤쪽으로는 아미산이라는 작고 아름다운 *후원도 있다. 이곳은 인공으로 단을 쌓아 계단식으로 만든 정원으로, 가운데 단에는 육각형의 굴뚝 4개가 나란히 놓여 있다. 이 굴뚝은 붉은 벽돌로 쌓아 올려 그 위로 기와지붕을 올린 형태이며, 굴뚝의 벽면에는 왕비를 상징하는 봉황, 부귀를 상징하는 박쥐, 군자가 갖추어야 할 심성을 상징하는 매화와 국화 등 다양한 무늬가 조각되어 아름다운 *조형미도 느낄 수 있다.

'경사스러운 연회'라는 뜻의 경회루는 커다란 연못 중앙에 섬을 만들고 그 위에 지은, 우리나라에서 가장 큰 *누각이다. 이곳은 왕이 외국 사신을 접대하거나 신하들에게 연회를 베풀던 장소이다. 경회루는 *창건 당시에는 작은 누각이었지만 이후 지금과 같은 규모로 만들었고, 임진왜란 때 화재로 모두 *소실되었다. 그리고 1867년에 경복궁을 고쳐 지으며 현재의 모습으로 중건되었다. 우리나라 누각 중 가장 큰 규모이며 조선 3대 목조 건물 중 하나로, 어느 위치에서든 아름다운 궁궐과 주변의 자연 경치를 감상할 수 있는 공간이다. 이밖에도 경복궁에는 경복궁의 정문인 광화문, 왕의 침전인 강녕전, 대비가 거처했던 자경전 등 여러 건물들이 있다.

낱말 뜻 풀이

- **법궁**: 나라의 공식적인 궁궐.
- **중건**: 절이나 왕궁 등을 보수하거나 고쳐 지음.
- **후원**: 대궐 안에 있는 동산.
- **조형미**: 어떤 모습을 입체감 있게 예술적으로 형상하여 표현하는 아름다움.
- **누각**: 사방을 바라볼 수 있도록 문과 벽이 없이 다락처럼 높이 지은 집.
- **창건**: 건물이나 조직체 등을 처음으로 세우거나 만듦.
- **소실**: 사라져 없어짐. 또는 그렇게 잃어버림.

1 이 글의 중심이 되는 낱말을 쓰세요.

2 현재 서울에 남아 있는 조선 시대의 궁궐을 모두 쓰세요.

3 이 글의 내용으로 알맞지 않은 것은 무엇인가요?

① 경복궁의 정문은 광화문이다.
② 교태전은 '중전'이라고 불리기도 했다.
③ 경복궁에서 가장 웅장한 건물은 근정전이다.
④ 경복궁은 1990년부터 복원 사업이 추진되었다.
⑤ 경회루는 창건 당시와 현재의 규모가 일치한다.

4 보기에서 왕의 뒤편에 위치한 그림의 제목은 무엇인지 쓰세요.

22회 ▶ 정답과 해설 30쪽

5 추론

이 글을 읽고 난 후의 반응이 알맞은 사람은 누구인가요?

① 주하: 왕비는 강녕전에서 생활을 했겠군.
② 형순: 세자의 책봉식은 자경전에서 열렸겠군.
③ 진희: 왕과 왕비는 아미산에서 혼례를 올렸겠군.
④ 미나: 신하들을 위한 연회를 베푼 곳은 경회루였겠군.
⑤ 재원: 대비가 있는 모든 공식적인 자리에는 일월오봉도가 있었겠군.

6 요약

다음 빈칸에 알맞은 말을 쓰세요.

경복궁은 조선 시대 최초의 궁궐로, 태조가 한양에 세운 조선의 (   )입니다. 건물은 7,600여 칸으로 (   ), 교태전, 경회루, 광화문, 강녕전, 자경전 등이 있습니다.

7

이 글의 구조를 생각하며, 빈칸에 알맞은 말을 쓰세요.

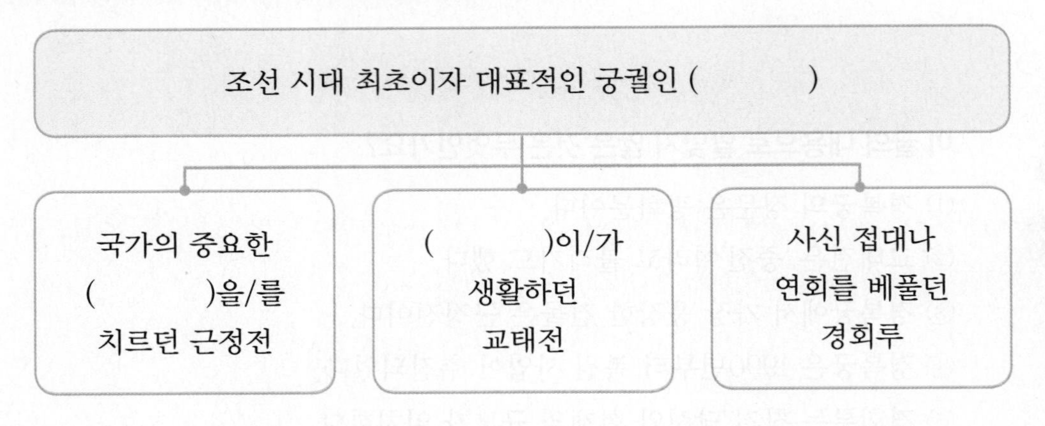

생각 글 쓰기

우리 문화에서 경회루가 중요한 까닭은 무엇일까요?

어휘·어법 다지기

01 **다음 뜻에 알맞은 낱말을 보기 에서 찾아 쓰세요.**

보기 누각 조형미 중건 창건

(1) 절이나 왕궁 등을 보수하거나 고쳐 지음. ( )

(2) 건물이나 조직체 등을 처음으로 세우거나 만듦. ( )

(3) 사방을 바라볼 수 있도록 문과 벽이 없이 다락처럼 높이 지은 집. ( )

(4) 어떤 모습을 입체감 있게 예술적으로 형상하여 표현하는 아름다움. ( )

02 **다음 문장에 알맞은 낱말을 보기 에서 찾아 쓰세요.**

보기 소실 조형미 중건

(1) 불국사 다보탑은 대칭성과 ( )이/가 뛰어난 작품이다.

(2) 우리나라는 전쟁으로 인해서 문화재의 ( )이/가 많았다.

(3) 이 절은 신라 시대에 창건되어 그동안 몇 차례의 ( )을/를 거듭하였다.

03 **보기 를 읽고 밑줄 친 낱말의 쓰임이 알맞지 않은 문장을 고르세요.**

'통째'와 '통채'

'통째'는 '나누지 아니한 덩어리 전부.'라는 뜻이므로, '통째로'는 '덩어리 전부.'를 의미해요. '통째'와 혼동하여 사용하고 있는 '통채'는 '통째'를 잘못 쓴 말이에요.

① 뱀이 개구리를 통째로 삼켰다.

② 고기 한 덩어리를 통채로 주세요.

③ 한라봉 한 개를 통째로 갈아 만들었다.

④ 태양계가 통째로 은하 주변을 돌고 있다.

⑤ 자리를 비운 사이에 옷 상자가 통째로 사라졌다.

매일 학습 평가 맞은 문제에 표시해 주세요.							맞은 개수	
1 핵심어 □	2 세부 내용 □	3 세부 내용 □	4 적용 □	5 추론 □	6 요약 □	7 글의 구조 □	개	스티커를 붙여 주세요

22회 ▶ 정답과 해설 30쪽

자본주의 사회에서 기업의 목적은 •이윤을 추구하는 것입니다. 그런데 기업의 궁극적 목표를 이윤 추구라고 생각하지 않는 사람들이 있습니다. 기업은 어렵고 소외된 사람에게 일자리를 제공하는 등 사회적으로 가치 있는 활동을 통해 이윤을 •창출해야 한다고 믿기 때문입니다. 이러한 기업을 '사회적 책임을 다한다.'라는 의미에서 '사회적 기업'이라고 부릅니다. 사회적 기업은 궁극적으로는 취약 계층에게 일자리를 제공하고, 소외된 이들에게 적절한 서비스를 제공하는 등 공익 추구를 목적으로 삼습니다. 그중에서도 노숙인들이 자기 힘으로 살아갈 수 있도록 돕는 사회적 기업인 '빅이슈(The Big Issue)'를 살펴볼까요?

고작 다섯 살 나이에 노숙을 시작한 존 버드는 일곱 살에 고아원으로 끌려갔고, 열 살이 되면서 다시 길거리 생활을 시작했습니다. 30대가 된 버드는 자신의 과거를 딛고 일어서리라 결심을 하였고, 한 후원자의 도움으로 대학에 진학해 졸업한 후 40대에 잡지사를 이끄는 사업가가 될 수 있었습니다. 어느 날 버드에게 당시 세계적인 화장품 브랜드인 '더바디숍'의 창업자 고든 로딕은 '노숙자들을 위한 잡지를 만들어 보면 어떻겠나?'라는 제안을 했고, 버드는 단번에 받아들였습니다. 자신이 노숙자였을 때 아무도 정당한 일자리를 제공해 주지 않았고 정부에서 나온 보조금이나 자선 단체의 도움이 노숙자들의 삶을 바꾸지 못했던 것을 떠올리며, 그들에게 노동의 가치를 알게 해 주고 스스로 •자활의 길을 나서도록 도와야 한다고 생각했기 때문입니다.

1991년 존 버드와 고든 로딕이 함께 창간한 잡지인 '빅이슈'가 런던에 모습을 드러냈습니다. 그런데 사람들의 눈길을 끈 것은 잡지 속 내용이 아니라 판매 방식이었습니다. '빅이슈'는 오로지 노숙자들에게만 잡지를 판매할 권한을 주었습니다. 또 잡지 판매 금액의 50퍼센트를 판매원에게 돌려주는 시스템을 만들었습니다. '빅이슈'는 단번에 영국 잡지계에서 화제의 중심이 되었습니다. 버드와 로딕의 취지를 이해한 수많은 사람들이 '빅이슈'를 돕기 시작했습니다. 세계적인 유명 인사들도 앞다투어 이 잡지의 무료 표지 모델을 자원했고, •저명한 작가와 기자들이 무료로 글을 •기고했으며, 유명 디자이너들이 잡지 디자인을 도왔습니다. 수많은 스타와 전문가들이 재능 기부에 나선 것입니다. 이러한 도움에 힘입어 '빅이슈'는 영국에서 일주일에 15만 부 이상 팔리는 •유력 주간지로 자리 잡았습니다. 또 이로 인해 5천 명이 넘는 노숙자들이 자립에 성공했습니다.

'빅이슈'를 판매하는 이들은 붉은 조끼를 입습니다. 조끼 뒤쪽에는 '일하는 중입니다. 구걸하는 게 아니라고요.(Working Not Begging)'라는 문구가 적혀 있습니다. 이 문구는 사회적 기업 '빅이슈'의 설립 취지가 사회적 약자들에게 스스로 일어설 기회를 주기 위한 것이라는 사실을 알려 줍니다. '빅이슈' 판매원들은 구걸이 아닌 노동을 하며, 열등감이 아닌 자존감을 가슴에 품고 살아갈 기회를 얻은 것입니다. 현재 '빅이슈'는 11개 나라에서 15종이 발행되고 있습니다. 매주 팔리는 부수만 해도 100만 부가 넘습니다. 우리나라에서도 2010년 7월 창간되어 서울의 지하철역 앞이나 거리에서 판매원들을 만날 수 있습니다.

낱말 뜻 풀이

- **이윤**: 장사 등을 하여 남은 돈.
- **창출**: 전에 없던 것을 처음으로 생각하여 지어내거나 만들어 냄.
- **자활**: 자기 힘으로 살아감.
- **저명**: 세상에 이름이 널리 드러나 있음.
- **기고**: 신문, 잡지 등에 싣기 위하여 원고를 써서 보냄. 또는 그 원고.
- **유력**: 세력이나 재산이 있음.

1 이 글의 중심이 되는 낱말을 쓰세요.

2 '빅이슈'에 대한 설명으로 알맞지 않은 것은 무엇인가요?

세부 내용

① 판매원들은 붉은 조끼를 입고 판매를 한다.
② 저명한 작가와 기자들은 적은 돈을 받고 글을 기고했다.
③ 오로지 노숙자들에게만 잡지를 판매할 권한이 주어진다.
④ 잡지 판매 금액의 절반을 판매원에게 돌려주어 그들의 자립을 돕는다.
⑤ 우리나라는 2010년에 창간되어 지하철역 앞에서 잡지를 구매할 수 있다.

3 '빅이슈'를 창간한 사람은 누구인지 쓰세요.

4 이 글의 전개 방식으로 알맞은 것을 고르세요.

① 대상의 잘못을 반복해서 강조하고 있다.
② 문제 상황을 시간 순서대로 제시하고 있다.
③ 어떤 현상을 그림 그리듯이 묘사하고 있다.
④ 한 기업의 사례를 자세하게 설명하고 있다.
⑤ 글쓴이는 근거를 들어 자신의 주장을 펼치고 있다.

23회 ▶ 정답과 해설 32쪽

5 **보기**에서 사회적 기업으로 볼 수 없는 것의 기호를 쓰세요.

㉠ ◇◇ 기업: 해외 공장의 인건비를 절약하기 위해 어린 아이들을 고용하여 노동을 시킵니다.

㉡ ㅁㅁ 기업: 더 많은 장애인에게 일자리를 주기 위해 근로자 대부분을 장애인으로 채용합니다.

㉢ △△ 기업: 신발 한 켤레를 팔면 신발이 필요한 아이들에게 한 켤레가 기부되는 구조를 만들었습니다.

6 이 글의 내용을 생각하며, 빈칸에 알맞은 말을 쓰세요.

글의 구조

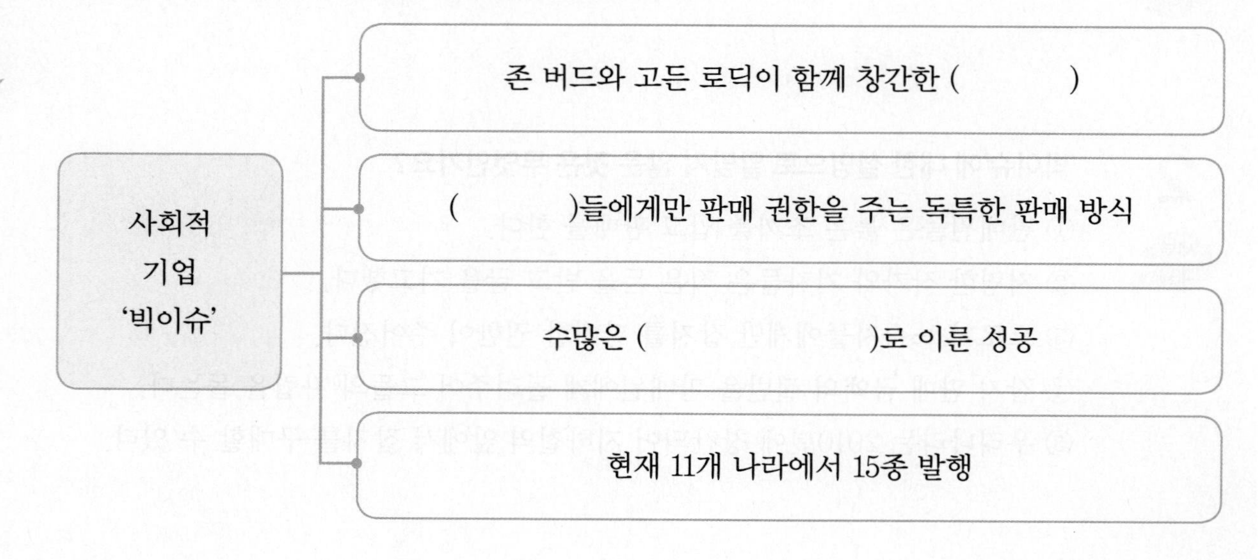

'빅이슈'가 노숙자들에게 심어 준 가치는 무엇일까요?

어휘·어법 다지기

01 다음 뜻에 알맞은 낱말을 보기에서 찾아 쓰세요.

보기 기고 유력 자활 창출

(1) 자기 힘으로 살아감. ( )

(2) 세력이나 재산이 있음. ( )

(3) 전에 없던 것을 처음으로 생각하여 지어내거나 만들어 냄. ( )

(4) 신문, 잡지 등에 싣기 위하여 원고를 써서 보냄. 또는 그 원고. ( )

02 다음 문장에 알맞은 낱말을 보기에서 찾아 쓰세요.

보기 기고 유력 자활 창출

(1) 일자리를 ( )하는 것은 쉬운 일이 아니다.

(2) 그는 이 지방의 ( )한 사업가 중 한 사람이다.

(3) 이 잡지의 가을호에는 환경 전문가의 ( )을/를 실을 예정이다.

(4) 장애인들의 ( )을/를 돕는 프로그램은 턱없이 부족한 형편이다.

03 보기를 읽고 다음 문장에 알맞은 것을 골라 ○표를 하세요.

보기

'심난하다'와 '심란하다'

'심난하다'는 '매우 어렵다.'라는 뜻이고, '심란하다'는 '마음이 어수선하다.'라는 뜻이에요. 즉, 형편이나 처지가 어려울 때에는 '심난하다', 마음이 어수선할 때에는 '심란하다'를 사용해야 해요.

• 아직 해결하지 못한 (심난한 / 심란한) 일을 생각하니, 마음이 정말 (심난해 / 심란해).

매일 학습 평가 맞은 문제에 표시해 주세요.

1 핵심어	2 세부 내용	3 세부 내용	4 전개 방식	5 추론	6 글의 구조	맞은 개수
□	□	□	□	□	□	개

스티커를 붙여 주세요

23회 ▶ 정답과 해설 32쪽

24회

논설문 | 사회

공부한 날 ( )월 ( )일

요즘 길을 지나가다 보면 '노 키즈 존'이라는 팻말을 붙여 둔 음식점이나 카페를 종종 볼 수 있습니다. '노 키즈 존(No Kids Zone)'이란 어린아이나 어린아이를 동반한 고객들의 출입을 금지하는 음식점, 카페 등을 말합니다. 주로 술집들이 밀집되어 있는 곳에서만 볼 수 있었던 '노 키즈 존'은 계속해서 확산되고 있습니다. 2011년 한 식당에서 10세 어린이 손님이 뜨거운 물이 담긴 그릇을 들고 가던 종업원과 부딪혀 화상을 입었습니다. 2013년까지 계속된 법정 싸움의 결과, 법원은 10세 어린이 부모의 책임을 30퍼센트, 식당 주인과 종업원의 책임을 70퍼센트로 판결하였습니다. 이 사건을 계기로 노 키즈 존을 실시하는 곳들이 크게 늘어났습니다. 그러나 노 키즈 존이 바람직한 것인지는 깊이 생각해 보아야 할 문제입니다.

어떤 사람들은 어린아이들이 소란을 피우기 때문에, 조용히 여유를 즐기거나 식사를 편안하게 할 수 없어 노 키즈 존이 꼭 필요하다고 주장합니다. 그 사람들은 힘든 일상을 벗어나 휴식을 위하여 방문하는 공간에서 제대로 휴식을 취할 수 없기 때문입니다. 대부분의 어린아이들은 오랜 시간 조용히 앉아 있는 것을 힘들어 합니다. 그리고 간혹 소란을 피우는 아이를 보고 주의를 주지 않는 부모도 있습니다. 서로의 입장 차이로 싸움이 벌어지는 경우도 있습니다. 그렇기 때문에 분리된 공간에서 각자 만족하는 시간을 갖자는 것입니다.

어떤 부모들은 남에게 피해가 되지 않도록 아이에게 강하게 주의를 주기도 합니다. 일부 어린아이가 소란을 피운다고 해서 모든 어린아이가 피해를 보게 되는 상황은 바람직하지 않습니다. 또한, 노 키즈 존으로 인해 어린아이와 함께 온 어른들이 불편을 겪게 되는 경우도 생각해 볼 문제입니다. 일반인들이 이용할 수 있는 가게에는 누구나 출입할 수 있습니다. 그런데 어린아이나 어린아이와 함께 왔다는 까닭으로 출입을 금지하는 것은 너무나도 지나친 결정일 수 있습니다. 또한, 노 키즈 존이 계속 늘어나게 된다면 어린아이나 어린아이의 부모가 함께 갈 수 있는 장소가 줄어들게 되어 삶의 질까지 나빠질 우려가 있습니다.

게다가 이러한 노 키즈 존은 사람들에게 어린아이에 대한 부정적인 생각을 자리 잡게 할 수도 있습니다. 누구나 출입할 수 있는 장소에 출입을 금지하니, 어린아이를 부정적인 시각으로 바라보게 하여 '피해를 주는 존재'로 인식하게 되는 것입니다.

어린아이는 우리가 보호하고 배려해야 하는 사회적 약자이며, 사회의 구성원입니다. 다만 아직은 예절을 익히는 중이고 사회에서 많은 사람들과 함께 살아가기 위한 사회성을 기르는 중입니다. 이러한 어린아이들이 올바르게 자랄 수 있도록 우리 사회가 도와주고 배려해야 합니다.

노 키즈 존을 만드는 것이 올바른 사회 현상이라고 하기는 어렵지만 공공장소에서 아이를 방치하는 부모의 태도도 바르지 않습니다. 노 키즈 존을 통해 무조건 어린아이의 출입을 금지하기보다 더 나은 방법은 없는지 생각해 보고, 모두가 함께 살아갈 수 있는 사회가 되도록 고민해 보아야 할 것입니다.

낱말 뜻 풀이

- **동반**: 일을 하거나 길을 가는 등 행동을 할 때 함께 짝을 함.
- **밀집**: 빈틈없이 빽빽하게 모임.
- **소란**: 시끄럽고 어수선함.
- **피해**: 생명이나 신체, 재산 등에 손해를 입음.
- **불편**: 어떤 것을 사용하거나 이용하는 것이 자유롭지 못하거나 괴로움.
- **배려**: 도와주거나 보살펴 주려고 마음을 씀.

1 **이 글의 중심이 되는 낱말을 쓰세요.**

2 **다음 빈칸에 알맞은 말을 쓰세요.**

> 어린아이나 어린아이를 동반한 고객들의 (   )을/를 금지하는 음식점, 카페 등을 노 키즈 존(No Kids Zone)이라고 합니다.

3 **이 글에서 글쓴이가 주장하는 것은 무엇인가요?**

① 노 키즈 존은 꼭 필요하다.
② 노 키즈 존은 없어져야 한다.
③ 어린아이들은 어디서나 뛰어놀아야 한다.
④ 어린아이들을 동반할 수 있는 카페나 식당이 많아져야 한다.
⑤ 함께 살아가는 사회가 되도록 노 키즈 존보다 더 나은 방법을 고민해야 한다.

이 글에서 '사회의 구성원으로, 우리가 보호하고 배려해야 하는 사회적 약자'를 누구라고 하였는지 찾아 쓰세요.

24회 ▶ 정답과 해설 33쪽

5 다음 중 글쓴이의 주장과 같은 생각을 가진 사람은 누구인지 쓰세요.

- 지수: 노 키즈 존 음식점은 많이 늘어나야 해.
- 연희: 모든 어린아이들은 사람들에게 피해를 주는 존재야.
- 현우: 모든 사람들이 함께 사는 사회이기 때문에 노 키즈 존에 대해서는 더욱 고민해 보아야 해.

6 이 글의 구조를 생각하며, 빈칸에 알맞은 말을 쓰세요.

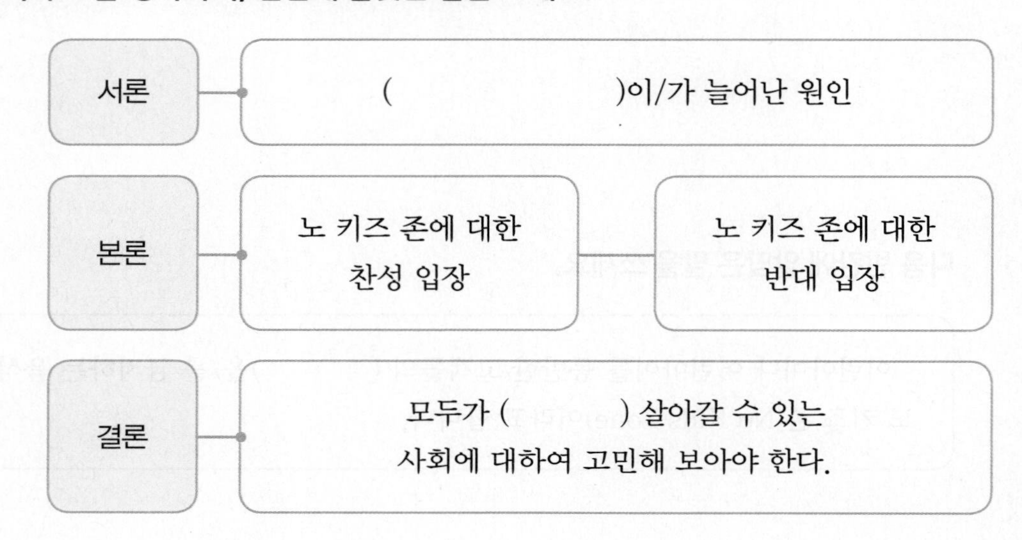

노 키즈 존(No Kids Zone)을 반대하는 사람들의 근거는 무엇일까요?

어휘·어법 다지기

01 다음 뜻에 알맞은 낱말을 보기 에서 찾아 쓰세요.

보기 밀집 소란 피해

(1) 시끄럽고 어수선함. (　　　)

(2) 빈틈없이 빽빽하게 모임. (　　　)

(3) 생명이나 신체, 재산 등에 손해를 입음. (　　　)

02 다음 문장에 알맞은 낱말을 보기 에서 찾아 쓰세요.

보기 동반 배려 소란

(1) 이번 여름에는 가족 (　　　)(으)로 여행을 떠난다.

(2) 한 친구가 교실에서 (　　　)을/를 피워서 시끄럽다.

(3) 팔이 아픈 나를 (　　　)해 준 친구에게 고마운 마음을 전했다.

03 보기 를 읽고 다음 중 알맞지 않은 문장을 고르세요.

보기 **'즈음'과 '-쯤'**
'즈음'은 '일이 어찌 될 무렵.'을 뜻하는 말이고, '-쯤'은 '알맞은 한도, 그만큼 가량.'의 뜻을 더하는 말이에요.

① 동생이 잠들었을쯤 초인종 소리가 났다.
② 내가 집에 도착하였을 때는 막 비가 그칠 즈음이었다.
③ 선생님은 얼마쯤 시간을 더 줄 수 있다고 말씀하셨다.
④ 우리가 터널을 통과하려고 할 즈음부터 통신이 끊어졌다.
⑤ 지훈이는 산의 중간쯤 올랐을 때부터 숨이 차기 시작했다.

24회
▶ 정답과 해설 33쪽

매일 학습 평가	맞은 문제에 표시해 주세요.					맞은 개수
1 핵심어 □	2 세부 내용 □	3 주제 □	4 세부 내용 □	5 추론 □	6 글의 구조 □	개

드론은 사람이 타지 않고 무선 전파로 원격 조종하는 무인 항공기이며, '벌 등이 윙윙거리는 소리.'라는 의미입니다. 1935년 영국 해군이 여왕벌이란 이름의 비행체를 날려 대포로 맞추는 사격 훈련을 했는데, 이때 비행체의 이름을 영국 여왕을 향한 존경의 의미를 담아 여왕벌 대신 수벌을 뜻하는 '드론'으로 바꾸면서 드론이라는 이름으로 불리게 되었습니다. 드론은 날개에 따라서 이름이 달라지기도 합니다. 드론의 몸체 바깥에 달린 회전하는 날개 부분을 '로터'라고 부르는데, 이 로터의 개수가 4개면 쿼드콥터, 6개면 헥사콥터, 8개면 옥토콥터라고 부릅니다. 일반적으로는 쿼드콥터가 가장 널리 사용되고 있습니다.

드론은 원래 군대에서 무인 *정찰이나 폭격기, 연습용 표적 등으로 개발된 것이었으나, 최근에는 *GPS와 센서, 카메라 등을 장착한 민간용 드론이 개발되면서 그 이용 범위가 확대되었습니다. 드론은 주로 항공 촬영용으로 많이 사용되고 있습니다. 예전에는 헬리콥터를 많이 사용했지만 헬리콥터를 한 번 띄우는 데에는 비용이 많이 듭니다. 따라서 최근에는 비용이 저렴하고 헬리콥터보다 더 가까운 위치에서 촬영할 수 있으며, 더 다양한 각도로 실감나게 촬영을 할 수 있는 드론을 사용합니다. 실제로 올림픽을 비롯한 스포츠 경기의 중계에서도 많이 사용되고 있습니다.

이밖에도 원격 탐사, 농업 등 다양한 산업 분야뿐만 아니라 환경 보호 등 지속 가능한 미래 사회를 이끌어 갈 중요한 기술로 활용되고 있습니다. 최근 벨기에는 북해의 불법 기름 유출 감시에 드론을 사용했으며, 미국의 한 회사는 알래스카 바다 조사 활동과 야생을 보호하는 용도로 드론을 활용하고 있습니다. 또 중국에서는 드론을 이용해 제철 기업의 환경 지침 위반 사례를 *적발했고, 한 자동차 기업에서는 소형 드론이 차량 천장에 숨어 있다가 필요할 때 교통 체증 상황과 운전 시 주의해야 할 사항을 파악해 운전자에게 전송하는 *콘셉트카를 발표하기도 했습니다. 그리고 농작물을 분석하여 필요한 지역에만 선별적으로 농약을 뿌리는 드론도 있습니다.

드론은 치명적인 자연재해에서도 역할을 수행합니다. 2011년 동일본 대지진으로 후쿠시마 원전에서 대량의 방사능이 누출되었던 사고가 대표적인 예입니다. 이때 미국의 군사용 무인 항공기가 원전 시설에 접근해 적외선 카메라로 발전소 내부를 들여다보고 각 시설의 온도를 포함한 정보를 파악했습니다. 그리고 일본은 이를 토대로 방사능 수습 계획을 수립할 수 있었습니다. 우리나라에서도 열과 연기를 자동으로 인식해 산불 발생 지점을 확인하고 소방대원들에게 이를 알려 발 빠른 *초동 대처를 할 수 있도록 지능형 CCTV를 장착한 드론을 도입할 계획입니다.

이처럼 드론을 활용할 수 있는 분야는 무궁무진합니다. 필요에 따라 저렴하게 드론을 띄우고 정확하게 결과물을 도출하는 시대가 된 것입니다.

낱말 뜻 풀이

- **정찰**: 작전에 필요한 자료를 얻으려고 적의 정세나 지형을 살피는 일.
- **GPS**: 인공위성을 이용하여 자신의 위치를 정확히 알아낼 수 있는 시스템.
- **적발**: 숨겨져 있는 일이나 드러나지 아니한 것을 들추어냄.
- **콘셉트카**: 자동차를 출시하기 전에, 제조사가 드러내고자 하는 주된 생각을 담아 미리 선보이는 자동차.
- **초동**: 맨 처음에 하는 행동.

1

핵심어

이 글의 중심이 되는 낱말을 쓰세요.

2

세부 내용

이 글에서 알 수 있는 내용이 아닌 것은 무엇인가요?

① 드론의 개념　② 드론의 종류　③ 드론 관련 규제
④ 드론 명칭의 유래　⑤ 드론의 활용 분야

3

이 글에서 설명한 드론이 사용되는 경우가 아닌 것은 무엇인가요?

① 야생을 보호할 때　② 물건을 배송할 때
③ 스포츠를 중계할 때　④ 자연재해가 발생했을 때
⑤ 선별적으로 농약을 뿌릴 때

4

이 글의 내용으로 알맞은 것은 무엇인가요?

① 드론은 사람이 직접 타서 조종하는 항공기입니다.
② 드론을 활용할 수 있는 분야는 매우 한정적입니다.
③ 드론의 몸체 바깥에 달린 회전하는 날개를 '로터'라고 합니다.
④ 최근 벨기에는 알래스카 바다 조사 활동에 드론을 이용했습니다.
⑤ 후쿠시마 원전 방사능 누출 사고에 일본의 군사용 무인 항공기가 활용되었습니다.

5

요약

보기는 헬리콥터에 비해 드론이 갖는 좋은 점입니다. 빈칸에 알맞은 말을 쓰세요.

드론은 헬리콥터에 비해 (　　　　)이/가 저렴하고, 대상을 더 가까운 위치에서 더 다양한 (　　　　)(으)로 실감나게 (　　　　)할 수 있어 많이 사용되고 있습니다.

25회 ▶ 정답과 해설 35쪽

6 [보기]의 드론은 어떤 종류인지 쓰세요.

적용

보기

7 이 글의 구조를 생각하며, 빈칸에 알맞은 말을 쓰세요.

글의 구조

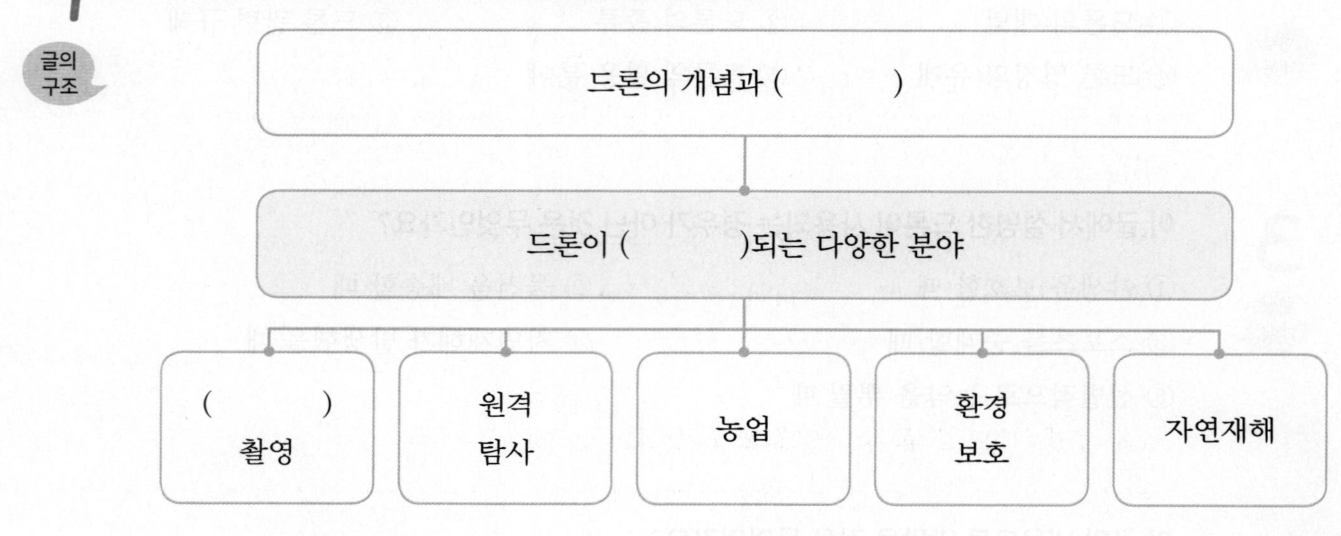

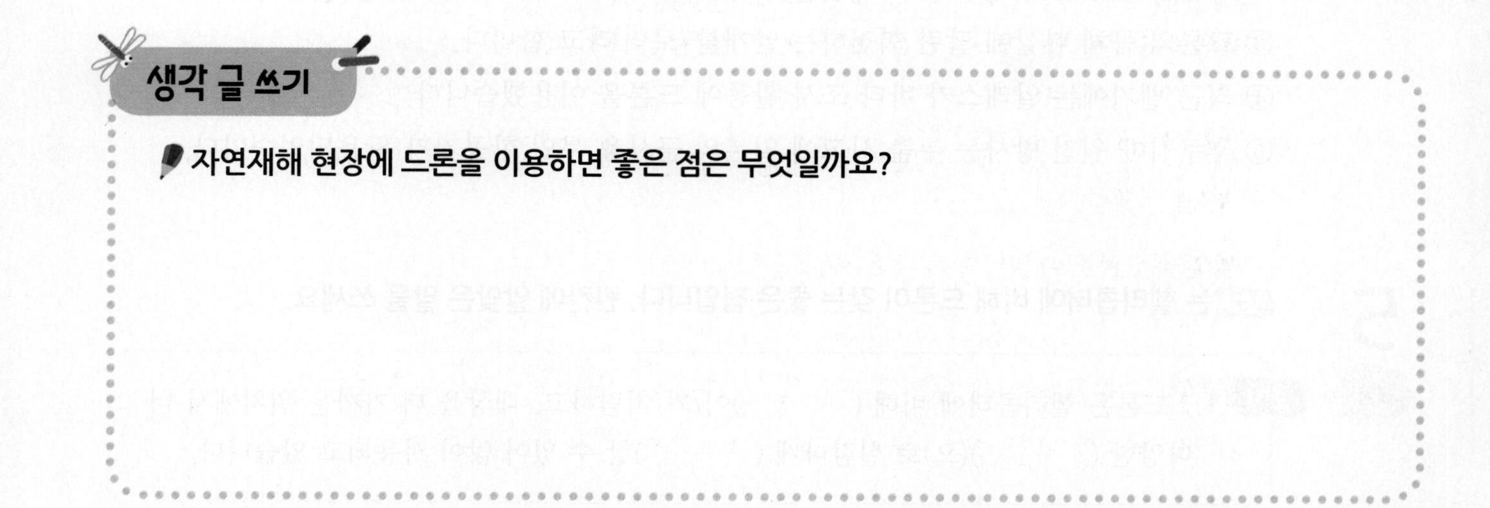

어휘·어법 다지기

01 다음 뜻에 알맞은 낱말을 보기에서 찾아 쓰세요.

보기
적발 정찰 초동

(1) 맨 처음에 하는 행동. ( )

(2) 숨겨져 있는 일이나 드러나지 아니한 것을 들추어냄. ( )

(3) 작전에 필요한 자료를 얻으려고 적의 정세나 지형을 살피는 일. ( )

02 다음 문장에 알맞은 낱말을 보기에서 찾아 쓰세요.

보기
적발 정찰 초동

(1) 소대장은 대원들 중 한 명을 뽑아 ( )을 내보냈다.

(2) 강에 오염 물질을 무단으로 버린 회사를 ( )하였다.

(3) 빈틈없는 산불 예방 활동과 ( ) 진화에 최선을 다해야 할 때다.

03 보기를 읽고 다음 문장에서 감탄사를 골라 ○표를 하세요.

보기
감탄사
감탄사는 말하는 이의 부름, 대답, 놀람이나 느낌 등을 나타내는 말이에요. 문장에서 독립적으로 쓰이고, 생략되어도 의미에 큰 변화가 없어요.

(1) 아, 세월이 정말 빠르구나.

(2) 우와, 정말 멋진 자동차다!

(3) 앗! 실수로 가방을 놓고 왔네.

매일 학습 평가	맞은 문제에 표시해 주세요.						맞은 개수
1 핵심어 □	2 세부 내용 □	3 세부 내용 □	4 세부 내용 □	5 요약 □	6 적용 □	7 글의 구조 □	개

25회 ▶ 정답과 해설 35쪽

연설문 | 인문

[도덕 6] 1. 내 삶의 주인은 바로 나

공부한 날 월 일

가 "네 소원이 무엇이냐?" 하고 하느님이 내게 물으시면, 나는 서슴지 않고, "내 소원은 대한 독립이오." 하고 대답할 것이다. "그 다음 소원은 무엇이냐?" 하면, 나는 또 "우리나라의 독립이오." 할 것이요, 또 "그 다음 소원이 무엇이냐?" 하는 세 번째 물음에도, 나는 더욱 소리를 높여서 "나의 소원은 우리나라 대한의 완전한 자주독립이오." 하고 대답할 것이다.

나 동포 여러분! 나 김구의 소원은 이것 하나밖에는 없다. 내 과거의 칠십 평생을 이 소원을 위하여 살아왔고, 현재에도 이 소원 때문에 살고 있고, 미래에도 나는 이 소원을 이루려고 살 것이다.

독립이 없는 백성으로 칠십 평생에 설움과 부끄러움과 *애탐을 받은 나에게는, 세상에 가장 좋은 것이, 완전하게 자주독립한 나라의 백성으로 살아 보다가 죽는 일이다. 나는 일찍이 ㉠우리 독립 정부의 문지기가 되기를 원하였거니와, 그것은 우리나라가 독립국만 되면 나는 ㉡그 나라의 가장 *미천한 자가 되어도 좋다는 뜻이다. 왜 그런고 하면, ㉢독립한 제 나라의 빈천이 ㉣남의 밑에 사는 부귀보다 기쁘고 영광스럽고 희망이 많기 때문이다. 옛날 일본에 갔던 박제상이, "내 차라리 ㉤*계림의 개, 돼지가 될지언정 왜왕의 신하로 부귀를 누리지 않겠다."라고 한 것이 그의 진정이었던 것을 나는 안다. 제상은 왜왕이 높은 벼슬과 많은 재물을 준다는 것을 물리치고 달게 죽음을 받았으니, 그것은 "차라리 내 나라의 귀신이 되리라." 함이었다.

다 그러므로 우리 민족으로서 하여야 할 최고의 임무는, 첫째로, 남의 절제도 아니 받고 남에게 의뢰도 아니하는, 완전한 자주독립의 나라를 세우는 일이다. 이것이 없이는 우리 민족의 생활을 보장할 수 없을뿐더러, 우리 민족의 정신력을 자유로 발휘하여 빛나는 문화를 세울 수가 없기 때문이다. 이렇게 완전한 자주독립의 나라를 세운 뒤에는, 둘째로 이 지구상의 인류가 진정한 평화와 *복락을 누릴 수 있는 사상을 낳아, 그것을 먼저 우리나라에 실현하는 것이다.

라 나는 오늘날의 인류의 문화가 불완전함을 안다. 나라마다 안으로는 정치상, 경제상, 사회상으로 불평등, 불합리가 있고, 밖으로는 나라와 나라의, 민족과 민족의 시기, *알력, 침략, 그리고 그 침략에 대한 보복으로 작고 큰 전쟁이 끊일 사이가 없어서 많은 생명과 재물을 희생하고도, 좋은 일이 오는 것이 아니라 인심의 불안과 도덕의 타락은 갈수록 더하니, 이래 가지고는 전쟁이 끊일 날이 없어 인류는 마침내 멸망하고 말 것이다. 그러므로 인류 세계에는 새로운 생활 원리의 발견과 실천이 필요하게 되었다. 이것이야말로 우리 민족이 담당한 *천직이라고 믿는다.

마 내가 원하는 우리 민족의 사업은 결코 세계를 무력으로 정복하거나 경제력으로 지배하려는 것이 아니다. 오직 사랑의 문화, 평화의 문화로 우리 스스로 잘 살고 인류 전체가 의좋게, 즐겁게 살도록 하는 일을 하자는 것이다.

낱말 뜻 풀이

- **애탐**: 몹시 답답하거나 안타까워 속이 끓는 듯함.
- **미천**: 신분이나 지위 등이 하찮고 천함.
- **계림**: '신라'의 다른 이름.
- **복락**: 행복과 안락을 아울러 이르는 말.
- **알력**: 서로 의견이 맞지 아니하여 사이가 안 좋거나 충돌하는 것을 이르는 말.
- **천직**: 타고난 직업이나 직분.

1

세부 내용

이 글을 쓴 사람과 이 글을 듣는 대상은 각각 누구인지 쓰세요.

(1) 이 글을 쓴 사람:

(2) 이 글을 듣는 대상:

2

이 글에 대한 설명으로 알맞은 것은 무엇인가요?

① 자신의 경험을 진솔하게 표현한다.
② 어려운 개념을 쉽고 분명하게 전달한다.
③ 비유를 통해 대상에 대한 정서를 표현한다.
④ 글쓴이의 생각과 주관이 뚜렷하게 드러난다.
⑤ 신속하고 정확한 정보 전달을 목적으로 한다.

26회
▶ 정답과 해설 36쪽

3

㉠~㉤ 중에서 뜻이 다른 것은 무엇인가요?

① ㉠　② ㉡　③ ㉢　④ ㉣　⑤ ㉤

4

이 글의 내용으로 알맞지 않은 것은 무엇인가요?

① 현재 인류의 문화는 불완전한 상태이다.
② 우리 민족은 진정한 평화와 복락의 사상을 실현해야 한다.
③ 우리 민족은 경제력으로 세계를 지배하는 사업을 해야 한다.
④ 우리 민족 최고의 임무는 완전한 자주독립 국가의 건설이다.
⑤ 우리 민족의 천직은 새로운 생활 원리를 발견하고 실천하는 것이다.

5

추론

가~마 중에서 보기 가 들어가기에 알맞은 곳은 어디인가요?

> **보기** 이러하므로 우리 민족의 독립이란 결코 삼천리 삼천만만의 일이 아니라, 진실로 세계 전체의 운명에 관한 일이요, 그러므로 우리나라의 독립을 위하여 일하는 것이 곧 인류를 위하여 일하는 것이다.

① 가 뒤　② 나 뒤　③ 다 뒤
④ 라 뒤　⑤ 마 뒤

6

이 글의 구조를 생각하며, 빈칸에 알맞은 말을 쓰세요.

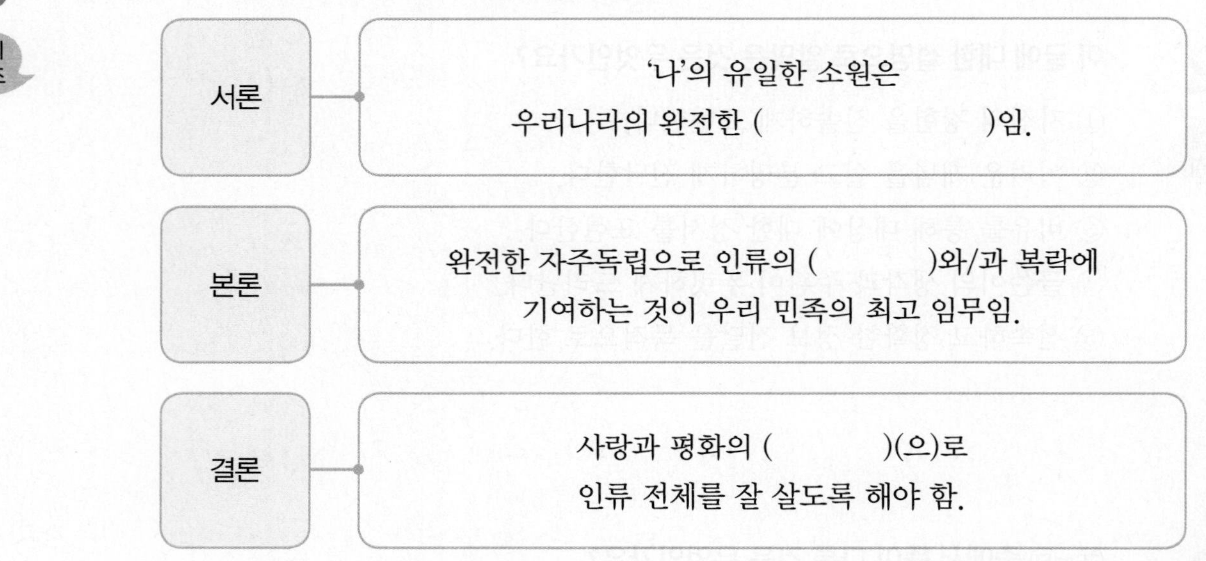

이 글에서 '박제상'의 일화가 주는 효과는 무엇일까요?

어휘·어법 다지기

01 다음 뜻에 알맞은 낱말을 보기 에서 찾아 쓰세요.

보기 미천 복락 알력 천직

(1) 타고난 직업이나 직분. (　　　)

(2) 신분이나 지위 등이 하찮고 천함. (　　　)

(3) 행복과 안락을 아울러 이르는 말. (　　　)

(4) 서로 의견이 맞지 아니하여 사이가 안 좋거나 충돌하는 것을 이르는 말. (　　　)

02 다음 문장에 알맞은 낱말을 보기 에서 찾아 쓰세요.

보기 미천 복락 알력 천직

(1) 회사 임원들 사이에 (　　　)이 끊이지 않는다.

(2) 길동이의 어머니는 (　　　)한 천민 출신이었다.

(3) 사람은 누구나 무궁무진한 (　　　)을 누리고 싶어 한다.

(4) 준하는 아이들을 가르치는 일을 (　　　)으로 생각하고 있다.

03 보기 를 읽고 다음 문장에 알맞은 낱말을 골라 ○표를 하세요.

보기
경의(敬意): 존경하는 뜻.
경이(驚異): 놀랍고 신기하게 여김. 또는 그럴 만한 일.

(1) 우리는 스승님께 깍듯이 (경의 / 경이)를 표했다.

(2) 선호는 깊은 동굴 속 웅장한 벽화를 (경의 / 경이)에 찬 눈빛으로 바라보았다.

매일 학습 평가 맞은 문제에 표시해 주세요.

1 세부 내용	2 전개 방식	3 세부 내용	4 세부 내용	5 추론	6 글의 구조	맞은 개수
☐	☐	☐	☐	☐	☐	개

26회 ▶ 정답과 해설 36쪽

27회

설명문 | 사회

공부한 날 월 일

수달은 족제비과의 •포유류로, 전 세계적으로 13종이 있습니다. 그중 해달은 바다에 사는 수달을 말하지요. 해달은 배영을 하듯 물 위에 떠 있기를 좋아하고, 배 위에 조개를 올린 후 돌로 깨서 먹습니다. 다른 수달들도 조개를 먹는데, 돌은 사용하지 않고 앞발로 조개를 잡고 껍질째 씹어 먹지요. 또한, 수달은 물고기도 딱딱한 뼈까지 통째로 씹어 먹습니다. 그만큼 수달은 아주 세고 튼튼한 이빨을 가지고 있어요. 남아메리카의 아마존에 살고 있는 큰수달은 악어는 물론, 아나콘다와 같은 초대형 뱀도 사냥합니다. 이렇게 강하다고 할 수 있는 수달이 지구상에서 •멸종 위기에 처했습니다. 그 까닭은 무엇일까요?

예전부터 수달 가죽은 비싼 값에 팔렸습니다. 우리나라 수달은 한반도 전역에 폭넓게 •서식하고 있었고, 중국이나 몽골이 수달 모피를 빈번히 요청하였다는 기록이 있지요. 또한 세종 대왕이 수달 가죽으로 만든 겉옷을 입었고, 신하들에게도 수달 가죽 두루마기를 •하사했다는 기록이 남아 있습니다. 수달 가죽은 무엇이 특별했던 것일까요? 수달 가죽은 2중 털 구조로 되어 있고 •방수와 추위를 막는 기능이 탁월하다고 합니다. 바다코끼리나 바다사자 등 덩치가 큰 포유류는 피부 아래 두꺼운 지방을 쌓아 추위를 견디는 반면, 수달은 2중 털 구조로 체온을 유지하지요. 그 이유로 많은 사람들은 수달 가죽을 얻기 위하여 수달을 사냥하였습니다. 이렇게 지나친 사냥은 수달에게 큰 위기가 되었지요.

미국 캘리포니아에 있는 한 마을은 여러 물고기와 킹크랩, 성게 등이 많아 황금 어장으로 불렸습니다. 하지만 그곳의 어부들은 비싼 해산물을 먹는 해달이 큰 문제였어요. 어부들은 고민 끝에 수백 마리의 해달을 사냥하였습니다. 과연 어부들은 더 많은 해산물을 얻을 수 있었을까요? 아닙니다. 해달이 사라지고 단 3년 만에 바다는 •황폐해졌지요. 그 까닭은 무엇이었을까요? 바로, 먹이 사슬이 깨졌기 때문입니다. 해달은 주로 성게를 먹었는데, 해달이 사라지고 난 뒤 성게의 수가 빠르게 늘어나 해초를 남김없이 먹어 치웠습니다. 그렇게 해초가 없어지고 나니, 물고기는 알을 낳거나 몸을 숨길 수 있는 곳이 사라져 버렸습니다. 결국 바다는 아무것도 살 수 없는 곳이 되었지요. 해달은 성게의 수를 알맞게 유지시키며 다른 생물들도 살아갈 수 있게 했던 것입니다. 이렇게 •생태계를 적절하게 유지시켜 주는 생물종을 핵심종이라고 합니다. (가)

이렇게 여러 이유로 반복되는 사냥과 함께 환경 오염 또한 수달에게 큰 영향을 미칩니다. 수질 오염으로 수달의 서식지가 파괴되기 때문이지요. 수질 오염은 물고기에게 영향을 미치고, 물고기를 먹는 수달에게까지 영향을 주게 됩니다. 또한, 수달은 집을 짓지 않고 하천변의 나무나 바위틈에서 사는데, 강과 하천 공사가 빈번한 현대에서 수달은 살 곳을 잃어 가고 있습니다.

우리나라의 일부 지역에서는 수달을 위해 인공적으로 수달 둥지를 만들기도 하고, 법적으로 수달 보호 지역을 설정해 두고 있습니다. 이러한 노력과 함께 환경이 다시 원래의 모습을 찾을 수 있도록 노력한다면 수달을 비롯한 여러 동물들이 위기에서 벗어날 수 있을 것입니다.

낱말 뜻 풀이

- **포유류**: 어미가 제 젖으로 새끼를 먹여 기르는 동물을 일상적으로 이르는 말.
- **멸종**: 생물의 한 종류가 아주 없어짐.
- **서식**: 생물 등이 일정한 곳에서 자리를 잡고 삶.
- **하사**: 임금이 신하에게 물건을 줌.
- **방수**: 스며들거나 새거나 넘쳐흐르는 물을 막음.
- **황폐**: 거칠어져 못 쓰게 됨.
- **생태계**: 어느 환경 안에서 사는 생물군과 그 생물들을 조절하는 원인을 포함한 것.

1

이 글에서 중요한 낱말이 아닌 것은 무엇인가요?

① 수달 ② 앞발 ③ 핵심종
④ 먹이 사슬 ⑤ 환경 오염

2

이 글에서 '수달 가죽'에 대한 내용으로 알맞지 않은 것은 무엇인가요?

① 방수 기능이 있다.
② 2중 털 구조로 되어 있다.
③ 예전부터 비싼 값에 팔렸다.
④ 두꺼운 지방이 있어 추위를 견딜 수 있다.
⑤ 세종 대왕은 수달 가죽으로 만든 겉옷을 입었다.

3

다음을 읽고 수달에게 큰 위기가 찾아 온 까닭은 무엇인지 빈칸에 쓰세요.

많은 사람들이 수달 가죽을 얻기 위하여 수달을 (   )하였기 때문이다.

4

보기에서 ㈎에 들어갈 문장으로 알맞은 것의 기호를 쓰세요.

㉠ 핵심종은 바다에만 있지요.
㉡ 환경 오염을 일으키는 것이 핵심종이지요.
㉢ 수달은 가장 중요한 핵심종이라고 할 수 있지요.

27회 ▶정답과 해설 37쪽

5 **다음 중 이 글의 내용을 잘못 이해한 사람은 누구인지 쓰세요.**

- 경준: 수달이 생태계에서 중요한 역할을 하는구나.
- 서진: 수달의 수가 너무 많아져서 수질이 오염되고 있어.
- 현희: 강과 하천 공사로 인해서 수달이 사는 곳을 잃고 있어.

6 **이 글의 구조를 생각하며, 빈칸에 알맞은 말을 쓰세요.**

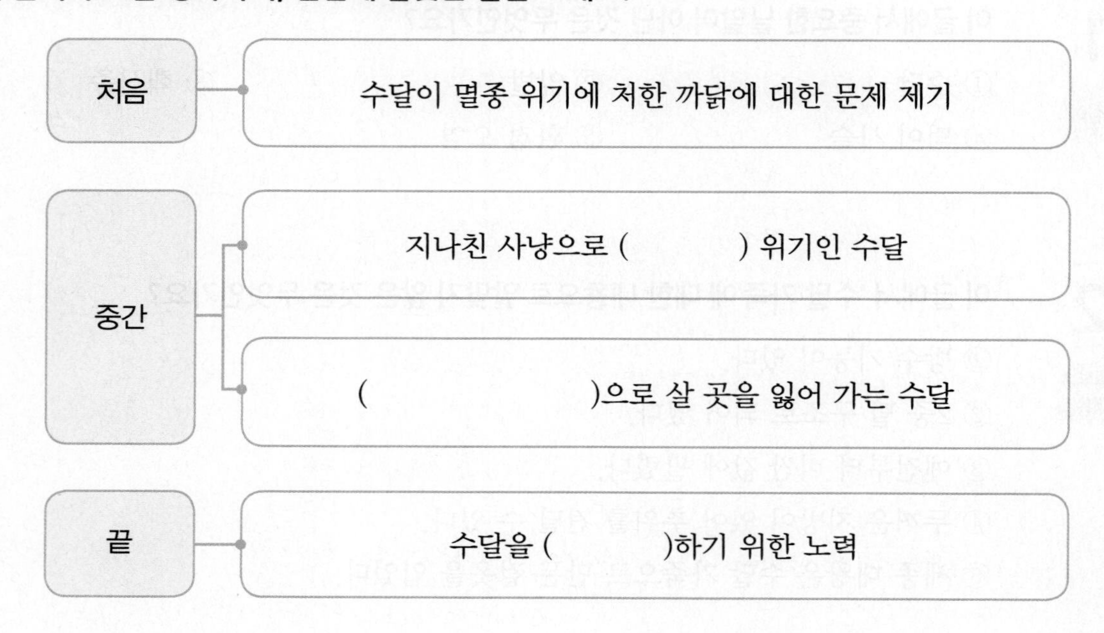

수달의 멸종 위기를 막기 위하여 우리가 할 수 있는 일은 무엇일까요?

어휘·어법 다지기

01 **다음 뜻에 알맞은 낱말을 보기 에서 찾아 쓰세요.**

보기 멸종 서식 포유류 하사

(1) 임금이 신하에게 물건을 줌. ( )

(2) 생물의 한 종류가 아주 없어짐. ( )

(3) 생물 등이 일정한 곳에서 자리를 잡고 삶. ( )

(4) 어미가 제 젖으로 새끼를 먹여 기르는 동물을 일상적으로 이르는 말. ( )

02 **다음 뜻에 알맞은 낱말을 선으로 이으세요.**

(1) 사람과 고래는 같은 ( )에 속한다. • • ㉠ 멸종

(2) 바다에는 많은 동물과 식물이 ( )하고 있다. • • ㉡ 서식

(3) 학자들은 공룡 ( )의 원인을 운석 충돌 때문이라고 한다. • • ㉢ 포유류

03 **보기 를 읽고 다음 중 파생어가 아닌 것을 고르세요.**

보기

파생어

'파생'은 '갈라져 나옴.'이라는 뜻으로, 파생어는 실제 뜻을 가진 말의 앞이나 뒤에 다른 말이 붙어서 이루어진 새 낱말을 말해요. 예를 들어 '일을 하느라고 힘을 들이고 애를 씀.'이라는 뜻을 가진 '수고' 앞에, '이유 없는, 보람 없는'이라는 뜻의 '헛-'이 붙으면 '헛수고'라는 새 낱말이 되지요. '헛수고'는 '아무 보람도 없이 애를 씀.'이라는 뜻이에요.

① 덮개 ② 나무꾼 ③ 손바닥

④ 풋과일 ⑤ 장난꾸러기

매일 학습 평가	맞은 문제에 표시해 주세요.					맞은 개수
1 핵심어 □	2 세부 내용 □	3 세부 내용 □	4 추론 □	5 추론 □	6 글의 구조 □	개

27회 ▶ 정답과 해설 37쪽

28회

문학 | 시조

[국어 6-1 (나)] 8. 인물의 삶을 찾아서

공부한 날 월 일

가 하여가

이런들 어떠하며 ㉠ 저런들 어떠하리
㉡ 만수산 *드렁칡이 얽혀진들 어떠하리
우리도 이같이 얽혀져 백 년까지 누리리

– 이방원

나 단심가

이 몸이 죽고 죽어 ㉢ 일백 번 고쳐 죽어
*백골이 *진토 되어 ㉣ *넋이라도 있고 없고
임 향한 *일편단심(一片丹心)이야 ㉤ 가실 줄이 있으랴

– 정몽주

낱말 뜻 풀이

- **드렁칡**: 드렁(두렁의 방언)에 있는 칡덩굴.
- **백골**: 죽은 사람의 몸이 썩고 남은 뼈.
- **진토**: 티끌과 흙을 모두 한데 묶어 이르는 말.
- **넋**: 사람의 몸에 있으면서 몸을 거느리고 정신을 다스리는 것으로 물질적인 것이 아님.
- **일편단심**: 한 조각의 붉은 마음이라는 뜻으로, 진심에서 우러나오는 변치 아니하는 마음을 이르는 말.

1 소재

가와 나의 중심 소재는 무엇인지 쓰세요.

(1) 가:

(2) 나:

2 세부 내용

가에 대한 설명으로 알맞은 것은 무엇인가요?

① 말하는 이의 생각을 직접적으로 드러내고 있다.
② 흐름에 따라 자유롭게 얽혀 살라고 말하고 있다.
③ 말하는 이가 반대하는 것은 '만수산 드렁칡'이다.
④ 말하는 이는 자연이 가장 중요하다고 강조하고 있다.
⑤ 마지막 행인 종장에서 '우리'는 서민 계층을 뜻하고 있다.

3 세부 내용

나에 대한 설명으로 알맞지 않은 것은 무엇인가요?

① 특정한 부분을 반복하였다.
② 변하지 않는 마음을 보여 주고 있다.
③ 가의 의견에 따르겠다고 답하는 시이다.
④ 한자 성어를 사용하여 주제를 더욱 강조하였다.
⑤ 말하는 이는 단호하게 자신의 의지를 드러내고 있다.

4 추론

보기에서 가와 나에 나타난 당시 사회의 모습에 대해 알맞게 말한 사람은 누구인지 쓰세요.

보기
- 미희: 가를 통해서 나라가 안정되어 있는 시기라는 것을 알 수 있어.
- 석현: 나를 보면 나라와 왕에 대한 충심을 끝까지 지키는 사람도 있었던 것 같아.

5 표현

가와 나에서 사용한 표현 방법으로 알맞지 않은 것은 무엇인가요?

① 가: 대상을 다른 대상에 비유하여 표현하는 방법
② 가: 문장 형식을 반복하여 운율을 표현하는 방법
③ 나: 일어날 수 없는 일을 과장하여 표현하는 방법
④ 나: 같은 시어를 반복하여 의미를 더욱 강조하는 방법
⑤ 나: 말하는 이의 의도나 감정과는 반대로 표현하는 방법

28회 ▶ 정답과 해설 39쪽

6

시어의 의미

㉠~㉤의 뜻으로 알맞지 않은 것은 무엇인가요?

① ㉠: 저렇게 산들 어떠하리

② ㉡: 만수산의 칡덩굴

③ ㉢: 백 번 죽지 않아도

④ ㉣: 넋이라도 있든지 없든지 간에

⑤ ㉤: 없어질 수가 있겠는가

7

감상

보기를 읽고, ㉮와 ㉯의 내용에 맞게 빈칸에 알맞은 말을 쓰세요.

보기

고려 말에 새로 등장한 세력들은 고려 사회를 바꾸려고 하였어요. 그들 중 정몽주는 고려 왕조를 지키려고 하였고, 이성계는 새로운 왕조인 조선을 세우고자 하였습니다. 이러한 상황에서 이성계의 아들 이방원은 「하여가」를 썼고, 정몽주는 이를 듣고 「단심가」를 썼어요.

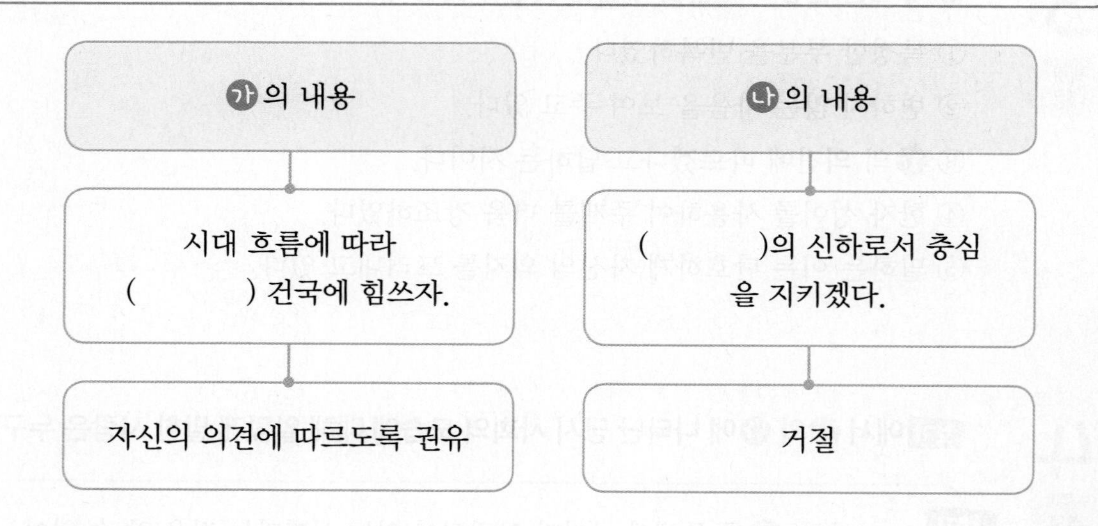

㉮, ㉯에 드러난 말하는 이의 생각은 각각 무엇일까요?

어휘·어법 다지기

01 **다음 뜻에 알맞은 낱말을 선으로 이으세요.**

(1) 죽은 사람의 몸이 썩고 남은 뼈. • • ㉠ 넋

(2) 드렁(두렁의 방언)에 있는 칡덩굴. • • ㉡ 드렁칡

(3) 티끌과 흙을 모두 한데 묶어 이르는 말. • • ㉢ 백골

(4) 사람의 몸에 있으면서 몸을 거느리고 정신을 다스리는 것으로 물질적인 것이 아님. • • ㉣ 진토

02 **다음 문장에 알맞은 낱말을 보기 에서 찾아 쓰세요.**

보기

넋　　드렁칡　　백골　　일편단심

(1) 시골에 가면 (　　　　)이/가 많다.

(2) 신하들은 임금을 (　　　　)(으)로 섬겼다.

(3) 할아버지께서는 사람이 죽게 되면 (　　　　)이/가 된다고 하셨다.

(4) 나는 지난 여름에 너무 더워서 (　　　　)이/가 빠지는 날이 많았다.

03 **보기 를 읽고 다음 문장에 알맞은 낱말을 골라 ○표를 하세요.**

'세다'와 '쇠다'

'세다'는 '사물의 수를 헤아리거나 꼽다.'라는 뜻이고, '쇠다'는 '명절, 생일, 기념일 등을 맞이하며 지내다.'라는 뜻이지요. 문장을 전체적으로 살펴보고 그 뜻에 맞게 써야 합니다.

(1) 현수는 과일의 숫자를 (세었다 / 쇠었다).

(2) 나는 가족과 함께 추석을 (세었다 / 쇠었다).

매일 학습 평가	맞은 문제에 표시해 주세요.						맞은 개수
1 소재 ☐	2 세부 내용 ☐	3 세부 내용 ☐	4 추론 ☐	5 표현 ☐	6 시어의 의미 ☐	7 감상 ☐	개

28회 ▶ 정답과 해설 39쪽

29회

문학 | 소설

[앞부분 줄거리] 루아젤 부인은 프랑스의 어느 가난한 하급 관리의 아내로, 넉넉하지 못한 처지에 항상 불만을 품고 살아간다. 어느 날 장관 부부가 주최하는 저녁 만찬에 초대받아 친구인 포레스티에 부인에게 다이아몬드 목걸이를 빌려 참석하고 많은 사람들의 주목을 받지만, 집에 돌아왔을 때 목걸이를 잃어버린 사실을 알고 4만 프랑이나 하는 목걸이를 새로 사서 친구에게 돌려준다.

가 루아젤 부인이 목걸이를 포레스티에 부인에게 가지고 갔을 때, 포레스티에 부인은 좋지 않은 얼굴로 말했다.

"좀 일찍 가져오지 그랬니. 나도 쓸 데가 있단 말이야."

㉠ 포레스티에 부인은 보석 상자를 열어 보지 않았다. 사실 루아젤 부인은 그것을 몹시 두려워하고 있었다. 만약 그녀가 목걸이가 바뀌었다는 것을 눈치채면 어떻게 생각할 것이며 또 뭐라고 말할까? 그녀를 도둑이라고 생각하지는 않을까?

루아젤 부인은 가난한 살림의 고통을 몸소 체험하게 되었다. 실제로 그녀는 용감하게도 즉시 결심을 했다. '이 엄청난 *부채를 갚아야만 한다. 그리고 그것을 꼭 갚을 것이다.'라고. 그들은 하녀를 내보내고 지붕 밑 다락방으로 이사를 갔다.

그녀는 힘든 집안일과 귀찮고 더러운 부엌일을 손수 해냈다. 기름때 낀 솥과 냄비를 닦으며 설거지를 하느라 그녀의 장밋빛 손톱은 엉망이 되었다.

나 남편은 일과가 끝난 저녁 시간에 상점의 장부를 정리했다. 때로는 밤중까지 한 페이지에 5 *수우를 받고 원고 베끼는 아르바이트를 했다.

이런 생활이 10년 동안 계속되었다.

그리고 10년이 지났을 때 그들은 모든 것을 *청산할 수 있었다. 모든 것을. 그 높은 이자에도 불구하고, 그리고 이자에 대한 이자까지도.

루아젤 부인은 이제 폭삭 늙었다. 그녀는 가난한 아줌마들이 으레 그렇듯이 힘세고 건장하고 시끄러운 여자가 되어 있었다. 머리에 빗질도 하지 않고 치마가 비뚤어져도 상관하지 않았다. 손은 붉었고 목소리는 컸으며 물을 좍좍 끼얹어 마루를 닦기도 했다. 그러나 가끔 남편이 관청에 나가고 없을 때면 그녀는 창가에 앉아 그 옛날의 파티 생각을 하곤 했다. 그 무도회. 자신이 그렇게도 아름답다고 *찬미받았던 그 무도회.

만약 목걸이를 잃어버리지 않았다면 어떻게 되었을까? 누가 알랴! 어쩌면 인생이란 이리도 이상하고 *변화무쌍한 것인지!

다 "너 기억나니? 장관 댁 파티에 갈 때 네가 빌려 준 그 다이아몬드 목걸이 말이야."

"응, 그런데?" / "실은 그걸 잃어버렸어."

"뭐라고? 하지만 내게 돌려주지 않았니?"

"아냐. 다른 걸 돌려준 거야. 똑같은 걸로. 그 빚을 갚는 데 십 년이나 걸렸단다. 우리 처지에 그게 어디 쉬운 일이니. 아무 재산도 없었는데 말이야……. 그렇지만 다 끝났어. 그래서 정말 기뻐."

포레스티에 부인은 어느새 발걸음을 멈추었다.

"아니, 내 목걸이 대신 새 다이아몬드 목걸이를 샀다는 거니?"

"그래. 너 감쪽같이 속았지? 정말 똑같았다니까."

㉡말을 마친 그녀는 의기양양하고 흡족하여 순진한 미소를 지어 보였다.

포레스티에 부인은 너무도 감동하여 마틸드의 두 손을 잡았다.

"어휴, 가엾은 마틸드! 내 건 가짜였어. 기껏해야 오백 프랑밖에 안 되는 거였다고!"

– 모파상, 「목걸이」

낱말 뜻 풀이

- **부채**: 남에게 빚을 짐. 또는 그 빚.
- **수우**: 프랑스의 옛 화폐 단위. 1수우 = 1/20프랑.
- **청산**: 서로 간에 채무·채권 관계를 셈하여 깨끗이 해결함.
- **찬미**: 아름답고 훌륭한 것이나 위대한 것 등을 기리어 칭송함.
- **변화무쌍**: 변하는 정도가 비할 데 없이 심함.
- **의기양양**: 뜻한 바를 이루어 만족한 마음이 얼굴에 나타난 모양.

29회

▶ 정답과 해설 40쪽

1

이 글의 중심인물은 누구인가요?

2

이 글에서 '목걸이'의 의미로 알맞지 않은 것은 무엇인가요?

① 사건 전개에 반전을 가져오는 소재이다.
② 인간의 어리석음을 보여 주는 소재이다.
③ 등장인물의 가치관과 성격을 드러내는 소재이다.
④ 인간의 헛된 욕망과 허영심을 보여 주는 소재이다.
⑤ 빈곤층에 대한 부유층의 애정을 담고 있는 소재이다.

3

이 글의 내용으로 알맞지 않은 것은 무엇인가요?

① 루아젤 부인은 가끔 옛날의 파티를 생각했다.
② 루아젤 부인은 포레스티에 부인에게 목걸이를 빌렸다.
③ 루아젤 부인은 빚을 갚기 위해 다락방으로 이사를 갔다.
④ 루아젤 부인의 남편은 루아젤 부인의 일을 돕지 않았다.
⑤ 루아젤 부인은 포레스티에 부인에게 목걸이에 대한 진실을 고백했다.

4

추론

포레스티에 부인이 ㉠과 같이 행동한 까닭은 무엇일까요?

① 목걸이가 진짜인 것을 알고 있었기 때문이다.

② 목걸이가 가짜였기 때문에 꼼꼼하게 확인하지 않은 것이다.

③ 부자였기 때문에 목걸이를 소중하게 생각하지 않은 것이다.

④ 친구가 목걸이를 잃어버린 사실을 알고 모른 척하기 위해서이다.

⑤ 약속 시간이 거의 다 되어 빨리 약속 장소로 이동하기 위해서이다.

5

감상

보기 에서 이 글을 읽고 깨달은 점을 알맞게 말한 사람은 누구인지 쓰세요.

- 아라: 남의 물건은 절대로 빌리면 안 되겠군.
- 재민: 열심히 일을 해서 저축을 많이 해야겠군.
- 영은: 지나친 허영심은 결국 불행으로 돌아오는군.

6

전개 방식

이 글의 사건 전개를 생각하며, 빈칸에 알맞은 말을 쓰세요.

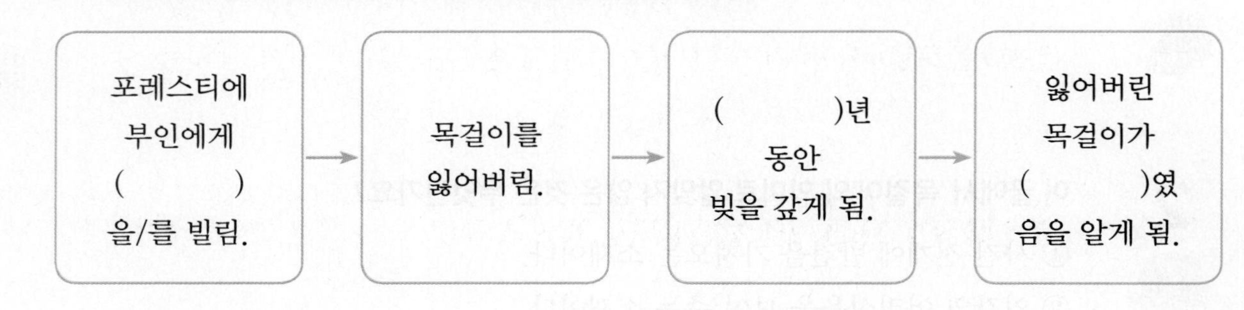

생각 글 쓰기

루아젤 부인이 ㉡과 같이 행동한 까닭은 무엇일까요?

01 다음 뜻에 알맞은 낱말을 보기 에서 찾아 쓰세요.

보기 부채 의기양양 찬미 청산

(1) 남에게 빚을 짐. 또는 그 빚. ( )

(2) 서로 간에 채무 · 채권 관계를 셈하여 깨끗이 해결함. ( )

(3) 뜻한 바를 이루어 만족한 마음이 얼굴에 나타난 모양. ( )

(4) 아름답고 훌륭한 것이나 위대한 것 등을 기리어 칭송함. ( )

02 다음 문장에 알맞은 낱말을 보기 에서 찾아 쓰세요.

보기 의기양양 찬미 청산

(1) 아름다운 자연을 ( )하다.

(2) 이것으로 너에게 진 빚은 다 ( )했다.

(3) 지후는 ( )한 목소리로 모험담을 들려 주었다.

03 보기 를 읽고 다음 문장에 알맞은 낱말을 골라 ○표를 하세요.

보기 **'벌리다', '벌이다', '버리다'**
'벌리다'는 '둘 사이를 넓히거나 멀게 하다.'를 뜻하고, '벌이다'는 '일을 계획하여 시작하거나 펼쳐 놓다.'를 뜻해요. 그리고 '버리다'는 '가지거나 지니고 있을 필요가 없는 물건을 내던지거나 쏟거나 하다.'를 뜻해요. 세 낱말은 뜻이 다르므로, 문장을 전체적으로 살펴보고 그 뜻에 맞게 써야 해요.

(1) 쓰레기를 길거리에 (버리다 / 벌리다 / 벌이다).

(2) 입을 크게 (버리고 / 벌리고 / 벌이고) 하품을 했다.

(3) 김 씨는 지금보다 더 큰 가게를 (버리려고 / 벌리려고 / 벌이려고) 한다.

매일 학습 평가 맞은 문제에 표시해 주세요.

1 인물	2 소재	3 세부 내용	4 추론	5 감상	6 전개 방식	맞은 개수
□	□	□	□	□	□	개

29회 ▶ 정답과 해설 40쪽

문학 | 수필

[앞부분 줄거리] 초등학교 6학년 겨울, '나'는 걸어서 다니기 힘든 거리에 있는 중학교에 배정받는다. 마을에 버스가 다니지 않고 자가용도 없어서 자전거를 탈 수밖에 없는 상황이 된다.

내가 자전거를 배우기 위해 큰집에서 빌린 자전거는 읍내로 출퇴근하는 아버지의 자전거보다 더 무겁고 짐받이가 큰 '농업용' 자전거였다. 그 대신 자전거가 아주 튼튼해서 자전거를 배우자면 꼭 거쳐야 하는, '꼬라박기'를 무난히 감당해 낼 수 있을 듯 보였다. 내 몸이 그걸 견뎌 낼 수 있을지, 내 마음이 그 창피함을 견뎌 낼 수 있을지 의문스럽긴 했지만.

나는 오전에 자전거를 끌고 사람이 없는 운동장으로 갔다. 시멘트 계단 옆에 자전거를 세운 뒤 •안장에 올라가서 발로 •연단을 차는 힘으로 자전거의 주차 장치가 풀리면서 앞으로 나가도록 했다. 바퀴가 두 번도 구르기 전에 자전거는 멈췄고 나는 넘어졌다. 같은 식의 시행착오가 수백 번 거듭되었다. •정강이와 허벅지에 멍 자국이 생겨났고 팔과 손의 피부가 벗겨졌다. 나중에는 자전거를 일으키는 일조차 힘이 들었다. 마지막으로 쓰러졌을 때 어둠이 다가오고 있는 걸 알고는 막막한 마음에 자전거 옆에 한참 누워 있다가 일어났다.

동네로 돌아오는 길에는 오십 미터쯤 되는 오르막이 있었다. 오르막에 올라서서 숨을 고르다가 문득 내리막을 달려 내려가면 자전거를 쉽게 탈 수 있지 않을까 하는 생각이 들었다. 내리막 아래쪽은 길이 휘어 있었고 정면에는 내가 어릴 적 물장구를 치고 놀던 •도랑이 기다리고 있었다. 그리고 그 옆에는 다음 해 봄에 거름으로 쓸 분뇨를 모아 두는 '똥통'이 있었다. 내가 자전거를 통제하지 못하게 된다면 결말은 단순했다. 운 좋으면 도랑, 나쁘면 똥통.

그럼에도 불구하고 나는 돌을 딛고 자전거에 올라섰다. 어차피 가지 않으면 안 될 길, 나는 몸을 앞뒤로 흔들어 자전거를 출발시켰다. 자전거는 앞으로 나아가기 시작했다. 페달을 밟지 않고도 가속이 붙었다. 나는 난생처음 봄을 맞는 •장끼처럼 나도 모를 이상한 소리를 내지르며 자전거와 한 몸이 되어 달려 내려갔다. 가슴이 터질 듯 부풀었고 어질어질한 속도감에 사로잡혔다. 어느새 내 발은 페달을 차고 있었고 자전거는 도랑과 똥통 옆을 지나고 있었다. 나는 •삽시간에 어른이 된 기분으로 읍내로 가는 길을 내달렸다.

그날 나는 내 근육과 뇌에 새겨진 평범한, 그러면서도 **세상을 움직여 온 비밀**을 하나 얻게 되었다. 일단 안장 위에 올라선 이상 계속 가지 않으면 쓰러진다. 노력하고 경험을 쌓고도 잘 모르겠으면 자연의 판단 — 본능에 맡겨라.

그 뒤에 시와 춤, 노래와 암벽 타기, 그리고 사랑이 모두 같은 원리에 따라 움직인다는 것을 나는 깨달았다. 비록 다 배웠다, 안다고 할 수 있는 건 없지만.

– 성석제, 「어느 날 자전거가 내 삶 속으로 들어왔다」

낱말 뜻 풀이

- **안장**: 말, 나귀 등의 등에 얹어서 사람이 타기에 편리하도록 만든 도구.
- **연단**: 연설이나 강연을 하는 사람이 올라서는 단.
- **정강이**: 무릎 아래에서 앞 뼈가 있는 부분.
- **도랑**: 매우 좁고 작은 개울.
- **장끼**: 수꿩.
- **삽시간**: 매우 짧은 시간.

1 이 글의 중심 소재는 무엇인가요?

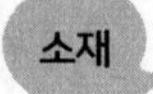

2 이 글에 대한 설명으로 알맞지 않은 것은 무엇인가요?

① 글쓴이의 생각과 심리의 변화가 잘 나타나 있다.
② 글쓴이가 자전거를 배우는 과정에 따라 내용이 전개된다.
③ 시골에서 자란 글쓴이가 어린 시절의 경험을 떠올리고 있다.
④ 글쓴이가 자전거 타기를 통해 깨달은 점에 대해 말하고 있다.
⑤ 시, 춤, 노래, 사랑이 모두 다른 원리로 움직인다고 설명한다.

30회 ▶ 정답과 해설 41쪽

3 이 글의 내용으로 알맞은 것은 무엇인가요?

① 내가 빌린 자전거는 '공업용' 자전거였다.
② 나는 자전거를 통제하지 못해 도랑에 빠지고 말았다.
③ 나는 운동장에서 자전거 연습을 하며 다리가 부러졌다.
④ 나는 수많은 연습에도 자전거 타기에 실패하자 결국 포기했다.
⑤ 내가 어릴 적 물장구를 치고 놀던 도랑 옆에는 '똥통'이 있었다.

4 이 글에 나타난 '나'의 심리 변화로 알맞은 것은 무엇인가요?

① 두려움 – 놀람 – 걱정
② 자신감 – 걱정 – 놀람
③ 걱정 – 막막함 – 좌절감
④ 두려움 – 막막함 – 쾌감
⑤ 불안함 – 즐거움 – 체념

5 표현

이 글에서 '내'가 자전거 타기에 성공하여 가슴이 벅찬 모습을 빗댄 대상을 찾아 쓰세요.

6 적용

이 글의 주제와 비슷한 경험을 한 사람은 누구인지 기호를 쓰세요.

㉠ 학교 시험에서 언제나 1등을 하는 수민
㉡ 발레를 하다 부상으로 포기하고 음악으로 진로를 바꾼 정현
㉢ 마라톤 완주를 위해 매일 땀 흘리며 연습해서 결국 성공한 민석
㉣ 요리사인 엄마의 영향으로 요리에 재능이 있어 유명한 요리사가 된 원영

7 글의 구조

이 글의 내용을 생각하며, 빈칸에 알맞은 말을 쓰세요.

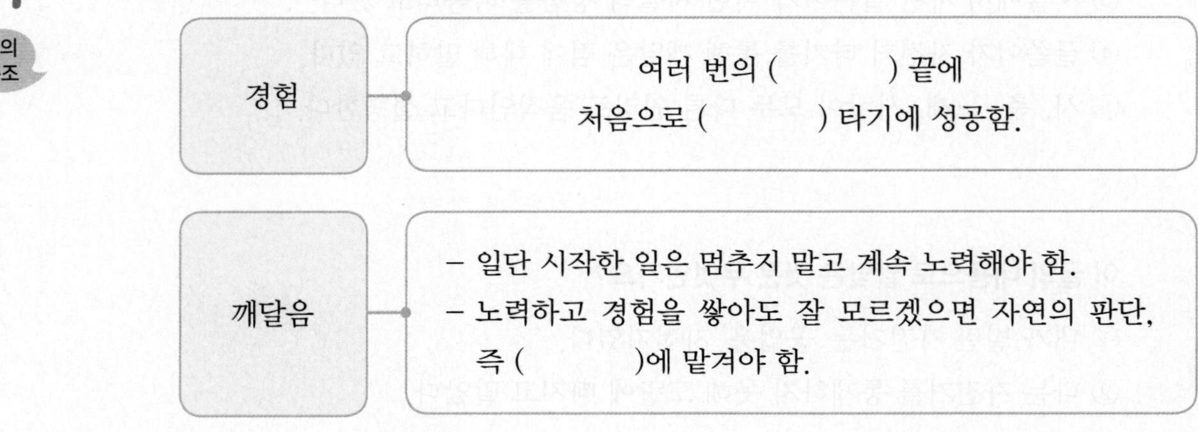

생각 글 쓰기

이 글에서 '세상을 움직여 온 비밀'에 담긴 의미는 무엇일까요?

어휘·어법 다지기

01 **다음 뜻에 알맞은 낱말을 보기 에서 찾아 쓰세요.**

보기

도랑　　삽시간　　안장　　연단

(1) 매우 짧은 시간. (　　　)

(2) 매우 좁고 작은 개울. (　　　)

(3) 연설이나 강연을 하는 사람이 올라서는 단. (　　　)

(4) 말, 나귀 등의 등에 얹어서 사람이 타기에 편리하도록 만든 도구. (　　　)

02 **다음 문장에 알맞은 낱말을 보기 에서 찾아 쓰세요.**

보기

삽시간　　연단　　정강이

(1) 계단에서 넘어져 (　　　)이/가 부러졌다.

(2) 바람이 불자 불길은 (　　　)에 마을 전체에 번져 나갔다.

(3) 사람들의 박수에 그녀는 웃음으로 답하며 (　　　)에 올랐다.

03 **보기 를 읽고 다음 중 합성어를 골라 ○표를 하세요.**

보기

합성어

'밤나무'는 '밤'과 '나무'로 각각 낱말을 쪼갤 수 있고, '손바닥'도 '손'과 '바닥'으로 낱말을 쪼갤 수 있어요. 이렇게 더 작은 부분으로 나눌 수 없는 낱말을 두 개 이상 합쳐서 만든 낱말을 합성어라고 해요.

김밥　　돌다리　　지우개　　책가방　　헛일

매일 학습 평가　맞은 문제에 표시해 주세요.

1 소재	2 세부 내용	3 세부 내용	4 서술자	5 표현	6 적용	7 글의 구조	맞은 개수
□	□	□	□	□	□	□	개

스티커를 붙여 주세요

30회 ▶ 정답과 해설 41쪽

독해력을 완성하는 **긴 독해**

✿ 자신의 학습 능력과 상황에 따라 꾸준하게 공부하는 것이 가장 중요합니다.
✿ 학습 계획을 먼저 세우고, 스스로 지킬 수 있도록 노력해 보세요.

				학습할 날짜
31회	증강 현실	설명문	기술	월 일
32회	발효 식품의 우수성	논설문	과학	월 일
33회	풍물놀이	설명문	예술	월 일
34회	의무 투표제를 실시하자	논설문	사회	월 일
35회	지구의 자전과 공전	설명문	과학	월 일
36회	픽토그램	설명문	예술	월 일
37회	미래 식량	설명문	과학	월 일
38회	서시	문학	시	월 일
39회	난중일기	문학	일기	월 일
40회	소나기	문학	소설	월 일

영화 〈아이언맨〉 속 주인공은 슈트를 통해 가상의 정보를 현재의 실제 세계에 표시하는 기술을 활용하여 현실 세계의 다양한 정보를 *인지합니다. 그리고 이 정보들은 주인공의 활약에 큰 도움을 줍니다. 즉, 현실 세계에 원하는 정보를 덧대어 보면서 현실을 더 정확하게 인지하고 필요한 정보를 쉽게 *선별하는 것입니다. 이 영화를 본 사람들은 한 번쯤 이 슈트를 갖고 싶다는 생각을 했을 것입니다. 그런데 놀라운 점은 이것이 현실에서 실현되고 있다는 사실입니다. 우리는 휴대폰이나 안경 같은 기기를 활용해서 현실의 모습과 다양한 정보를 함께 볼 수 있습니다. 이러한 기술은 우리가 원하는 정보나 내용을 더하면서 현실을 훨씬 풍성하게 강화시켜 준다는 의미로 증강 현실, 즉 AR(Augmented Reality)이라고 불립니다.

증강 현실은 게임, 자동차, 항공기, 도서 등 다양한 분야에 적용되는데 아직까지는 대부분 경제적 이익을 위한 산업에 한정되어 있습니다. 먼저 증강 현실은 주변 환경을 스마트하게 인식하는 데 사용됩니다. 예를 들어, GPS 통합형 증강 현실 애플리케이션은 기기 카메라로 인식한 대상 이미지를 *키워드로 삼아 정보 검색 절차를 거친 후 그 결괏값을 기기 모니터에 띄워 정보를 제공합니다. 만약 서울역 광장과 건물을 기기 카메라로 잡으면 기기가 해당 이미지를 인식하고, 서울역 광장 및 건물을 키워드로 관련 정보를 검색 및 정리한 후 기기 모니터에 표시하는 것입니다. 이는 사용자가 스마트 기기를 들고 특정 상황에서 특정 대상을 바라보았을 때 그에 알맞은 메시지를 실시간으로 생성, 공급하는 특징을 가집니다.

또 증강 현실은 실제 세계에서 가상 캐릭터와 승부하는 게임에서 사용됩니다. 게임형 증강 현실 애플리케이션은 증강 현실의 상호 작용 기능을 강화해서 응용한 형태입니다. 스마트폰 카메라가 눈앞의 실제 배경을 인식함과 동시에 가상 캐릭터가 사용자 손길에 따라 움직입니다. 2016년 7월 출시된 첫날 1억 건 이상의 다운로드를 기록하고, 현재까지도 전 세계적으로 인기가 높은 게임 중 하나인 '포켓몬GO' 역시 증강 현실을 게임에 *구현한 것입니다.

자동차 앞 유리창에 자동차 운전과 관련된 다양한 정보를 표시하는 데에도 증강 현실이 사용됩니다. 초기에는 자동차의 속도와 방향을 나타내는 정도였지만, 최근에는 운행 중 앞차와의 거리 또는 차선을 확실하게 알려 주는 등 점점 다양하게 *접목되고 있습니다. 이렇게 자동차 유리에 적용된 증강 현실은 전투기나 선박, 기차 등 사람이 운행하는 탈것에 적용되는 *추세입니다. 운전자는 이를 통해 운행과 관련된 다양한 정보를 확인하여 사고 위험과 피로도를 줄일 수 있습니다.

증강 현실은 이밖에도 고고학 유적지 발굴, 건축, 미술, 토목 공사, 교육, 탐색 및 구호 작업, 산업 디자인, 의료, 미용, 사무 업무 지원, 스포츠, 연예, 관광, 통 · 번역 지원 등 활용되는 분야가 매우 다양하며, 그 적용 가능 범위도 점차 넓어지고 있습니다.

낱말 뜻 풀이

- **인지**: 어떤 사실을 인정하여 앎.
- **선별**: 가려서 따로 나눔.
- **키워드**: 데이터를 검색할 때, 특정한 내용이 들어 있는 정보를 찾기 위하여 사용하는 단어나 기호.
- **구현**: 어떤 내용이 구체적인 사실로 나타나게 함.
- **접목**: 둘 이상의 다른 현상 등을 알맞게 조화하게 함을 비유적으로 이르는 말.
- **추세**: 어떤 현상이 일정한 방향으로 나아가는 경향.

1

이 글의 중심이 되는 낱말을 쓰세요.

2

전개 방식

이 글의 전개 방식으로 알맞은 것은 무엇인가요?

① 글을 쓰게 된 과정을 자세히 밝히고 있다.
② 전문가의 의견을 인용하여 설명하고 있다.
③ 익숙한 사례를 들어 설명을 뒷받침하고 있다.
④ 자신의 마음을 솔직하게 드러내어 이야기하고 있다.
⑤ 다른 사람의 의견에 대해 논리적으로 반박하고 있다.

3

이 글의 내용으로 알맞은 것은 무엇인가요?

① 유적지 발굴에는 증강 현실이 적용될 수 없다.
② 증강 현실은 그 적용 가능 범위가 점차 축소되고 있다.
③ 증강 현실은 실제 세계에서 직접 승부를 겨루는 게임에 사용된다.
④ 지금의 증강 현실은 대부분 경제적 이익을 위한 산업에 한정되어 있다.
⑤ 증강 현실의 상호 작용 기능을 강화한 형태는 GPS 통합형 애플리케이션이다.

4

자동차에 사용되는 증강 현실에 대한 설명으로 알맞지 않은 것은 무엇인가요?

① 자동차의 속도를 알려준다.
② 자동차의 방향을 알려준다.
③ 앞차와의 거리를 알려준다.
④ 차선을 확실하게 알려준다.
⑤ 뒤차의 운전자를 알려준다.

31회 ▼ 정답과 해설 43쪽

5 적용

다음은 보기를 참고하여 증강 현실과 가상 현실의 차이점을 쓴 것입니다. 빈칸에 알맞은 말을 쓰세요.

가상 현실(VR)은 실제 환경을 완전히 배제하고 100퍼센트 가상 경험을 제공합니다. 가상 현실 도구는 사용자의 시야를 가리고 눈과 머리의 움직임에 반응해 화면 표시를 변경하기 때문에 다른 세상에 있는 것 같은 착각을 불러일으킵니다.

• 가상 현실과 달리, 증강 현실은 사용자 주변의 (　　　　　　)와/과 가상의 정보를 어느 정도 통합한다.

6 글의 구조

이 글의 구조를 생각하며, 빈칸에 알맞은 말을 쓰세요.

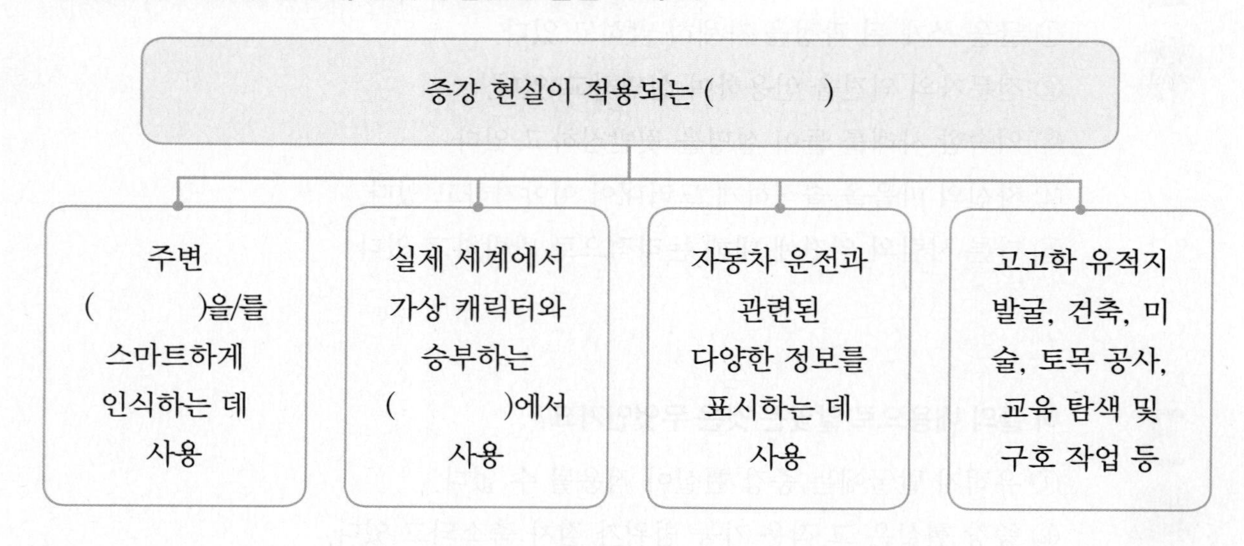

생각 글 쓰기

증강 현실이 사람이 운행하는 탈것에 적용되면 좋은 점은 무엇일까요?

어휘·어법 다지기

01 다음 뜻에 알맞은 낱말을 보기 에서 찾아 쓰세요.

보기 구현 선별 접목 추세

(1) 가려서 따로 나눔. ( )

(2) 어떤 내용이 구체적인 사실로 나타나게 함. ( )

(3) 어떤 현상이 일정한 방향으로 나아가는 경향. ( )

(4) 둘 이상의 다른 현상 등을 알맞게 조화하게 함을 비유적으로 이르는 말. ( )

02 다음 문장에 알맞은 낱말을 보기 에서 찾아 쓰세요.

보기 구현 선별 접목 추세

(1) 결혼을 늦게 하는 것이 요즘의 ( )이다.

(2) 토론은 민주 정치를 ( )하는 방법 중 하나이다.

(3) 누나는 크기가 큰 것들을 ( )하여 따로 포장했다.

(4) 전혀 다른 두 문화를 ( )하여 새로운 문화를 만들어 냈다.

03 보기 를 읽고 다음 문장에 알맞은 낱말을 골라 ○표를 하세요.

보기
- **드러내다**: ① 가려 있거나 보이지 않던 것을 보이게 하다.
  ② 알려지지 않은 사실을 보이거나 밝히다.
- **들어내다**: ① 물건을 들어서 밖으로 옮기다.
  ② 사람을 있는 자리에서 쫓아내다.

(1) 저 놈을 내 집에서 당장 (드러내라 / 들어내라).

(2) 저 사람은 결코 자기 속마음을 (드러내는 / 들어내는) 법이 없다.

매일 학습 평가	맞은 문제에 표시해 주세요.					맞은 개수	
1 핵심어 ☐	2 전개 방식 ☐	3 세부 내용 ☐	4 세부 내용 ☐	5 적용 ☐	6 글의 구조 ☐	개	스티커를 붙여 주세요

31회

▶ 정답과 해설 43쪽

논설문 | 과학

[국어 6-1 (가)] 4. 주장과 근거를 판단해요

공부한 날 월 일

음식은 우리의 건강에 많은 영향을 끼칩니다. 어제 무엇을 먹었는지 생각해 보세요. 몸에 좋은 음식을 먹었나요? 몸에 좋은 음식이란 영양소가 풍부해 이것을 먹으면 몸이 건강하고 튼튼해지는 반면, 그렇지 않은 음식을 먹게 되면 *면역력이 떨어져 몸이 약해질 수 있습니다. 요즘 햄버거나 피자 등 외국에서 들어온 음식을 *선호하는 사람들을 자주 볼 수 있는데, 이러한 음식을 지나치게 많이 먹게 되면 건강이 나빠질 수 있지요. 그에 비해 우리 *고유의 음식은 오랜 세월 동안 전해 내려오면서 우리의 입맛에 맞고 몸에 이롭게 발전해 왔습니다. 우리 고유의 음식으로 대표적인 것에는 발효 식품이 있으며, 우리는 몸에 이로운 발효 식품을 잘 먹어야 합니다.

발효 식품은 미생물이 음식물을 분해하여 알코올류, 이산화 탄소 등이 생기게 하여 만들어진 음식으로, 독특한 향과 맛이 납니다. 우리 고유의 발효 식품에는 김치, 된장, 간장, 고추장 등이 있지요. 그렇다면 우리가 발효 식품을 잘 먹어야 하는 까닭은 무엇일까요?

첫째, 발효 식품은 *해독 작용과 *항암 효과가 뛰어납니다. 우리 고유의 음식인 청국장은 발효되기 시작하면서 몸에 좋은 물질들이 만들어지지요. 청국장을 살펴보면 콩과 콩 사이에 실 모양의 끈적끈적한 것이 있습니다. 이것은 청국장의 재료인 콩에는 없던 것으로, 발효를 통해 만들어진 것이지요. 여기에 몸에 좋은 여러 가지 좋은 성분들이 있습니다. 그중에서 항암 효과에 좋은 사포닌이라는 성분은 특히 청국장에 풍부하게 들어 있지요.

둘째, 발효 식품은 장에 무척 이롭습니다. 사람의 장에는 약 100여 조 마리의 세균이 살고 있습니다. 김치의 경우 발효되는 과정에서 유익한 균이 많이 만들어지지요. 따라서 김치를 먹으면 이러한 유익한 균을 *섭취하게 되어 장이 건강해지고 면역력도 높아질 수 있습니다.

셋째, 칼슘을 풍부하게 섭취할 수 있습니다. 우리 고유의 음식 중에는 젓갈이 있는데 이 젓갈은 재료에 소금기가 배어들게 하는 염장 기술로 만들지요. 우리나라는 삼면이 바다이므로 어패류가 풍부하고 다양합니다. 그래서 물고기를 많이 잡았을 때 젓갈로 담가 저장하기도 하였지요. 젓갈은 생선의 뼈 등이 발효되는 과정에서 연하게 됩니다. 그래서 물고기를 젓갈로 먹을 때는 칼슘이 풍부한 뼈까지 모두 먹을 수 있게 되는 것이지요.

넷째, 단백질을 더욱 잘 섭취할 수 있습니다. 콩에는 단백질이 많이 들어 있는데, 콩을 먹더라도 어떻게 먹느냐에 따라 몸이 영양소를 흡수하는 데에는 차이가 있어요. 우리 조상들은 발효를 통해 콩의 단백질을 더욱 잘 섭취할 수 있는 방법을 찾아낸 것이지요. 콩을 익혀 먹으면 *소화 흡수율이 60퍼센트이지만 된장으로 만들어 먹으면 85퍼센트, 청국장은 90퍼센트로 높아집니다. 또한 된장, 고추장, 간장 등은 콩이 발효되면서 비타민이 새로 생기거나 늘어나지요.

이렇게 발효 식품은 우리 몸에 매우 이로운 음식입니다. 특히 김치는 세계적으로 계속 주목받고 있는 우리 고유의 발효 식품 중 하나이지요. 우리는 조상의 지혜가 담긴 발효 식품의 우수성을 깨닫고, 건강을 위하여 발효 식품을 잘 먹읍시다.

낱말 뜻 풀이

- **면역력**: 외부에서 들어온 병원균에 저항하는 힘.
- **선호**: 여럿 가운데서 특별히 가려서 좋아함.
- **고유**: 본래부터 가지고 있는 특유한 것.
- **해독**: 몸 안에 들어간 독성 물질의 작용을 없앰.
- **항암**: 암세포가 늘어나는 것을 억제하거나 죽임.
- **섭취**: 좋은 요소를 받아들임.
- **소화 흡수율**: 섭취한 음식물 중 영양소가 몸에 흡수되는 비율.

1 핵심어

이 글의 중심이 되는 낱말을 쓰세요.

2 주제

이 글에서 글쓴이가 주장하는 것은 무엇인가요?

① 청국장을 먹지 말아야 한다.
② 발효 식품을 잘 먹어야 한다.
③ 콩은 익혀 먹지 말아야 한다.
④ 물고기의 뼈는 먹지 말아야 한다.
⑤ 외국에서 들어온 음식을 자주 먹어야 한다.

3

보기에서 설명하는 발효 식품은 무엇인지 이 글에서 찾아 쓰세요.

보기
- 사포닌이라는 성분이 들어 있다.
- 콩과 콩 사이에 실 모양의 끈적끈적한 것이 있다.

4

이 글에서 젓갈에 대한 설명으로 알맞은 것은 무엇인가요?

① 외국에서 들어온 음식이다.
② 과일을 젓갈로 담가 저장하기도 한다.
③ 젓갈로 칼슘을 풍부하게 섭취할 수 있다.
④ 재료에 설탕이 배어들게 하는 기술로 만든다.
⑤ 젓갈로 담근 생선은 뼈가 딱딱해서 먹으면 안 된다.

5 다음 중 이 글의 내용을 잘못 이해한 사람은 누구인지 쓰세요.

- 나희: 청국장은 우리 몸을 건강하게 해.
- 지윤: 김치는 우리 고유의 발효 식품이야.
- 진주: 발효 식품을 먹으면 장이 건강해질 거야.
- 윤서: 감자튀김을 먹으면 단백질을 풍부하게 섭취할 수 있어.

6 이 글의 구조를 생각하며, 빈칸에 알맞은 말을 쓰세요.

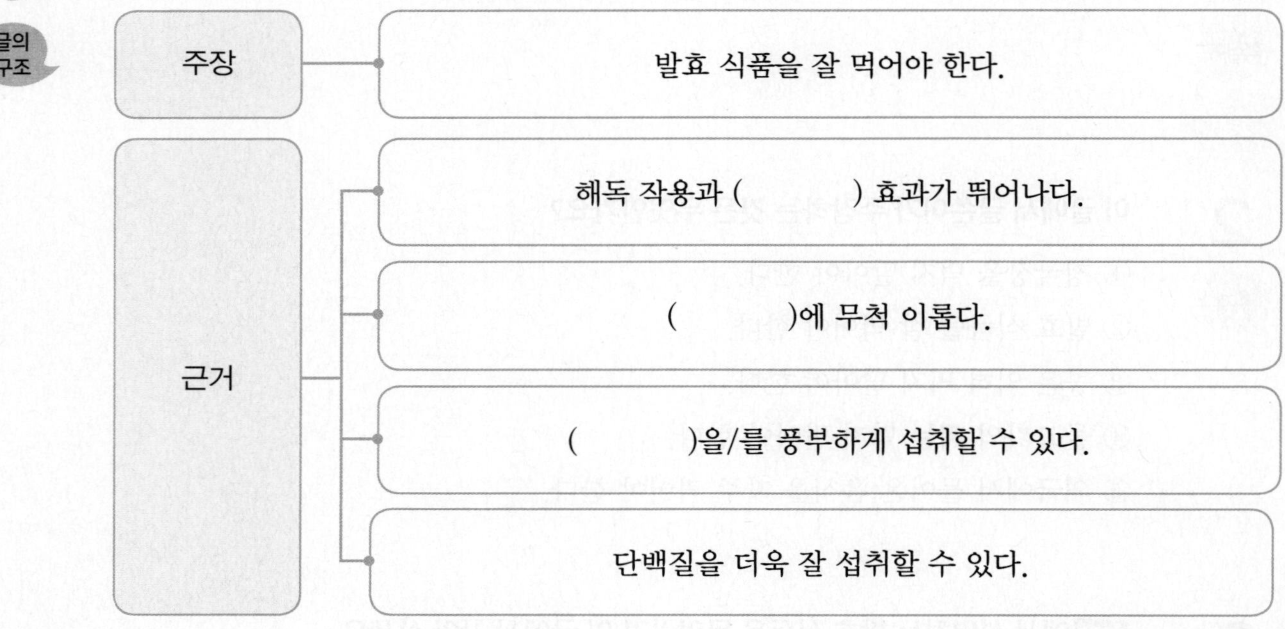

콩의 단백질을 더욱 잘 섭취할 수 있는 방법은 무엇일까요?

어휘·어법 다지기

01 다음 뜻에 알맞은 낱말을 보기 에서 찾아 쓰세요.

보기: 고유 면역력 선호 해독

(1) 본래부터 가지고 있는 특유한 것. ( )

(2) 여럿 가운데서 특별히 가려서 좋아함. ( )

(3) 외부에서 들어온 병원균에 저항하는 힘. ( )

(4) 몸 안에 들어간 독성 물질의 작용을 없앰. ( )

02 다음 문장에 알맞은 낱말을 보기 에서 찾아 쓰세요.

보기: 고유 면역력 선호 섭취

(1) 된장은 우리 ( )의 음식이다.

(2) 몸에 피곤이 쌓이면 ( )이/가 떨어지게 된다.

(3) 건강을 위해서 영양소를 골고루 ( )하는 것이 좋다.

(4) 어머니께서는 마트보다 재래시장에 가는 것을 ( )하신다.

03 보기 를 읽고 다음 문장에 알맞은 낱말을 골라 ○표를 하세요.

보기

'사단'과 '사달'

'사단'은 '사건의 단서나 일의 실마리.'를 뜻하는 것이고, '사달'은 '사고나 탈.'을 뜻하는 순우리말이에요. '결국 (사단 / 사달)이 났다.'에서 바른 낱말은 '사달'입니다. '사달'을 사용해야 할 문장에 '사단'을 잘못 쓰는 경우가 종종 있으니 뜻과 문장을 잘 살펴보고 낱말을 사용해야 해요.

(1) 친구가 욕심을 내서 그 (사단 / 사달)이 난 것이다.

(2) 그가 회사를 무리하게 키운 것이 (사단 / 사달)이 되어 망하게 되었다.

32회

▶ 정답과 해설 44쪽

매일 학습 평가	맞은 문제에 표시해 주세요.					맞은 개수
1 핵심어 □	2 주제 □	3 세부 내용 □	4 세부 내용 □	5 추론 □	6 글의 구조 □	개

스티커를 붙여 주세요

공부한 날 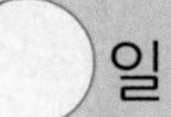 월 일

풍물놀이는 꽹과리, 장구, 북, 징, 소고, 태평소 등을 치거나 불면서 춤추는 종합 예술입니다. 우리 민족은 풍물놀이를 다양한 의식에 사용하며 마을의 ˚안녕과 풍년을 기원하였습니다. 특히 농사가 주업이었던 우리 민족은 농사 과정에서 늘 풍물놀이와 함께하였으므로, 풍물놀이를 '농악'이라고도 불렀습니다. 풍물놀이가 시작되면 사람들은 깃발, 의상, 악기 등을 갖추고 마을을 돌았습니다. 연주하는 악기나 연주자 수는 때에 따라 달라질 수 있습니다. 악기를 더하거나 빼기도 하고 여러 명이 같은 악기를 다루기도 합니다.

풍물놀이가 시작되면 농사가 천하의 큰 근본이라는 뜻인 '농자천하지대본'이 쓰인 큰 깃발을 든 사람이 앞장을 섭니다. 그리고 풍물 판을 이끌어 가는 대장 역할을 하는 '상쇠'가 꽹과리를 치며 풍물패 전체를 이끕니다. 풍물놀이에서 상쇠는 지휘자에 해당하므로, 풍물패는 상쇠의 가락과 동작에 맞추어 놀이를 전개합니다. 상쇠는 주로 바지와 저고리에 청색, 황색, 적색의 3색 띠를 두르고 머리에는 ˚부포 상모를 씁니다.

풍물놀이에 사용되는 악기에는 상쇠가 드는 꽹과리 외에도 태평소, 장구, 북, 징, 소고가 있습니다. 풍물 악기 가운데 유일하게 가락을 연주하는 악기인 태평소는 음악을 화려하게 만드는 역할을 합니다. 태평소는 세로로 부는 관악기로, 나무로 만든 8개의 ˚지공이 있는 긴 관에 갈대를 얇게 가공하여 만든 ˚서를 꽂아서 연주합니다. 타악기인 장구는 허리가 가늘고 잘록한 통의 양쪽에 가죽을 붙인 악기입니다. 오른쪽은 대쪽으로 만든 가는 채로 치고, 왼쪽은 맨손이나 ˚궁굴채를 들고 칩니다. 우리나라의 대표적인 악기로 반주에 널리 쓰입니다. 북은 나무나 쇠붙이로 만든 둥근 통의 양쪽에 가죽을 팽팽하게 씌우고 채로 두드려 소리를 내는 타악기입니다. 징은 놋쇠로 만든 둥근 쟁반 모양의 악기로 왼손에 들거나 틀에 매달아 놓고 둥근 채로 치는 타악기입니다. 음색이 부드럽고 장중한 것이 특징입니다.

또 춤사위를 위주로 소고를 맡아 연주하는 '소고재비'가 있습니다. 소고재비는 고깔이나 상모를 쓰고 춤을 춥니다. 풍물 판을 자유롭게 돌아다니며 춤을 추고 흥을 돋우는 '잡색'도 있습니다. 소고재비와 잡색을 제외한 악기 연주자들은 풍물패 행렬의 앞쪽에 위치해 음악 연주를 담당합니다. 소고재비와 잡색은 이들의 뒤를 따르면서 행렬의 ˚연희적인 역할을 합니다. 소고는 악기이지만 음악적인 역할보다는 멋스러운 움직임을 연출하는 것이 주된 기능이므로 뒤쪽에 위치하는 것입니다.

그리고 풍물놀이와 비슷하지만 조금 다른 '사물놀이'라는 것도 있습니다. 사물놀이는 풍물놀이에서 다시 북, 장구, 징, 꽹과리의 네 악기만 가지고 하는, 풍물놀이를 바탕으로 하면서 조금 더 세련되게 발전한 전통 놀이라고 볼 수 있습니다. 풍물놀이는 야외에서 여러 명이 서서 움직이지만, 사물놀이는 네 명이 실내에 앉아서도 흥을 돋우는 점이 가장 큰 특징입니다.

낱말 뜻 풀이

- **안녕**: 아무 탈 없이 편안함.
- **부포 상모**: 농악대들이 쓰는 벙거지, 또는 벙거지 꼭대기에 길게 늘어뜨린 술.
- **지공**: 소금이나 퉁소 등에 뚫은 구멍.
- **서**: 관악기의 발음원이 되는 얇은 진동판.
- **궁굴채**: 풍물놀이 등에서, 장구를 칠 때에 왼손에 쥐고 장단을 치는 채.
- **연희**: 말과 동작으로 여러 사람 앞에서 재주를 부림.

1 이 글의 제목으로 알맞은 것은 무엇인가요?

① 풍물놀이의 유래
② 사물놀이의 흥겨움
③ 우리나라의 민속놀이
④ 풍물놀이의 구성 요소
⑤ 우리나라의 전통 타악기

2 풍물놀이에 대한 설명으로 알맞지 않은 것은 무엇인가요?

① 풍물놀이는 농악이라고도 불린다.
② 풍물놀이에 참여하는 연주자 수는 정해져 있다.
③ 풍물놀이의 목적은 마을의 안녕과 풍년 기원이다.
④ 풍물놀이는 여러 명이 같은 악기를 다루기도 한다.
⑤ 풍물놀이는 악기를 연주하며 춤추는 종합 예술이다.

3 풍물놀이를 구성하는 요소에 대한 설명으로 알맞지 않은 것은 무엇인가요?

① 징은 음색이 부드럽고 장중한 것이 특징이다.
② 상쇠는 풍물 판을 이끌어 가는 지휘자 역할을 한다.
③ '농자천하지대본'이 쓰인 깃발이 풍물패의 앞에 선다.
④ 장구는 우리나라의 대표적인 악기로 반주에 널리 쓰인다.
⑤ 소고재비는 풍물패 행렬의 앞쪽에서 연희적인 역할을 한다.

33회 ▶ 정답과 해설 46쪽

4 추론

보기의 ㉠~㉤에 제시된 악기의 이름을 쓰세요.

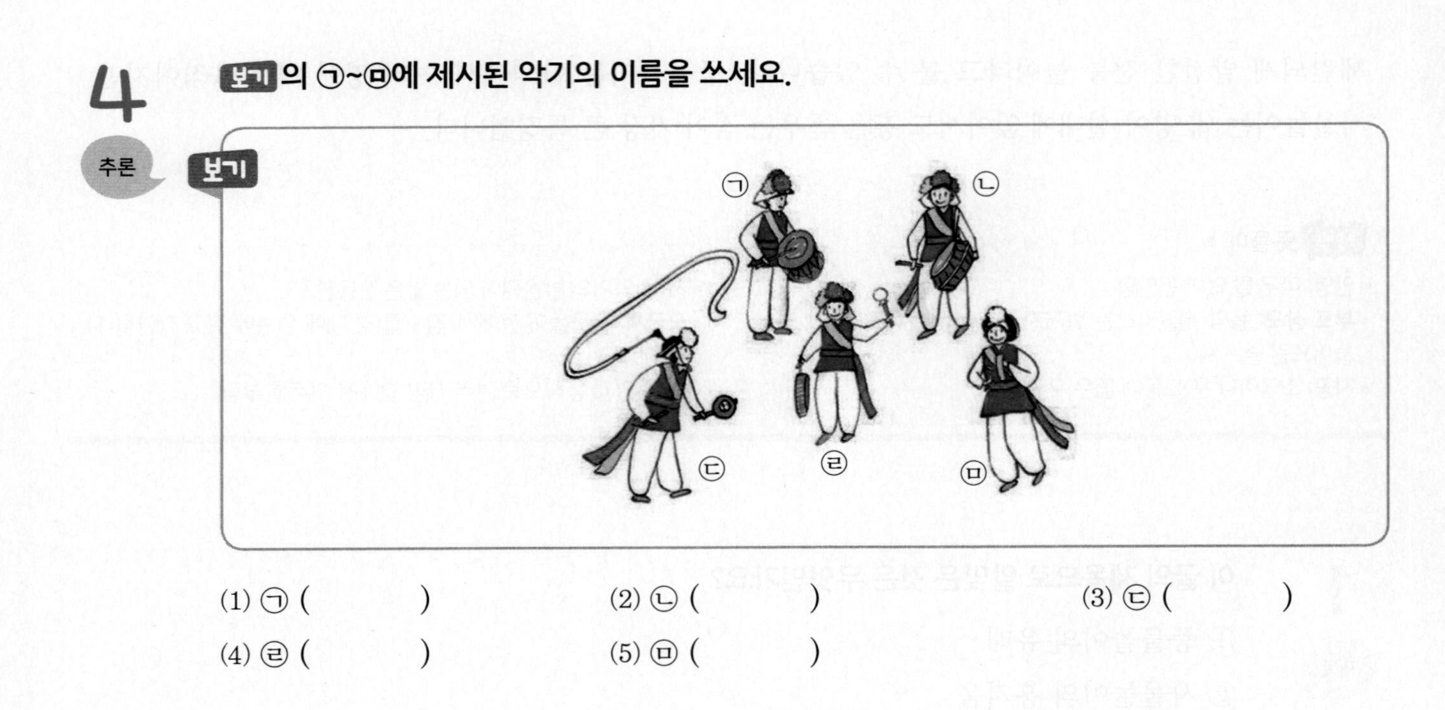

(1) ㉠ (　　　　)　　(2) ㉡ (　　　　)　　(3) ㉢ (　　　　)

(4) ㉣ (　　　　)　　(5) ㉤ (　　　　)

5 글의 구조

이 글의 구조를 생각하며, 빈칸에 알맞은 말을 쓰세요.

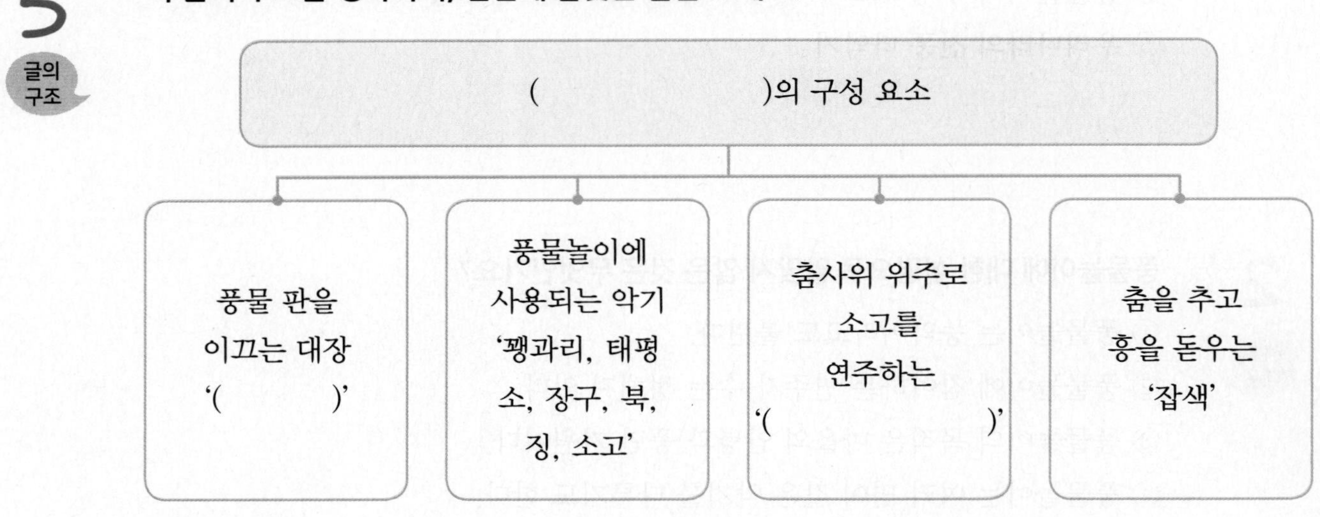

생각 글 쓰기

풍물놀이와 사물놀이의 공통점은 무엇일까요?

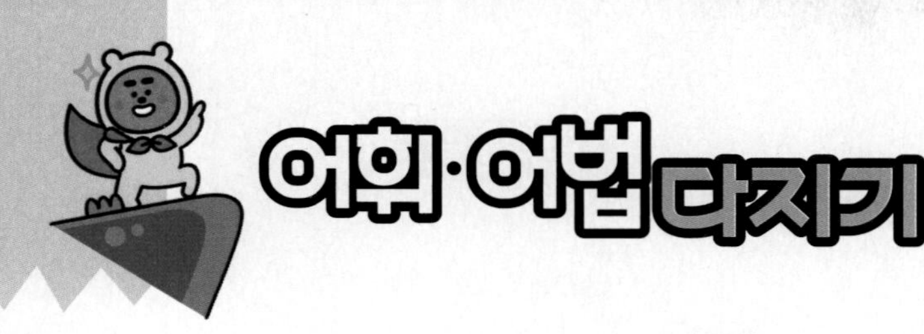

01 다음 뜻에 알맞은 낱말을 선으로 이으세요.

(1) 아무 탈 없이 편안함. • • ㉠ 궁굴채

(2) 소금이나 퉁소 등에 뚫은 구멍. • • ㉡ 안녕

(3) 말과 동작으로 여러 사람 앞에서 재주를 부림. • • ㉢ 연희

(4) 풍물놀이 등에서, 장구를 칠 때에 왼손에 쥐고 장단을 치는 채. • • ㉣ 지공

02 다음 문장에 알맞은 낱말을 보기 에서 찾아 쓰세요.

보기

궁굴채 안녕 연희

(1) 주민들은 마을의 (   )을/를 기원하는 제의를 올렸다.

(2) 오른손에 열채를 쥐고 왼손에 (   )을/를 쥐고 박자를 맞추고 있다.

(3) 민속촌에서 풍물, 땅재주, 줄타기 등의 갖가지 (   )을/를 구경하였다.

03 보기 를 읽고 다음 낱말을 소리 내어 읽고 그 발음을 쓰세요.

보기

• 받침 'ㄺ'이 자음자와 만나면 [ㄱ]만 소리 나는데, 뒤에 'ㄱ'으로 시작하는 말이 붙으면 [ㄹ]로 소리 나요.

예 받침 'ㄺ'+자음자: 굵다[국따], 늙다[늑따]
받침 'ㄺ'+'ㄱ'으로 시작하는 말: 맑기[말끼], 읽기[일끼]

• 받침 'ㄼ'이 말의 끝이나 자음자 앞에 올 때 [ㄹ]로 소리 나지만, 'ㄼ'이 모음자 앞에 올 때에는 [ㄹ]과 [ㅂ]이 모두 소리 나요.

예 받침 'ㄼ'이 말의 끝이나 자음자 앞에 올 때: 넓다[널따], 짧다[짤따]
받침 'ㄼ'이 모음자 앞에 올 때: 넓은[널븐], 짧아[짤바]

(1) 맑다 [   ]　　(2) 밝기 [   ]

(3) 얇아 [   ]　　(4) 여덟 [   ]

33회 ▶ 정답과 해설 46쪽

매일 학습 평가	맞은 문제에 표시해 주세요.				맞은 개수	
1 제목 □	2 세부 내용 □	3 세부 내용 □	4 추론 □	5 글의 구조 □	개	스티커를 붙여 주세요

34회 논설문 | 사회

공부한 날 월 일

우리나라는 민주주의 국가입니다. 민주주의는 국가의 °주권이 국민에게 있고 국민을 위하여 정치를 행하는 제도를 말하고, 선거를 통해서 대표로 일할 사람을 뽑습니다. 이러한 선거는 국민의 뜻이 제대로 정치 과정에 °반영되도록 한다는 점에서 '민주주의의 꽃'이라고도 부릅니다. 선거는 학교에서 학급 회장이나 어린이 회장을 뽑는 것처럼 국민들이 대통령, 국회 의원, 지방 의회 의원, 도지사, 시장, 군수, 구청장 등을 투표로 뽑아서 국민들을 위하여 일하게 하는 것입니다. 이렇게 선거에서 투표를 할 수 있는 사람을 유권자라고 합니다. 모든 유권자가 투표를 하면 좋겠지만 안타깝게도 우리나라의 투표율은 1950년대에는 90퍼센트대 이상 유지했던 것과 달리, 2017년 대통령 선거 77.2퍼센트, 2018년 지방 선거 60.2퍼센트로 높지 않습니다. 투표율을 높이기 위하여 세계 여러 나라들은 '의무 투표제'를 실시하고 있습니다. 투표율이 낮았던 나라들은 이를 실시하여 투표율이 올라갔고, 그 반대로 1993년 의무 투표제를 없앤 베네수엘라는 투표율이 약 30퍼센트 정도 떨어졌습니다. 우리나라도 투표율을 높이기 위해 의무 투표제를 실시하여야 합니다.

의무 투표제는 국민들 모두가 투표에 참여하도록 하여 의견을 들어 보려는 것입니다. 세계 최초로 실시한 호주를 비롯하여 그리스, 벨기에, 브라질, 싱가포르 등 약 30여 개국에서 실시하고 있습니다. 특히 호주는 투표율이 90퍼센트가 넘어 굉장히 높은 비율을 보입니다. 우리나라와 같이 투표율이 낮은 나라의 국민들은 대체로 정치에 무관심하거나 지지하는 후보가 없어 투표를 하지 않는 경우가 많습니다. 하지만 투표율이 낮으면 선거를 통해 대표를 뽑았지만 °정당성을 가질 수 없는 상황이 발생합니다. 예를 들면 투표율이 50퍼센트인 선거에서 50퍼센트의 득표율로 °당선된 사람은 결국 국민 4명 중 1명만 그 사람을 지지하고 다른 3명은 그 사람을 지지하지 않았다고 해석할 수 있고, 따라서 그 당선된 사람이 국민을 대표한다고 하기는 어렵습니다.

또한 투표율이 낮으면 부정적인 일이 생길 수 있습니다. 투표율이 낮은 것을 이용하여 후보자들이 투표에 적극적으로 참여하는 집단과 °결탁할 가능성이 생기는 것입니다. 투표자가 적으면 특정한 세력의 지지만으로도 당선되기 쉬워져 부정 선거로 이어질 위험이 높아집니다. 이러한 문제는 비교적 인구가 적은 농촌 지역에서 후보자가 금품을 제공하다 °적발되는 일들을 보면 알 수 있습니다.

의무 투표제는 타당한 이유 없이 투표를 하지 않을 경우 벌금이나 여러 불이익을 받게 됩니다. 그렇기 때문에 의무 투표제를 실시하면 선거에 대하여 관심을 가질 수밖에 없고, 국민들은 선거와 후보자에 대한 관심이 높아지게 됩니다. 또한 후보자들은 유권자 모두에게 도움이 되는 °정책을 내놓아야 당선 가능성이 높아지므로, 더욱 좋은 정책을 내놓기 위해 노력할 것입니다. 그러면 결국 정책 대결로 이어져 건전한 정치 문화를 만들 수 있게 됩니다.

여러 연구에 의하면 상대적으로 수입이 많고 교육 수준이 높은 유권자의 투표율이 높고 가난하고 소외된 계층은 낮다고 합니다. 의무 투표제로 인하여 소외 계층의 의견을 듣고 그들의 삶의 질이 높아진다면 모든 계층과 집단의 의견이 합쳐져 보다 나은 사회를 만들 수 있을 것입니다. 우리 사회를 위하여 의무 투표제를 실시해야 할 것입니다.

낱말 뜻 풀이

- **주권**: 국가의 의사를 최종적으로 결정하는 권력.
- **반영**: 다른 것에 영향을 받아 어떤 형상이 나타남.
- **정당성**: 일이 이치에 맞아 옳고 정의로운 성질.
- **당선**: 선거에서 뽑힘.
- **결탁**: 주로 나쁜 일을 꾸미려고 서로 짬.
- **적발**: 숨겨져 있는 일이나 드러나지 아니한 것을 들추어 냄.
- **정책**: 정치적 목적을 이루기 위한 방법.

1

핵심어

이 글에서 가장 중요한 낱말은 무엇인가요?

① 결탁　② 참여　③ 무관심
④ 부정 선거　⑤ 의무 투표제

2

이 글에서 글쓴이가 주장하는 것은 무엇인가요?

① 부정 선거를 하지 말자.
② 다른 나라를 본받아야 한다.
③ 의무 투표제를 실시해야 한다.
④ 많은 정책을 세워 투표율을 높여야 한다.
⑤ 투표율을 높이기 위해 교육 수준을 높여야 한다.

34회
▶ 정답과 해설 47쪽

3

이 글에서 우리나라에 대한 설명으로 알맞은 것은 무엇인가요?

① 의무 투표제를 실시하고 있다.
② 투표율은 계속 올라가고 있다.
③ 1950년대에는 투표율이 90퍼센트대 이상이었다.
④ 2018년 지방 선거의 투표율은 80퍼센트대 이상이었다.
⑤ 2017년 대통령 선거보다 2018년 지방 선거 투표율이 더 높다.

'의무 투표제 실시'에 대하여 잘못 이해한 사람은 누구인지 쓰세요.

- 세현: 투표를 하지 않으면 벌금을 내야 할 수도 있어.
- 병준: 모두가 선거에 대하여 관심을 잃어버리게 될 거야.
- 정후: 후보자들은 모두에게 도움이 되는 정책을 내놓게 돼.

5

이 글의 구조를 생각하며, 빈칸에 알맞은 말을 쓰세요.

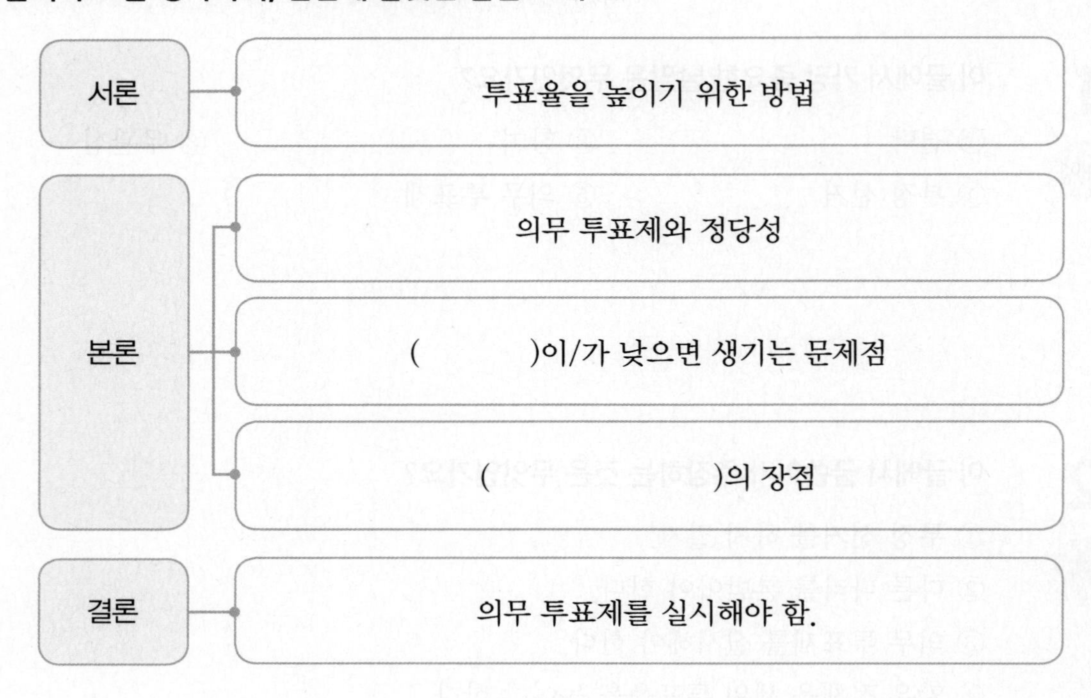

투표율이 낮으면 부정 선거로 이어질 위험이 높아진다고 한 까닭은 무엇인가요?

어휘·어법 다지기

01 다음 낱말에 알맞은 뜻을 찾아 선으로 이으세요.

(1) 결탁 •
(2) 적발 •
(3) 정책 •
(4) 주권 •

• ㉠ 정치적 목적을 이루기 위한 방법.
• ㉡ 주로 나쁜 일을 꾸미려고 서로 짬.
• ㉢ 국가의 의사를 최종적으로 결정하는 권력.
• ㉣ 숨겨져 있는 일이나 드러나지 아니한 것을 들추어 냄.

02 다음 문장에 알맞은 낱말을 보기에서 찾아 쓰세요.

보기 결탁 당선 적발 주권

(1) 나는 전교 어린이 회장에 ( )되었다.
(2) 독립투사들은 우리나라의 ( )을 되찾기 위하여 싸웠다.
(3) 쓰레기를 길에 함부로 버리다 ( )되면 벌금을 물어야 한다.
(4) 뉴스에서 기자는 나쁜 세력과 ( )한 정치인에 대하여 보도하였다.

03 보기를 읽고 다음 문장에 알맞은 낱말을 골라 ○표를 하세요.

보기

'추돌'과 '충돌'

'추돌'은 '자동차나 기차 등이 뒤에서 들이받음.'을 뜻하고, '충돌'은 '서로 맞부딪치거나 맞섬.'을 뜻합니다. 뒤에서 부딪치는 경우에는 '추돌', 정면으로 부딪치는 경우 '충돌'을 씁니다. 비슷해 보이지만 분명하게 구별해서 써야 할 낱말입니다.

(1) 친구와 의견 (추돌 / 충돌)이 생겨서 싸웠다.
(2) 빗물에 미끄러져서 버스가 앞차를 (추돌 / 충돌)했다.

매일 학습 평가 맞은 문제에 표시해 주세요.					맞은 개수
1 핵심어 □	2 주제 □	3 세부 내용 □	4 추론 □	5 글의 구조 □	개

34회

▶ 정답과 해설 47쪽

설명문 | 과학

[과학 6-1] 2. 지구와 달의 운동

공부한 날 월 일

우리는 지구가 돌고 있다는 사실을 알고 있지만, 이를 잘 느끼지 못합니다. 지구가 움직이는 모습을 눈으로 직접 볼 수 없기 때문입니다. 하지만 지구는 우리가 하루라고 부르는 24시간 동안 한 바퀴를 시속 약 1,700킬로미터로 빠르게 돌고 있습니다. 지구의 북극과 남극을 이은 가상의 직선을 지구의 자전축이라고 하는데, 지구는 이 자전축을 중심으로 하루에 한 바퀴씩 서쪽에서 동쪽으로 회전하고 있는 것입니다. 우리는 이를 지구의 자전이라고 부릅니다.

우리는 지구의 자전을 여러 현상을 통해 알 수 있습니다. 우선 지구가 자전하기 때문에 태양, 달 등의 위치가 달라집니다. 하루 동안 태양은 동쪽 하늘에서 보이기 시작해 남쪽 하늘을 지나 서쪽 하늘로 움직이는 것처럼 보입니다. 밤하늘에 떠 있는 달 역시 동쪽 하늘에서 서쪽 하늘로 움직이는 것처럼 보입니다. 지구가 서쪽에서 동쪽으로 자전하기 때문에 태양과 달이 동쪽에서 서쪽으로 움직이는 것처럼 보이는 것입니다. 또 낮과 밤이 생기는 것도 지구의 자전 때문입니다. 지구가 자전하면서 태양 빛을 받는 쪽은 낮이 되고, 태양 빛을 받지 못하는 쪽은 밤이 되는 것입니다. 이 때문에 낮과 밤이 하루에 한 번씩 번갈아 나타납니다.

그렇다면 지구는 자전만 하는 것일까요? 지구는 스스로 회전하는 자전 운동을 하는 동시에 태양 주위를 도는 공전 운동도 합니다. 지구가 태양을 중심으로 일 년에 한 바퀴씩 서쪽에서 동쪽(시계 반대 방향)으로 회전하는 것을 지구의 공전이라고 합니다. 지구의 공전 주기는 365.25일로, 1년을 365일로 정한 것은 이러한 지구의 공전 주기를 기준으로 한 것입니다.

지구가 태양 주위를 공전하기 때문에 계절에 따라 지구의 위치가 달라지고, 지구의 위치에 따라 밤에 보이는 별자리도 다릅니다. 예를 들어 겨울에 오리온자리는 밤에 남쪽 하늘에서 볼 수 있지만, 여름철 대표 별자리인 거문고자리는 태양과 같은 방향에 있어 태양 빛 때문에 볼 수 없습니다. 태양과 같은 방향에 있는 별은 빛에 가려서 볼 수 없고, 태양 반대쪽에 자리 잡은 별자리가 밤하늘에 나타나는 것입니다.

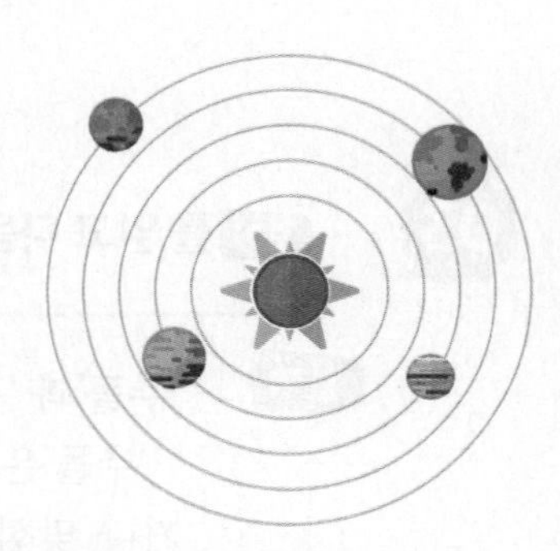

지구의 공전으로 인해 별들이 태양을 기준으로 하루에 약 1도씩 동쪽에서 서쪽으로 이동하여 1년 뒤 원래의 위치로 되돌아오는 것처럼 보이는 별의 연주 운동도 나타나고, 태양이 별자리를 배경으로 하루에 약 1도씩 서쪽에서 동쪽으로 이동하여 1년 뒤 원래의 위치로 되돌아오는 것처럼 보이는 태양의 연주 운동도 나타납니다. 또 지구가 공전하는 위치에 따라 지구에서 보이는 가까운 별의 위치가 멀리 있는 별들을 배경으로 달라 보이기도 합니다.

낱말 뜻 풀이

- **주기**: 같은 현상이나 특징이 한 번 나타나고부터 다음번 되풀이되기까지의 기간.
- **연주 운동**: 지구의 공전 운동 때문에 천체가 1년을 주기로 지구의 둘레를 한 바퀴 도는 것처럼 보이는 현상.

1

제목

이 글의 제목으로 알맞은 것을 빈칸에 쓰세요.

지구의 (　　　　)와/과 (　　　　)

2

세부 내용

이 글의 내용으로 알맞지 않은 것은 무엇인가요?

① 지구의 공전 주기는 365.25일이다.

② 지구는 서쪽에서 동쪽으로 자전한다.

③ 지구가 공전하기 때문에 낮과 밤이 생긴다.

④ 지구가 자전하기 때문에 달의 위치가 달라지는 것처럼 보인다.

⑤ 태양은 하루 동안 동쪽 → 남쪽 → 서쪽으로 움직이는 것처럼 보인다.

3

핵심어

다음 낱말에 알맞은 뜻을 찾아 선으로 이으세요.

(1) 자전축 •　　　• ㉠ 지구의 북극과 남극을 이은 가상의 직선.

(2) 지구의 자전 •　　　• ㉡ 태양을 중심으로 일 년에 한 바퀴씩 서쪽에서 동쪽으로 회전하는 것.

(3) 지구의 공전 •　　　• ㉢ 자전축을 중심으로 하루에 한 바퀴씩 서쪽에서 동쪽으로 회전하는 것.

4

적용

보기 는 지구에 낮과 밤이 생기는 까닭을 알아보는 실험입니다. 이에 대한 설명으로 알맞지 않은 것은 무엇인가요?

보기

① 전구는 태양을 나타낸다.

② 전구의 빛을 받는 쪽이 낮이 된다.

③ 전구의 빛을 받지 못하는 쪽이 밤이 된다.

④ 관측자 모형이 있는 위치는 현재 낮이다.

⑤ 지구 모형은 동쪽에서 서쪽으로 하루에 한 바퀴 회전한다.

35회
▶ 정답과 해설 49쪽

5

다음 중 지구의 공전으로 인해 나타나는 현상을 모두 골라 기호를 쓰세요.

㉠ 태양과 달의 위치가 달라진다.
㉡ 지구의 위치에 따라 밤에 보이는 별자리가 다르다.
㉢ 지구의 위치에 따라 가까운 별의 위치가 달라 보인다.
㉣ 태양이 하루에 약 1도씩 이동하여 1년 뒤 원래 위치로 되돌아온다.

6

이 글의 구조를 생각하며, 빈칸에 알맞은 말을 쓰세요.

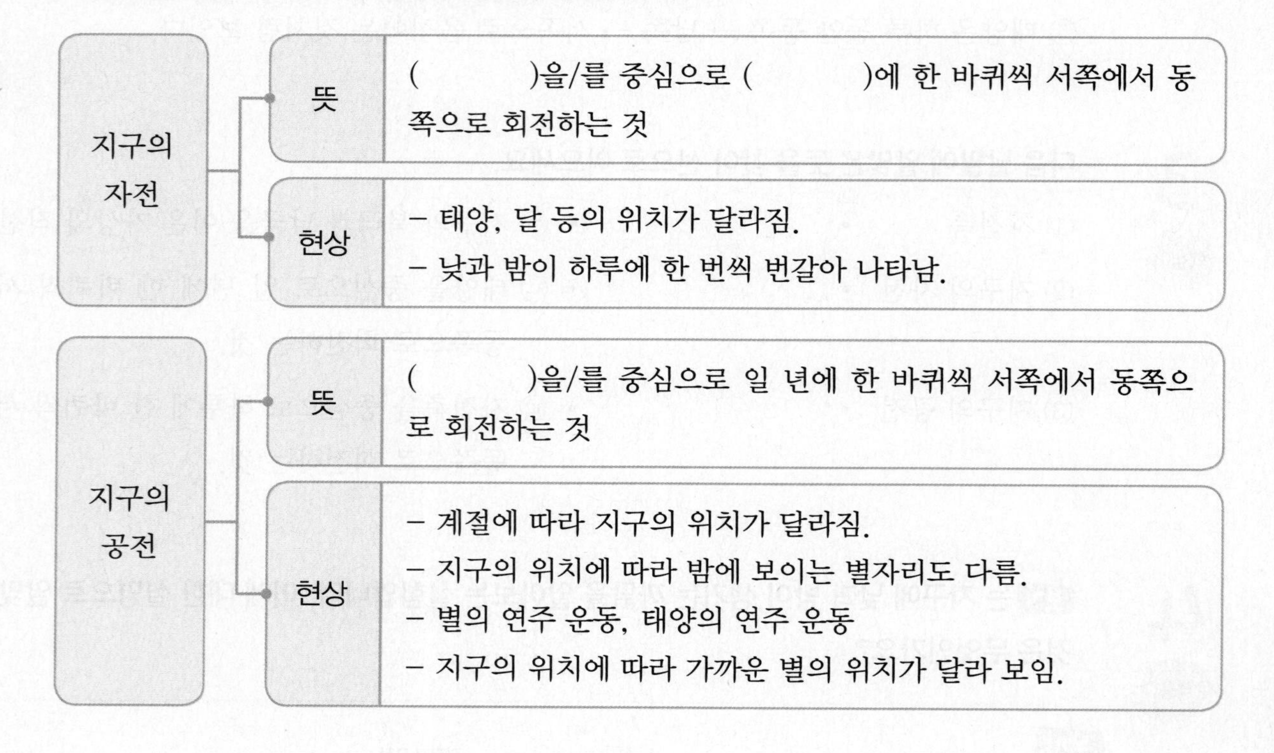

겨울철에 여름철 대표 별자리인 거문고자리를 볼 수 없는 까닭은 무엇일까요?

어휘·어법 다지기

01 다음 뜻에 알맞은 낱말을 보기 에서 찾아 쓰세요.

보기 달 별자리 지구 태양

(1) ( ): 태양계의 중심이 되는 항성으로 에너지와 빛을 방출함.

(2) ( ): 햇빛을 반사하여 밤에 밝은 빛을 내고, 표면에 많은 분화구가 있음.

(3) ( ): 인류가 사는 천체로, 자전 주기는 약 24시간, 공전 주기는 약 365일임.

(4) ( ): 별의 위치를 정하기 위해 밝은 별을 중심으로 천구를 몇 부분으로 나눈 것.

02 다음 문장에 알맞은 낱말을 보기 에서 찾아 쓰세요.

보기 달 별자리 지구 태양

(1) 우주인들이 ( )에 착륙하여 기념사진을 찍었다.

(2) 환경 오염으로 인해 ( ) 온난화가 심각해지고 있다.

(3) ( )이/가 하늘 한가운데로 떠오르자 찜통처럼 더워졌다.

(4) ( )에는 동물, 물건, 신화에 나오는 인물의 이름이 붙여져 있다.

03 보기 를 읽고 다음 주동 표현을 사동 표현으로 바꾸어 쓰세요.

보기 **사동 표현**

주동 표현은 주어가 직접 동작을 하는 것을 나타내는 표현이고, 사동 표현은 주어가 남에게 동작을 하도록 시키는 것을 나타내는 표현이에요. 예를 들어, '송이가 울었다.'는 주동 표현이고, '친구가 송이를 울게 했다.'는 사동 표현이에요.

• 동생이 옷을 입었다. → 누나가 동생에게 옷을 ____________.

35회 ▶ 정답과 해설 49쪽

매일 학습 평가	맞은 문제에 표시해 주세요.					맞은 개수
1 제목 ☐	2 세부 내용 ☐	3 핵심어 ☐	4 적용 ☐	5 세부 내용 ☐	6 글의 구조 ☐	개

횡단보도에 서 있다고 생각해 봅시다. 어떤 표지판을 볼 수 있을까요? 바로 횡단보도를 건너는 사람이 그려진 표지판입니다. 횡단보도 표지판은 운전자와 *보행자를 위하여 두 종류로 되어 있습니다. 빨간 삼각형 속 표지판은 운전자에게 횡단보도가 있으니 주의하라는 것이고, 파란 횡단보도 표지판은 보행자에게 횡단보도를 이용하라는 것으로, 표지판의 그림은 아주 단순하게 되어 있습니다. 이러한 표지판 안의 그림을 픽토그램(Pictogram)이라고 합니다. 픽토그램(Pictogram)은 그림을 뜻하는 픽토(Picto)와 *전보를 뜻하는 텔레그램(Telegram)의 *합성어로 그림 문자입니다. 그렇다면 표지판은 왜 그림으로 이루어져 있는 것이 많을까요?

표지판은 어떠한 사실을 알리기 위하여 일정한 표시를 해 놓은 판을 말합니다. 언어와 국적, 나이에 관계없이 모두가 쉽게 알 수 있는 형태로 되어 있어야 하기 때문에 단순한 그림인 픽토그램을 사용하여 알리는 것입니다. 이렇게 픽토그램이 그려진 표지판은 주로 공공장소에서 많이 볼 수 있습니다. 만약 우리나라에 한국어를 하지 못하는 외국인이 여행을 왔다고 해도 이 픽토그램을 통해 기본적인 것들을 알 수 있게 되는 것입니다.

픽토그램은 사람의 상식, 즉 사람들이 보통 알고 있거나 알아야 하는 지식을 바탕으로 만듭니다. 표지판 외에 올림픽 경기 종목을 나타낼 때도 쓰입니다. 공, 배드민턴 등 그 종목을 알 수 있는 기구나 물건을 이용해 종목별로 특징을 표현하여 전 세계 사람들이 알아볼 수 있도록 디자인하고, 그러한 것이 없는 경우에는 해당 종목의 대표적인 자세를 표현하여 나타내기도 합니다. 또한 우리가 지나다니는 문 위를 보면 비상구를 나타내는 픽토그램을 볼 수 있습니다. 이 그림은 사람이 급히 문을 나가는 모습으로, 항상 불을 켜 두어야 합니다. 만약 건물에 불이 난 경우 밖으로 나갈 수 있는 문을 알리는 역할을 하는 것입니다.

오늘날 픽토그램은 국제표준화기구(ISO, International Standard Organization)가 *표준을 정해 전 세계에서 똑같이 *적용하고 있습니다. 전 세계 사람들 누구나 인정해야 하기 때문에 문화적인 특수성은 제외됩니다. 문화적 특수성이란 어떤 문화가 일반적이고 *보편적인 문화와 다르게 가지고 있는 특수한 성질을 말합니다. 예를 들어 식당의 픽토그램은 포크와 나이프로 표현합니다. 하지만 우리나라는 밥을 먹을 때 주로 수저를 사용하기 때문에 식당의 적절한 픽토그램은 수저가 되어야 한다고 생각할 수 있습니다. 왜 식당의 픽토그램은 수저가 아닐까요? 그것은 특수한 문화로 여겨지므로 인정되지 않은 것입니다. 이는 서구식 양식이 곧 보편적이라는 인식에 *기반한 것입니다. 하지만 버스나 지하철, 택시, 비행기 등 교통수단은 문화적 특수성과 관련이 적어 표지판을 통해 무엇을 뜻하는지 알기 쉽습니다.

서울특별시에서는 2016년 일부 장소에 '보행 중 스마트폰 주의 안내 표지판'을 설치하였습니다. 이렇게 시대의 변화에 따라 표지판이 새로 제작되기도 합니다. 앞으로 또 어떤 픽토그램이 그려진 표지판이 나올까요? 이렇게 픽토그램은 우리에게 편리함을 주고 삶의 모습을 보여 주는 역할을 하며 우리와 떼려야 뗄 수 없는 존재로 자리 잡았습니다.

낱말 뜻 풀이

- **보행자**: 걸어서 길거리를 오가는 사람.
- **전보**: 편지나 소식을 전하는 데 이용한 통신, 통보.
- **합성어**: 둘 이상의 구체적인 대상이나 동작, 상태를 표시하는 말이 합하여 하나의 단어가 된 말.
- **표준**: 사물의 정도나 성격 등을 알기 위한 기준.
- **적용**: 알맞게 이용하거나 맞추어 씀.
- **보편적**: 모든 것에 공통되거나 들어맞는 것.
- **기반**: 기초가 되는 바탕.

1 핵심어

이 글에서 가장 중심이 되는 낱말은 무엇인가요?

① 비상구 ② 올림픽 ③ 교통수단
④ 픽토그램 ⑤ 횡단보도

2 세부 내용

픽토그램에 대한 설명으로 알맞지 않은 것은 무엇인가요?

① 픽토그램은 픽토와 텔레그램의 합성어이다.
② 픽토그램은 사람들의 상식을 바탕으로 만든다.
③ 픽토그램은 올림픽 종목을 나타내는 데 사용된다.
④ 픽토그램은 문화적 특수성을 고려하여 나라마다 다르다.
⑤ 픽토그램은 시대의 변화에 따라 새로 만들어지기도 한다.

36회 ▶ 정답과 해설 50쪽

3 적용

보기의 픽토그램은 올림픽 경기 종목 중 무엇을 나타낸 것인가요?

보기

① 골프
② 농구
③ 사격
④ 육상
⑤ 배드민턴

4 추론

다음 중 이 글의 내용을 잘못 이해한 사람은 누구인지 쓰세요.

- 혜수: 횡단보도 표지판은 보행자와 운전자를 위해 두 종류로 되어 있구나.
- 서우: 표지판은 언어와 국적, 나이에 관계없이 모두가 쉽게 알 수 있는 형태로 되어 있어야 하니까 픽토그램을 사용할 수 없겠어.
- 진석: 수저를 사용하는 우리나라에서 식당의 픽토그램이 포크와 나이프인 것은 픽토그램이 문화의 특수성을 제외하기 때문이었어.

5 글의 구조

이 글의 구조를 생각하며, 빈칸에 알맞은 말을 쓰세요.

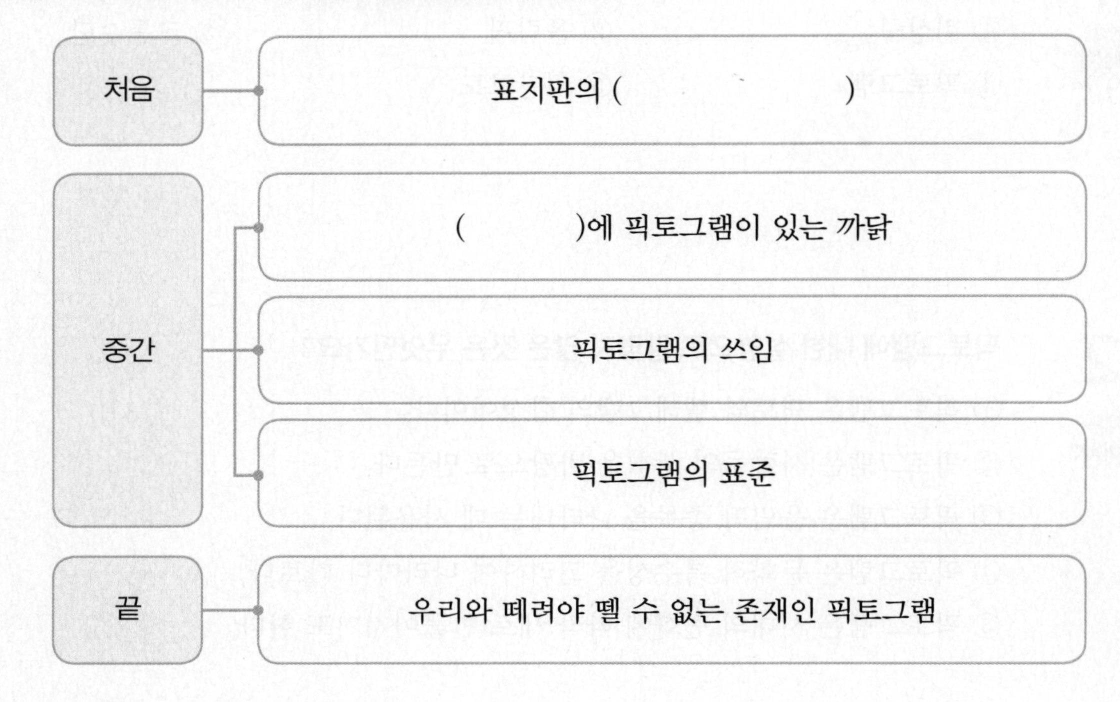

'국제표준화기구(ISO)'가 픽토그램의 표준을 정한 까닭은 무엇일까요?

어휘·어법 다지기

01 다음 뜻에 알맞은 낱말을 **보기** 에서 찾아 쓰세요.

보기 보행자　　보편적　　적용

(1) 걸어서 길거리를 오가는 사람. (　　　　)

(2) 알맞게 이용하거나 맞추어 씀. (　　　　)

(3) 모든 것에 공통되거나 들어맞는 것. (　　　　)

02 다음 문장에 알맞은 낱말을 **보기** 에서 찾아 쓰세요.

보기 보행자　　적용　　표준

(1) 선생님께서는 수업 시간에 새로운 방법을 (　　　　)하여 수업하셨다.

(2) 횡단보도를 건널 때 (　　　　)은/는 신호를 반드시 확인하고 건너야 한다.

(3) 내 짝은 (　　　　) 발음을 꾸준히 연습하여 아나운서가 되고 싶다고 하였다.

03 **보기** 를 읽고 다음 문장에 알맞은 낱말을 골라 ○표를 하세요.

보기 **'곤욕'과 '곤혹'**

'곤욕'은 '심한 모욕이나 참기 힘든 일.'로 남에게 당하는 것을 뜻하고, '곤혹'은 '곤란한 일을 당하여 어찌할 바를 모르는 감정.'으로 스스로 느끼는 것을 뜻해요. 따라서 이러한 차이를 비교하며 뜻에 맞게 구별하여 사용해야 해요.

(1) 수진이는 갑작스러운 질문에 (곤욕 / 곤혹)을 느꼈다.

(2) 바닷가로 가는 길에 차가 밀려 피서객들은 (곤욕 / 곤혹)을 치렀다.

매일 학습 평가 맞은 문제에 표시해 주세요.

1 핵심어	2 세부 내용	3 적용	4 추론	5 글의 구조	맞은 개수
□	□	□	□	□	개

스티커를 붙여 주세요

▶ 정답과 해설 50쪽

37회 설명문 | 과학

공부한 날 월 일

우리는 매일 음식을 먹고 그 음식물을 통해 단백질, 탄수화물, 지방 등 영양소를 얻습니다. 그렇기 때문에 음식은 인간이 살아가는 데 매우 중요하고, 인류 초기부터 현재까지 식량의 양과 인구수는 밀접하게 연관되어 있습니다. 유엔 식량 농업 기구는 2100년까지 아시아와 아프리카의 인구수가 크게 증가할 것이라고 예측하였습니다. 그렇게 되면 식량의 양이 부족하게 되어 인간은 극심한 식량 문제에 빠질 수 있습니다. 또한 계속되고 있는 지구 온난화에 따른 기후 변화는 식량 생산을 더욱 어렵게 만들 가능성이 큽니다. 그래서 생각해 낸 것이 바로 미래 식량입니다. 미래 식량은 어떤 것들이 있는지 살펴보겠습니다.

먼저, 곤충입니다. 곤충은 많은 사람들이 가장 가능성이 있다고 생각하는 미래 식량입니다. 단백질은 인간에게 매우 중요한 영양소인데, 대표적인 단백질 공급원인 소, 돼지, 닭을 사육하는 것에 비하여 곤충을 기르는 것은 물 20퍼센트, 사료는 5퍼센트밖에 들지 않기 때문입니다. 미래 식량으로 적합한 곤충으로 대표적인 것이 갈색거저리 애벌레로, 밀웜(Mealworm)이라고도 부릅니다. 이 곤충은 단백질이 풍부하고 지방과 탄수화물이 포함되어 있으며 건강에 좋은 불포화 지방산도 많이 들어 있습니다. 또한 쌍별귀뚜라미도 탄수화물, 지방, 단백질이 골고루 들어 있으며 비타민D도 풍부합니다. 누에 번데기의 경우, 말려서 가루로 만든 후 면이나 케이크에 넣을 수 있고, 벼메뚜기는 단백질이 풍부하며, 백강잠과 장수풍뎅이 애벌레는 탄수화물, 단백질, 지방, 불포화 지방산, 무기질, 비타민이 풍부합니다. 이러한 곤충을 통해 부족하지 않게 단백질을 얻을 수 있게 되는 것입니다.

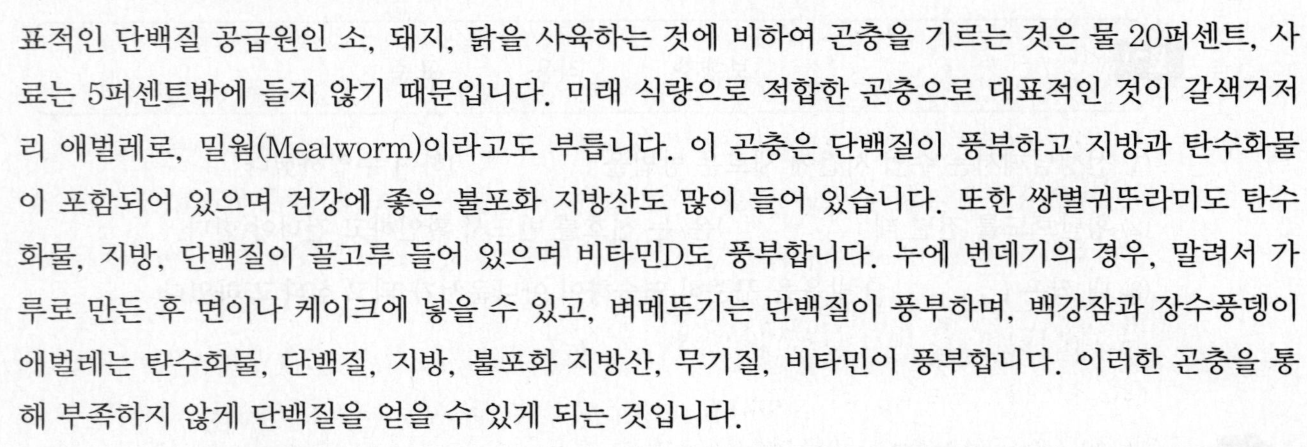

다음은 실험실에서 배양한 시험관 고기입니다. 이것은 2012년 네덜란드의 마크 포스트 교수가 개발한 것으로, 소의 근육에서 줄기세포를 추출하고 이를 수백만 배로 증식하여 고깃덩어리를 얻는 것입니다. 아직은 실험 단계로, 햄버거에 들어가는 고기를 만드는 데에 약 3억 7천만 원이 필요할 정도로 엄청난 비용이 듭니다. 하지만 생산법이 개선되고 대량화된다면 비용은 많이 줄어들 것입니다. 이 방법이 성공한다면 소를 사육하는 것보다 에너지 소모량은 절반, 온실가스 배출량은 10퍼센트 미만, 물 사용량은 5퍼센트, 필요한 땅은 1퍼센트 정도가 될 것입니다. 또한 고기를 얻기 위하여 생명을 죽이지 않아도 되어 주목받는 미래 식량이라고 할 수 있습니다.

이외에도 인공 달걀인 비욘드 에그는 콩 등의 식물성 원료로 만들었기 때문에 콜레스테롤이 없고, 실제 달걀에 비해 생산비는 18퍼센트 적게 듭니다. 또 미래 식량 중 하나인 소일렌트는 완전한 한 끼의 필수 영양소와 에너지를 포함하고 5시간 동안 포만감을 유지할 수 있어 지금도 각광받고 있습니다. 또한 스피룰리나, 클로렐라와 같은 조류에는 비타민, 단백질, 미네랄이 들어 있어 지금도 영양 보충제로 즐겨 먹는 사람들이 있지만 머지않아 미래 식량이 될 가능성이 높습니다.

지구의 자원은 한정되어 있습니다. 그렇기 때문에 인간은 계속해서 미래 식량을 개발하려는 시도를 하고 있습니다. 많은 시간과 노력이 필요하겠지만 환경도 생각하는 미래 식량이 계속 개발된다면 지구와 인간의 미래는 분명 밝을 것입니다.

뜻 풀이

- **식량**: 살아 있기 위하여 필요한 사람의 먹을거리.
- **밀접**: 아주 가깝게 맞닿아 있음.
- **예측**: 미리 헤아려 짐작함.
- **배양**: 인공적인 환경을 만들어 동식물 세포와 조직의 일부나 미생물 등을 가꾸어 기름.
- **증식**: 늘어서 많아짐.
- **포만감**: 넘치도록 가득 차 있는 느낌.
- **각광**: 사회적 관심이나 흥미.
- **시도**: 어떤 것을 이루어 보려고 계획하거나 행동함.

1 이 글에서 중요한 낱말이 아닌 것은 무엇인가요?

핵심어

① 인구수 ② 탄수화물 ③ 기후 변화
④ 미래 식량 ⑤ 지구 온난화

2 이 글에서 곤충을 통해 얻을 수 있는 영양소가 아닌 것은 무엇인가요?

① 지방 ② 칼슘 ③ 단백질
④ 무기질 ⑤ 비타민

3 시험관 고기에 대한 설명으로 알맞은 것은 무엇인가요?

① 소의 뼈에서 추출하여 만든다.
② 2002년 독일 교수가 개발하였다.
③ 생산법이 개선되고 대량화되면 비용은 줄어들 것이다.
④ 소를 사육하는 것보다 필요한 땅은 반 정도 줄어들 것이다.
⑤ 햄버거에 들어가는 고기를 만드는 데에 약 7만 원이 필요하다.

4 보기의 물음에 알맞은 곤충을 이 글에서 찾아 쓰세요.

밀가루처럼 가루로 만들어서 면이나 케이크를 만들 때 넣을 수 있는 곤충은 없을까?

37회 ▶ 정답과 해설 52쪽

다음 중 이 글의 내용을 잘못 이해한 사람은 누구인지 쓰세요.

• 서현: 미래 식량을 먹는 사람은 아직 없어.
• 윤주: 미래 식량으로 인간에게 필요한 영양소를 얻을 수 있어.
• 한수: 지구 온난화를 막지 않으면 식량 생산이 더 어려워질 거야.

6

이 글의 구조를 생각하며, 빈칸에 알맞은 말을 쓰세요.

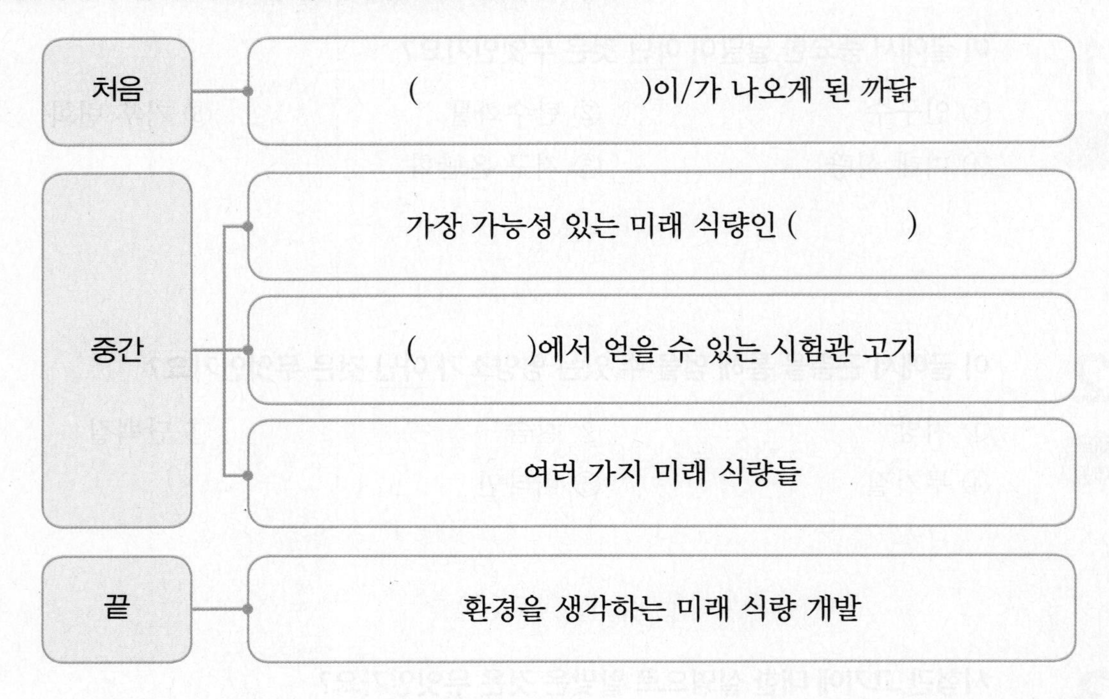

시험관 고기가 환경에 어떤 영향을 미칠 수 있는지 쓰세요.

어휘·어법 다지기

01 다음 낱말에 알맞은 뜻을 찾아 선으로 이으세요.

(1) 각광 •	• ㉠ 미리 헤아려 짐작함.
(2) 식량 •	• ㉡ 사회적 관심이나 흥미.
(3) 예측 •	• ㉢ 넘치도록 가득 차 있는 느낌.
(4) 포만감 •	• ㉣ 살아 있기 위하여 필요한 사람의 먹을거리.

02 다음 문장에 알맞은 낱말을 보기 에서 찾아 쓰세요.

보기
배양 식량 예측 포만감

(1) 이번 선거는 ( )하기가 힘들다.

(2) 세균을 ( )하는 실험은 항상 주의해야 한다.

(3) 나는 저녁에 밥 두 그릇을 먹고 ( )을 느꼈다.

(4) 아프리카에는 ( )이 부족하여 많은 문제들이 일어나고 있다.

03 보기 를 읽고 밑줄 친 부분이 피동 표현이 아닌 것을 고르세요.

보기

'토끼가 사냥꾼에게 잡혔다.'

위의 문장과 같이 주어인 '토끼'가 사냥꾼에 의해 '잡혔다'는 동작을 하게 되는 것을 '피동 표현'이라고 해요. 그와 반대인 표현으로는 '능동 표현'이 있는데, 바꾸어 보면 '사냥꾼이 토끼를 잡았다.'가 돼요. 이는 주어인 '사냥꾼'이 자신의 힘으로 '잡았다'는 동작을 나타내요.

① 은지가 벌레에 물렸다.
② 고양이가 쥐를 잡았다.
③ 나뭇가지가 바람에 꺾였다.
④ 바람 때문에 치마가 뒤집혔다.
⑤ 이 책은 수많은 사람들에게 읽혔다.

37회

▶ 정답과 해설 52쪽

매일 학습 평가	맞은 문제에 표시해 주세요.					맞은 개수
1 핵심어 □	2 세부 내용 □	3 세부 내용 □	4 적용 □	5 추론 □	6 글의 구조 □	개

서시

죽는 날까지 하늘을 °우러러
한 점 부끄럼이 없기를,
°잎새에 이는 바람에도
나는 괴로워했다.
별을 노래하는 마음으로
모든 죽어 가는 것을 사랑해야지.
그리고 나한테 °주어진 길을
걸어가야겠다.

오늘 밤에도 별이 바람에 °스치운다.

– 윤동주

- **우러러**: 위를 향하여 고개를 정중히 쳐들어.
- **잎새**: 나무의 잎사귀.
- **주어진**: 일, 환경, 조건 등이 갖추어지거나 제시된.
- **스치운다**: 서로 살짝 닿으면서 지나간다.

1 이 시는 몇 연 몇 행으로 이루어져 있는지 쓰세요.

2 이 시의 말하는 이에 대한 설명으로 알맞은 것은 무엇인가요?

① 과거의 삶을 그리워하고 있다.
② 밝고 희망찬 미래를 확신하고 있다.
③ 헛된 꿈을 꾸며 현실을 도피하고 있다.
④ 자신이 처한 현실을 부정적으로 인식하고 있다.
⑤ 현실을 극복하기 위해 다른 사람에게 의존하고 있다.

3 이 시에서 말하는 이가 처한 '어두운 현실'을 뜻하는 시어는 무엇인가요?

① 하늘 ② 잎새 ③ 길
④ 별 ⑤ 밤

4 이 시에 대한 설명으로 알맞지 <u>않은</u> 것은 무엇인가요?

① 말하는 이가 겉으로 드러나 있다.
② '과거-미래-현재'의 순서로 전개되고 있다.
③ 평소에 사용하는 쉬운 낱말을 사용하고 있다.
④ 사람이 아닌 것을 사람으로 나타내어 표현하고 있다.
⑤ 반대되는 뜻을 가진 시어를 사용하여 주제를 강조하고 있다.

5 이 시의 주제로 알맞은 것은 무엇인가요?

주제

① 상처를 극복한 내면의 아름다움
② 부끄러움 없는 삶에 대한 소망과 의지
③ 꿈을 갖고 목표를 추구해야 할 청년의 자세
④ 어려운 이웃과 더불어 따뜻한 삶을 살고 싶은 소망
⑤ 언제나 새로운 마음으로 인생을 살아가고자 하는 의지

38회
▶ 정답과 해설 53쪽

6 보기를 읽고 이 시에 대한 설명으로 알맞지 않은 것을 고르세요.

이 시를 지은 윤동주가 대학에 다녔을 때는 일제가 우리 민족을 더욱 힘든 상태로 몰아넣던 때였습니다. 그래서 윤동주는 일제에 저항하는 시를 썼습니다. 그는 민족이 처한 힘든 현실에 몸부림치는 과정을 겪으며 자신의 시 세계를 만들어 갔습니다.

① 당시의 어두운 시대 현실이 시에 드러나 있다.
② 일제 강점기에 시인이 겪었던 고민이 표현되어 있다.
③ 일제의 탄압에 직접 맞서 싸우는 시인의 모습이 나타나 있다.
④ 이 시를 쓸 때에 시인이 느꼈던 갈등이 직접적으로 나타나 있다.
⑤ 말하는 이가 소망하는 삶을 통해 시인의 생각을 짐작해 볼 수 있다.

7 이 시의 구조를 생각하며, 빈칸에 알맞은 말을 쓰세요.

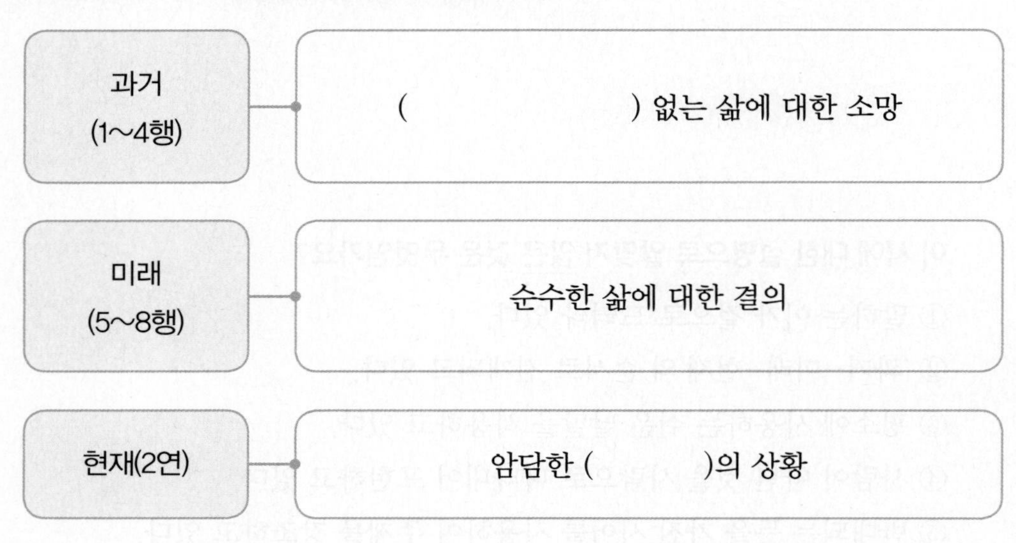

생각 글 쓰기

이 시에서 자신이 처한 현실에 대한 말하는 이의 태도는 어떠한가요?

어휘·어법 다지기

01 **다음 뜻에 알맞은 낱말을 찾아 선으로 이으세요.**

(1) 나무의 잎사귀. •	• ㉠ 스치다
(2) 서로 살짝 닿으면서 지나가다. •	• ㉡ 잎새
(3) 일, 환경, 조건 등이 갖추어지거나 제시되다. •	• ㉢ 주어지다

02 **다음 문장에서 '별'이 사용된 뜻을 보기에서 골라 기호를 쓰세요.**

보기
별
㉠ 빛을 관측할 수 있는 천체 가운데 성운처럼 퍼지는 모양을 가진 천체를 제외한 모든 천체.
㉡ 위대한 업적을 남긴 대가를 비유적으로 이르는 말.
㉢ 머리를 세게 얻어맞거나 부딪쳤을 때 또는 현기증 등이 날 때에 눈앞에서 불꽃처럼 어른거리는 것.

(1) 어제 문학계의 큰 별이 졌다. (　　　)

(2) 오늘 밤 하늘은 유난히도 별이 반짝인다. (　　　)

(3) 상대 선수의 주먹이 내 얼굴을 강타하자 눈앞에 별이 보였다. (　　　)

03 **보기를 읽고 다음 문장에 알맞은 낱말을 골라 ○표를 하세요.**

보기
'결합'과 '조합'
'결합'은 '둘 이상의 사물이나 사람이 서로 관계를 맺어 하나가 되는 것.'을 뜻하는 낱말입니다. 그리고 '조합'은 '여럿을 한데 모아 한 덩어리로 짬.'을 뜻하는 낱말이지요.

(1) 물은 산소와 수소의 (결합 / 조합)으로 이루어진다.

(2) 여러 개의 부품들을 (결합 / 조합)하여 시계 하나를 완성했다.

매일 학습 평가 맞은 문제에 표시해 주세요.

1 전개 방식	2 화자	3 시어의 의미	4 표현	5 주제	6 감상	7 글의 구조	맞은 개수
□	□	□	□	□	□	□	개

38회

▼ 정답과 해설 53쪽

39회

문학 | 일기

공부한 날 ( )월 ( )일

가 을미년(1595년) 7월

1일 잠깐 비가 내렸다. 나라 제삿날이라 *공무를 보지 않고 홀로 누대에 기대고 있었다. 내일은 돌아가신 부친의 생신인데, 슬픔과 그리움을 가슴에 품고 생각하니, 나도 모르게 눈물이 떨어졌다. 나라의 *정세를 생각하니, 위태롭기가 아침 이슬과 같다. 안으로는 정책을 결정할 *동량(棟樑) 같은 인재가 없고, 밖으로는 나라를 바로잡을 주춧돌 같은 인물이 없으니, 종묘사직이 마침내 어떻게 될 것인지 알지 못하겠다. 마음이 어지러워서 하루 내내 뒤척거렸다.

나 3일 맑음. 아침에 충청 수사에게로 가서 문병하니 많이 나았다고 한다. 늦게 경상 수사가 이곳에 와서 서로 이야기한 뒤에 활 열 순을 쏘았다. 이경에 탐후선이 들어왔는데, 어머니께서 평안하시긴 하나 밥맛이 쓰시다고 한다. 매우 걱정이다.

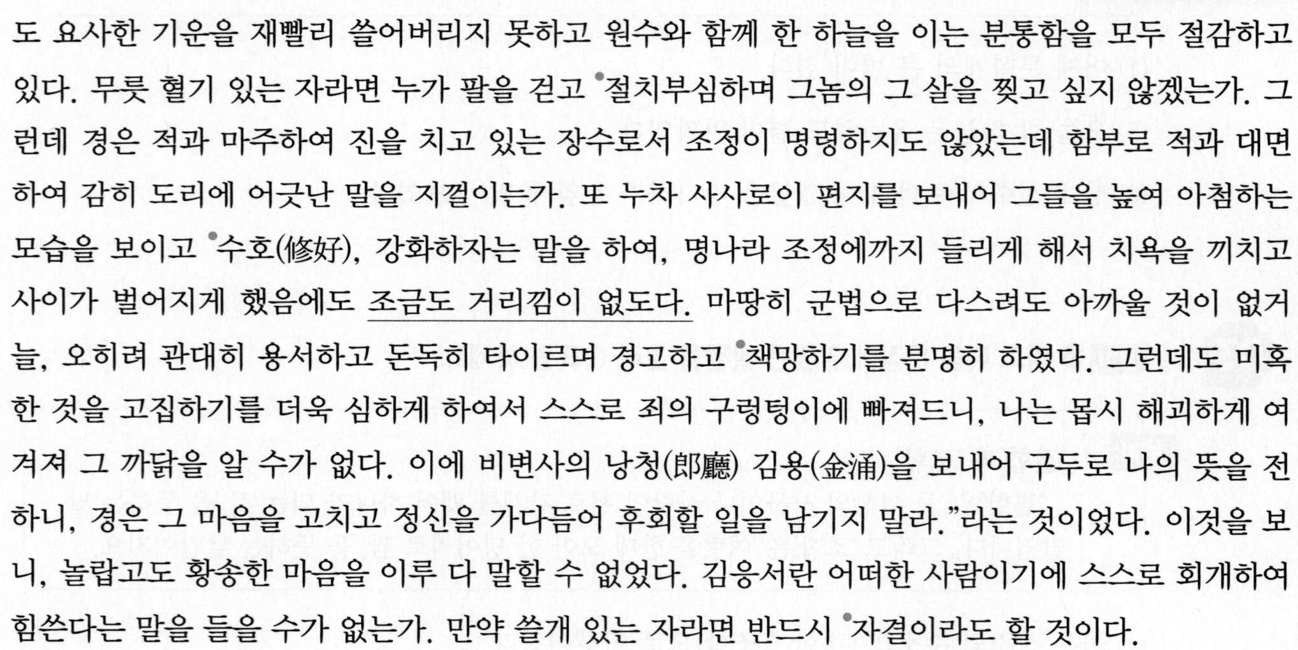

다 7일 흐리되 비는 오지 않았다. 경상 수사, 두 *조방장과 충청 수사가 왔다. 방답 첨사, 사도 첨사 등에게 편을 갈라 활을 쏘게 했다. 경상 우병사[김응서(金應瑞)]에게 유지가 왔는데, "나라의 재앙이 참혹하고 원수가 *사직(社稷)에 남아 있어서 귀신의 부끄러움과 사람의 원통함이 온 천지에 사무쳤건만, 아직도 요사한 기운을 재빨리 쓸어버리지 못하고 원수와 함께 한 하늘을 이는 분통함을 모두 절감하고 있다. 무릇 혈기 있는 자라면 누가 팔을 걷고 *절치부심하며 그놈의 그 살을 찢고 싶지 않겠는가. 그런데 경은 적과 마주하여 진을 치고 있는 장수로서 조정이 명령하지도 않았는데 함부로 적과 대면하여 감히 도리에 어긋난 말을 지껄이는가. 또 누차 사사로이 편지를 보내어 그들을 높여 아첨하는 모습을 보이고 *수호(修好), 강화하자는 말을 하여, 명나라 조정에까지 들리게 해서 치욕을 끼치고 사이가 벌어지게 했음에도 조금도 거리낌이 없도다. 마땅히 군법으로 다스려도 아까울 것이 없거늘, 오히려 관대히 용서하고 돈독히 타이르며 경고하고 *책망하기를 분명히 하였다. 그런데도 미혹한 것을 고집하기를 더욱 심하게 하여서 스스로 죄의 구렁텅이에 빠져드니, 나는 몹시 해괴하게 여겨져 그 까닭을 알 수가 없다. 이에 비변사의 낭청(郎廳) 김용(金涌)을 보내어 구두로 나의 뜻을 전하니, 경은 그 마음을 고치고 정신을 가다듬어 후회할 일을 남기지 말라."라는 것이었다. 이것을 보니, 놀랍고도 황송한 마음을 이루 다 말할 수 없었다. 김응서란 어떠한 사람이기에 스스로 회개하여 힘쓴다는 말을 들을 수가 없는가. 만약 쓸개 있는 자라면 반드시 *자결이라도 할 것이다.

– 이순신, 「난중일기」

낱말 뜻풀이

- **공무**: 국가나 공공 단체의 일.
- **정세**: 일이 되어 가는 형편.
- **동량**: 기둥과 들보를 아울러 이르는 말.
- **조방장**: 주장을 도와 적의 침입을 방어하는 장수.
- **사직**: 나라 또는 조정을 이르는 말.
- **절치부심**: 몹시 분하여 이를 갈며 속을 썩임.
- **수호**: 나라와 나라가 서로 사이좋게 지냄.
- **책망**: 잘못을 나무라며 못마땅하게 여김.
- **자결**: 불의에 대하여 일으키는 분노를 참지 못하거나 신념을 지키기 위해 스스로 목숨을 끊음.

1 전개

이 글의 종류는 무엇인가요?

① 시　② 기사문　③ 논설문
④ 설명문　⑤ 일기문

2

㉮에서 글쓴이의 마음이 어지러운 까닭으로 알맞지 않은 것의 기호를 쓰세요.

㉠ 나라의 정세가 위태롭기 때문이다. ㉡ 안으로 정책을 결정할 인재가 없기 때문이다. ㉢ 밖으로 나라를 바로잡을 인물이 없기 때문이다. ㉣ 종묘사직이 어떻게 될 것인지 알 수 있기 때문이다.

3

㉯에서 글쓴이가 걱정하는 것은 무엇인가요?

① 활 열 순을 쏜 것
② 어머니께서 평안하신 것
③ 경상 수사와 이야기를 한 것
④ 어머니께서 밥맛이 쓰다고 하신 것
⑤ 충청 수사를 문병하니 나았다고 한 것

4

㉰에서 밑줄 친 '조금도 거리낌이 없도다.'의 뜻은 무엇인가요?

① 잘못을 전혀 하지 않았다.
② 잘못에 대하여 책임이 없다.
③ 잘못에 대한 뉘우침이 없다.
④ 잘못에 대하여 뉘우치고 있다.
⑤ 조금은 잘못을 인정하고 있다.

39회 ▶ 정답과 해설 54쪽

5

표현

이 글에 대한 설명으로 알맞지 않은 것은 무엇인가요?

① 글쓴이의 감정이 나타나 있다.
② 각 날짜 옆에 날씨가 쓰여 있다.
③ 군대에서 사용하는 말이 나타나 있다.
④ 나라의 정세에 대한 걱정이 드러나 있다.
⑤ 글쓴이가 자식을 사랑하는 마음이 나타나 있다.

6

이 글의 구조를 생각하며, 빈칸에 알맞은 말을 쓰세요.

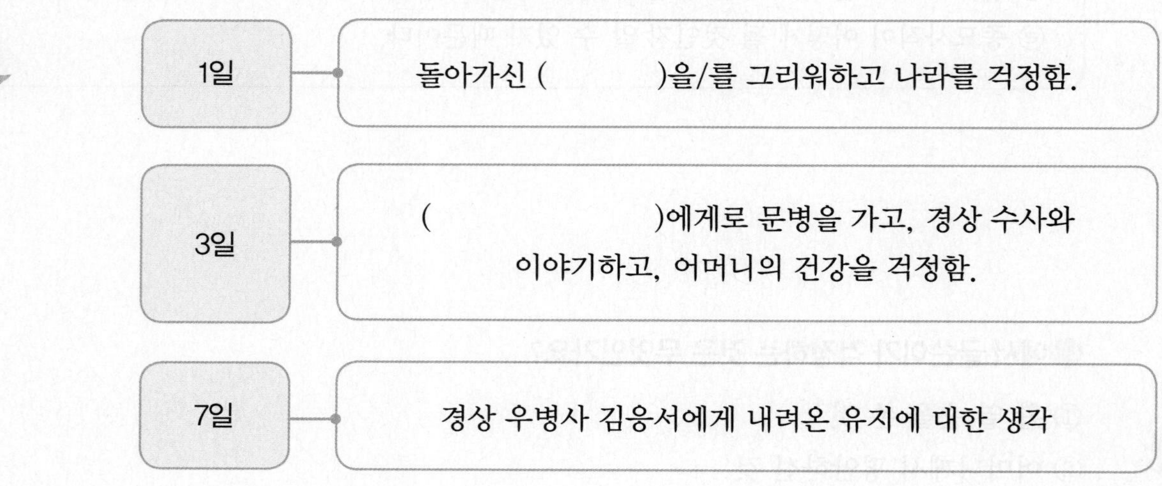

생각 글 쓰기

이 글을 쓴 사람은 충무공 이순신입니다. 글쓴이에 대하여 느낀 점을 쓰세요.

어휘·어법 다지기

01 다음 뜻에 알맞은 낱말을 보기에서 찾아 쓰세요.

보기: 공무 사직 정세 책망

(1) 일이 되어가는 형편. ( )

(2) 국가나 공공 단체의 일. ( )

(3) 나라 또는 조정을 이르는 말. ( )

(4) 잘못을 나무라며 못마땅하게 여김. ( )

02 다음 문장에 알맞은 낱말을 보기에서 찾아 쓰세요.

보기: 사직 정세 책망

(1) 국내 ( )이/가 불안하면 사회가 어수선해진다.

(2) 선생님께서는 숙제를 하지 않은 나를 ( )하셨다.

(3) 외세의 간섭은 종묘와 ( )을/를 위태롭게 하였다.

03 보기를 읽고 다음 문장에 알맞은 낱말을 골라 ○표를 하세요.

보기
'삭이다'와 '삭히다'
'삭이다'는 '긴장이나 화가 풀려 마음이 가라앉다.'를 뜻하는 것이고, '삭히다'는 '김치나 젓갈 등의 음식물이 발효되어 맛이 들다.'를 뜻해요. '김치를 (삭인다 / 삭힌다).'에서 바른 표현은 '삭힌다'예요. 문장의 뜻에 맞게 잘 사용해야 해요.

(1) 아무리 화를 참으려고 해도 화를 (삭일 / 삭힐) 수가 없다.

(2) 할아버지께서는 멸치젓은 잘 (삭여야 / 삭혀야) 맛있다고 하셨다.

매일 학습 평가	맞은 문제에 표시해 주세요.					맞은 개수
1 전개 ☐	2 세부 내용 ☐	3 세부 내용 ☐	4 추론 ☐	5 표현 ☐	6 글의 구조 ☐	개

스티커를 붙여 주세요

39회 ▶ 정답과 해설 54쪽

40회

문학 | 소설

[국어 6-1 (가)] 2. 이야기를 간추려요

공부한 날 ( )월 ( )일

소년은 개울가에서 소녀를 보자 곧 윤 초시네 *증손녀라는 걸 알 수 있었다. 소녀는 개울에다 손을 잠그고 물장난을 하고 있는 것이다. 서울서는 이런 개울물을 보지 못하기나 한 듯이.

벌써 며칠째 소녀는 학교에서 돌아오는 길에 물장난이었다. 그런데 어제까지는 개울 기슭에서 하더니 오늘은 징검다리 한가운데 앉아서 하고 있다.

소년은 개울둑에 앉아 버렸다. 소녀가 비키기를 기다리자는 것이다.

요행 지나가는 사람이 있어, 소녀가 길을 비켜 주었다.

다음 날은 좀 늦게 개울가로 나왔다. / 이날은 소녀가 징검다리 한가운데 앉아 세수를 하고 있었다. 분홍 스웨터 소매를 걷어 올린 팔과 목덜미가 마냥 희었다.

한참 세수를 하고 나더니 이번에는 물속을 빤히 들여다본다. 얼굴이라도 비추어 보는 것이리라. 갑자기 물을 움켜 낸다. 고기 새끼라도 지나가는 듯.

소녀는 소년이 개울둑에 앉아 있는 걸 아는지 모르는지 그냥 날쌔게 물만 움켜 낸다. 그러나 번번이 *허탕이다. 그래도 재미있는 양, 자꾸 물만 움킨다. 어제처럼 개울을 건너는 사람이 있어야 길을 비킬 모양이다.

그러다가 소녀가 물속에서 무엇을 하나 집어낸다. 하얀 조약돌이었다. 그러고는 벌떡 일어나 팔짝팔짝 징검다리를 뛰어 건너간다.

다 건너가더니만 홱 이리로 돌아서며, / "이 바보."

㉠조약돌이 날아왔다. / 소년은 저도 모르게 벌떡 일어섰다.

단발머리를 나풀거리며 소녀가 막 달린다. *갈밭 사잇길로 들어섰다. 뒤에는 청량한 가을 햇살 아래 빛나는 갈꽃뿐.

이제 저쯤 갈밭머리로 소녀가 나타나리라. 꽤 오랜 시간이 지났다고 생각됐다. 그런데도 소녀는 나타나지 않는다. 발돋움을 했다. 그러고도 상당한 시간이 지났다고 생각됐다.

저쪽 갈밭머리에서 갈꽃이 한 옴큼 움직였다. 소녀가 갈꽃을 안고 있었다. 그리고 이제는 천천한 걸음이었다. 유난히 맑은 가을 햇살이 소녀의 갈꽃머리에서 반짝거렸다. 소녀 아닌 갈꽃이 들길을 걸어가는 것만 같았다.

[중간 부분 줄거리] 소녀의 제안으로 산에 놀러 간 소년과 소녀는 꽃묶음을 만들기도 하고, 송아지를 타기도 하며 재미있게 논다. 그러던 중 소나기가 내리고, 두 사람은 수숫단 속에서 비를 피한다.

소란하던 수숫잎 소리가 뚝 그쳤다. 밖이 멀게졌다.

수숫단 속을 벗어 나왔다. 멀지 않은 앞쪽에 햇빛이 눈부시게 내리붓고 있었다. 도랑 있는 곳까지 와 보니, 엄청나게 물이 불어 있었다. 빛마저 제법 붉은 흙탕물이었다. 뛰어 건널 수가 없었다.

소년이 등을 돌려 댔다. 소녀가 순순히 업히었다. 걷어 올린 소년의 *잠방이까지 물이 올라왔다. 소녀는 "어머나!" 소리를 지르며 소년의 목을 끌어안았다.

개울가에 다다르기 전에, 가을 하늘은 언제 그랬는가 싶게 구름 한 점 없이 *쪽빛으로 개어 있었다.

– 황순원, 「소나기」

낱말 뜻 풀이

- **증손녀**: 손자의 딸. 또는 아들의 손녀.
- **허탕**: 어떤 일을 시도하였다가 아무 소득이 없이 일을 끝냄.
- **갈밭**: 갈대가 우거진 곳.
- **잠방이**: 가랑이가 무릎까지 내려오도록 짧게 만든 홑바지.
- **쪽빛**: 남빛(짙은 푸른 빛).

1

배경

이 글의 시간적 배경과 공간적 배경을 쓰세요.

(1) 시간적 배경:

(2) 공간적 배경:

2

표현

이 글에 대한 설명으로 알맞지 않은 것은 무엇인가요?

① 계절적 배경이 직접 제시되어 있다.

② 대체로 간결한 문장으로 서술하고 있다.

③ 행동을 통해 인물의 심리를 나타내고 있다.

④ 소년과 소녀의 순수한 사랑을 다루고 있다.

⑤ 과거와 현재를 교차하면서 사건을 전개하고 있다.

3

㉠이 나타내는 뜻은 무엇인가요?

① 비극적 결말의 원인

② 소극적인 소년의 모습

③ 소년에 대한 소녀의 관심

④ 계절감을 드러내는 자연물

⑤ 소년과의 만남을 회피하려는 소녀의 마음

4

인물

이 글에서 알 수 있는 소녀의 성격으로 알맞은 것은 무엇인가요?

① 게으르다　② 상냥하다　③ 소심하다

④ 부지런하다　⑤ 적극적이다

40회 ▶ 정답과 해설 55쪽

5 보기 는 이 글의 결말입니다. 이에 대한 설명으로 알맞지 않은 것은 무엇인가요?

보기

"이번 앤 꽤 여러 날 앓는 걸 약도 변변히 못 써 봤다더군. 지금 같아선 윤 초시네도 대가 끊긴 셈이지……. 그런데 참, 이번 계집앤 어린것이 여간 잔망스럽지가 않아. 글쎄, 죽기 전에 이런 말을 했다지 않아? 자기가 죽거든 자기 입던 옷을 꼭 그대로 입혀서 묻어 달라고……."

① 대화를 통해 소녀의 죽음을 전달하고 있다.
② 소녀의 죽음에 대한 소년의 감정이 직접적으로 드러나 있다.
③ 말줄임표를 통해 여운을 느끼게 하여 독자의 감성을 자극하고 있다.
④ 비극적인 결말이 소년과 소녀의 순수한 사랑을 돋보이게 하고 있다.
⑤ 소년과의 추억을 소중하게 간직하고 싶은 소녀의 마음을 엿볼 수 있다.

6 이 글의 흐름을 생각하며, 빈칸에 알맞은 말을 쓰세요.

(　　　　)에서 소년과 소녀가 서로에게 관심을 가짐.

↓

소년과 소녀가 산에서 함께 놀다 소나기를 만남.

↓

소나기에 불어 있는 흙탕물을 소년이 (　　　　)을/를 업고 건넘.

소녀가 징검다리 한가운데 앉아서 물장난이나 세수를 한 까닭은 무엇일까요?

어휘·어법 다지기

01 **다음 뜻에 알맞은 낱말을 찾아 선으로 이으세요.**

(1) 갈대가 우거진 곳. • • ㉠ 갈밭

(2) 손자의 딸. 또는 아들의 손녀. • • ㉡ 잠방이

(3) 가랑이가 무릎까지 내려오도록 짧게 만든 홑바지. • • ㉢ 증손녀

(4) 어떤 일을 시도하였다가 아무 소득이 없이 일을 끝냄. • • ㉣ 허탕

02 **다음 문장에 알맞은 낱말을 보기 에서 찾아 쓰세요.**

보기
갈밭 잠방이 쪽빛 허탕

(1) 삼베 (   )이/가 여름에는 시원해서 좋다.

(2) 끝없이 펼쳐진 (   ) 사이로 바람이 불어온다.

(3) 저 멀리 남쪽으로는 (   ) 바다가 펼쳐져 있었다.

(4) 아이돌 가수를 보러 갔는데 사람들이 너무 많아서 (   )만 치고 왔다.

03 **다음 상황에 어울리는 속담을 보기 에서 찾아 기호를 쓰세요.**

보기
㉠ 가는 날이 장날 ㉡ 강 건너 불구경 ㉢ 쥐구멍에도 볕 들 날 있다

(1) 수지에게 어려운 일이 생겼지만 친구들은 신경 쓰지 않았다. (   )

(2) 윤지는 여행 가는 날에 배탈이 나서 여행을 가지 못하였다. (   )

(3) 그는 10년 동안 포기하지 않고 노력하여 마침내 시험에 합격하였다. (   )

40회

▶ 정답과 해설 55쪽

매일 학습 평가	맞은 문제에 표시해 주세요.					맞은 개수	
1 배경 ☐	2 표현 ☐	3 소재 ☐	4 인물 ☐	5 감상 ☐	6 글의 구조 ☐	개	스티커를 붙여 주세요

memo

매일 학습 평가 후 스티커를 붙여 주세요.

2022 수능 개편 → 비문학 독서 강화 → 독해력 훈련 필수

초등 국어

일등급 독해력

6

[정답과 해설]

정답과
해설

01회 세계의 다양한 음식

▶ 본문 10~13쪽

1 음식 2 ④ 3 ④ 4 (1)-㉣ (2)-㉡ (3)-㉠ (4)-㉢ 5 라자냐
6 베트남, 팟타이, 이탈리아

어휘·어법 다지기 01 (1) 재배 (2) 총칭 (3) 생소 (4) 노점 02 (1) 생소 (2) 재배 (3) 총칭 (4) 노점 03 (1) 취업률 (2) 선율

길거리를 지나다 보면 다양한 세계 음식을 파는 가게들이 많습니다. 햄버거, 피자 등은 물론이고 처음 보는 생소한 음식들도 쉽게 접할 수 있습니다. 음식은 주로 그 나라의 종교, 문화, 기후 등의 영향을 받아 생겨나기 때문에 세계에는 매우 다양한 종류의 음식들이 있습니다. 그렇다면 지금부터 각 나라를 대표하는 음식들을 자세히 살펴봅시다.

▶세계에는 매우 다양한 음식들이 있음.

베트남은 기온이 높고 비가 많이 내려 밀이 잘 자랄 수 없지만, 대신 벼를 재배하기에는 매우 유리한 기후입니다.(2번의 근거) 따라서 쌀로 만든 국수인 '포'라고 불리는 쌀국수가 생겨났습니다. 쌀국수는 세계적으로도 주목받고 있는 대표적인 베트남 음식입니다.(3, 4번의 근거) 보통 사골을 우린 국물에 쌀로 만든 국수를 넣고 요리하는데, 재료가 되는 고기의 종류에 따라 다양한 쌀국수가 있습니다. 그리고 프랑스의 바게트 빵과 비슷하지만 쌀로 만든 '반미'라는 빵도 있습니다.(3번의 근거) 겉이 딱딱해서 그대로 떼어 먹기도 하지만, 대부분 빵 가운데를 갈라 달걀 프라이를 넣거나 말린 돼지고기, 야채 등을 넣어서 먹습니다. 또 숯불에 구워 낸 고기를 넣은 새콤달콤한 차가운 국물에 야채와 함께 쌀국수를 담갔다가 꺼내 먹는 '분짜'라는 음식도 유명합니다.(2번의 근거)

▶베트남의 쌀국수와 분짜, 반미

태국의 요리는 세계 6대 요리 중 하나로 꼽힐 정도로 유명합니다. 그중 가장 유명한 것은 새우와 버섯 등 여러 가지 재료를 넣고 5~6시간 동안 푹 끓이는 '똠양꿍'입니다.(3번의 근거) 똠양꿍은 세계 3대 수프 중 하나로, 시고, 달고, 맵고, 짠 네 가지 맛이 나는 독특한 음식입니다. 또 '팟타이'라는 태국식 볶음 쌀국수도 있습니다.(4번의 근거) 주로 거리 곳곳에 있는 노점에서 사 먹을 수 있는 음식으로 태국 사람들의 국민 요리가 되었습니다.

▶태국의 똠양꿍과 팟타이

멕시코에는 매콤하고 짭짤한 음식이 많아, 이러한 맛을 선호하는 한국인의 입맛에도 잘 맞는 요리들이 많습니다.(2번의 근거) 멕시코의 주식은 물에 불린 옥수수를 으깨서 얇게 원형으로 늘여 구운 '토르티야'인데, 주로 소스나 다양한 소를 함께 곁들여 먹습니다.(3번의 근거) 토르티야를 U자형으로 만들어 튀긴 후 속에 고기나 콩, 양상추, 치즈 등의 다양한 재료를 넣어 먹는 '타코스',(4번의 근거) 콩과 고기를 잘 버무려 커다란 토르티야에 싸서 소스를 뿌려 먹는 '부리토' 등이 있습니다.

▶멕시코의 토르티야와 타코스, 부리토

이탈리아의 음식은 파스타나 피자로 잘 알려져 있습니다.(6번의 근거) '파스타'는 이탈리아의 대표 요리로, 주로 밀가루와 물로 만든 반죽을 소금물에 삶아 만든 요리를 총칭합니다.(2번의 근거) 삶은 스파게티 면에 달걀, 치즈, 후추 등을 넣어 만든 카르보나라와(4번의 근거) 반죽을 얇게 밀어 직사각형 모양으로 자른 파스타를 속 재료와 함께 쌓아 오븐에 구운 라자냐 등이 있습니다.(5번의 근거) '피자'는 밀가루 반죽을 넓게 펴 만든 도우 위에 치즈와 소스, 그 밖의 다양한 토핑을 올려 화덕이나 오븐에 구운 음식입니다.(3번의 근거)

▶이탈리아의 파스타와 피자

이렇게 지도해 주세요! 이 글은 세계의 다양한 음식을 설명하는 글입니다. 각 나라를 대표하는 음식에는 어떤 것들이 있는지 설명해 주세요.

- **주제** 세계의 다양한 음식들의 종류와 특징

1 이 글은 세계의 다양한 '음식'을 설명하는 글입니다.

2 이 글은 이탈리아의 디저트 종류에 대해서는 설명하고 있지 않습니다.

3 반미는 쌀로 만든 베트남 빵이고, 새우와 버섯 등 여러 가지 재료를 넣고 5~6시간 동안 푹 끓이는 음식은 똠양꿍입니다.

4 베트남의 음식은 쌀국수이고, 태국의 음식은 팟타이입니다. 그리고 멕시코의 음식은 타코스이고, 이탈리아의 음식은 카르보나라입니다.

5 이탈리아 음식인 라자냐는 반죽을 얇게 밀어 직사각형 모양으로 자른 파스타를 속 재료와 함께 쌓아 오븐에 구운 음식이라고 하였습니다.

6 이 글은 세계의 다양한 음식으로 '베트남'은 포, 반미, 분짜, 태국은 똠양꿍, '팟타이', 멕시코는 토르티야, 타코스, 부리토, '이탈리아'는 파스타, 피자가 있다고 하였습니다.

생각 글 쓰기

◆예시 **답안** 음식은 주로 그 나라의 종교, 문화, 기후 등의 영향을 받아 생겨나기 때문이다.

이렇게 지도해 주세요! 음식은 그 나라의 종교, 문화, 기후 등의 영향을 받아 생겨나므로, 각 나라별로 다양한 음식이 발달했다는 점을 이해할 수 있도록 설명해 주세요.

어법 다지기

03 (1) '취업'은 'ㅂ' 받침으로 끝나는 낱말이므로 '률'과 함께 '취업률'로 써야 합니다.
(2) '선'은 'ㄴ' 받침으로 끝나는 낱말이므로 '율'과 함께 '선율'로 써야 합니다.

02회 미세 먼지 대처 방안

▶ 본문 14~17쪽

1 미세 먼지 2 ③ 3 ⑤ 4 ④ 5 일영 6 물, 야채, 해조류
7 외출, 몸, 물
어휘·어법 다지기 01 (1) 조기 (2) 배출 (3) 유발 (4) 유입 02 (1) 조기 (2) 유발 (3) 배출 03 (1) 지양 (2) 지향

언제부터인가 마음 편히 숨 쉬기도 쉽지 않고, 외출할 때면 꼭 마스크를 챙겨서 나가게 됩니다. 바로 미세 먼지 때문입니다. 미세 먼지는 지름이 10마이크로미터(1마이크로미터는 1,000분의 1밀리미터) 이하의 아주 작은 오염 물질로, 일반 먼지보다 크기가 매우 작아서 눈에 보이지 않습니다. 미세 먼지는 여러 종류의 오염 물질이 엉겨 붙어 공기 중에 머물러 있다가, 호흡기를 통해 우리 몸속으로 들어와 건강에 좋지 않은 영향을 미칩니다. 미세 먼지에 지속적으로 노출되면 천식이나 폐 질환, 뇌졸중, 치매 등의 질병 발병률과 조기 사망률 증가에도 영향을 줄 수 있습니다. 특히 노약자 및 호흡기 질환자 등은 일반인보다 더 각별한 주의가 필요합니다. 그렇다면 이렇게 우리 건강을 위협하는 미세 먼지에 어떻게 대처해야 할까요?

(3번의 근거)

▶우리의 건강을 위협하는 미세 먼지

첫째, 미세 먼지가 심한 날에는 외출을 삼가야 합니다. 특히 격렬한 외부 활동은 호흡량을 늘려 더 많은 미세 먼지를 마시게 하므로 조심해야 합니다. 집 안에 있을 때에도 문을 닫아 미세 먼지의 유입을 차단하고, 충분한 습기 유지와 함께 공기 청정기 등을 켜서 공기를 깨끗하게 합니다. 하지만 꼭 외출을 해야 한다면 교통량이 많은 지역은 피하고, 식약청으로부터 허가받은 인증 마크가 있는 마스크와 긴 소매와 장갑, 목도리 등을 착용하여 몸을 가리는 것이 좋습니다. 또 눈으로 들어오는 미세 먼지로부터 눈을 보호하기 위해 렌즈보다는 안경을 착용하는 것이 도움이 됩니다.

(4, 7번의 근거 / 4번의 근거)

▶미세 먼지가 심한 날에는 외출을 삼가야 함.

둘째, 외출했다가 돌아와서는 즉시 몸을 깨끗이 씻어야 합니다. 온몸을 구석구석 씻고 특히 손, 발, 눈, 코를 흐르는 물에 씻고, 양치질도 해야 합니다. 미세 먼지는 피부에도 악영향을 미칩니다. 미세 먼지가 모공을 막아 여드름이나 뾰루지를 유발하고 피부를 자극하여 아토피 피부염을 악화시키기도 하므로, 세안도 더 꼼꼼히 해야 합니다. 몸은 물론이고 두피에도 미세 먼지가 쌓이므로 머리도 바로 감는 것이 좋습니다. 또 옷을 탈탈 털어서 옷에 붙은 미세 먼지를 털어야 합니다.

(7번의 근거 / 5번의 근거)

▶외출 후 몸을 깨끗이 씻어야 함.

셋째, 미세 먼지가 심한 날에는 물을 충분히 섭취합니다. 미세 먼지는 기관지를 통해 몸속에 흡수되는데, 호흡기가 촉촉하면 미세 먼지가 몸속으로 들어가지 않고 남아 있다가 가래나 코딱지 등으로 배출된다고 합니다. 따라서 물은 기관지가 건조해지지 않도록 도와주고, 몸속에 쌓인 노폐물을 배출하는 데 중요한 역할을 합니다. 또 섬유질이 풍부한 과일과 야채 그리고 다시마, 미역과 같은 해조류를 자주 먹습니다. 이러한 과일과 야채, 해조류는 장운동을 활발하게 하여 몸속에 쌓인 중금속을 내보내는 효과가 있기 때문입니다.

(4, 5, 6, 7번의 근거 / 5, 6번의 근거)

▶미세 먼지가 심한 날에는 물, 과일과 야채, 해조류를 많이 섭취해야 함.

이렇게 지도해 주세요! 이 글은 미세 먼지가 심한 날 어떻게 대처해야 하는지 설명하는 글입니다. 이밖에도 어떤 대처 방안들이 있는지 생각해 볼 수 있도록 지도해 주세요.
- **주제** 미세 먼지의 영향과 대처 방안

1 이 글은 '미세 먼지' 대처 방안을 설명하는 글입니다.

2 이 글은 미세 먼지가 심한 날에 어떻게 대처해야 하는지 그 방안을 설명하고 있으므로, 글의 제목으로 '미세 먼지 심한 날, 이렇게 대처해요.'가 알맞습니다.

3 미세 먼지는 호흡기를 통해 우리 몸속으로 들어와 건강에 좋지 않은 영향을 미친다고 하였습니다.

4 돼지고기를 먹어서 중금속 배출을 돕는다는 내용은 없습니다.

5 미세 먼지는 몸은 물론이고 두피에도 쌓인다고 했으므로, 모자를 쓰고 외출했더라도 머리도 바로 감아야 합니다.

6 넷째 문단에서 미세 먼지가 심한 날에는 '물'을 충분히 섭취하고, 과일과 '야채' 그리고 다시마, 미역과 같은 '해조류'를 자주 먹어야 한다고 하였습니다.

7 이 글에서는 미세 먼지 대처 방안으로 미세 먼지가 심한 날에는 '외출'을 삼가고, 외출 후에는 '몸'을 깨끗이 씻으며, '물'을 충분히 섭취해야 한다고 하였습니다.

생각 글 쓰기

◆예시 **답안** 장운동을 활발하게 하여 몸속에 쌓인 중금속을 내보내는 효과가 있다.

이렇게 지도해 주세요! 미세 먼지가 심한 날에 과일, 야채, 해조류를 자주 먹어야 하는 까닭을 알고 실천할 수 있도록 설명해 주세요.

어법 다지기

03 (1) 무분별한 개발은 하지 않는다는 뜻이므로 '지양'이 알맞습니다.
(2) 올림픽은 인류의 평화와 공존을 목표로 하는 지구촌 축제라는 뜻이므로 '지향'이 알맞습니다.

조선 시대의 출산 휴가 제도

▶ 본문 18~21쪽

1 출산 휴가 제도 2 ① 3 ⑤ 4 ① 5 100, 30 6 세종 대왕, 남편

어휘·어법 다지기 01 (1) 해산 (2) 복귀 (3) 제정 (4) 파격 02 (1) 제정 (2) 복귀 (3) 해산 03 (1) 바람 (2) 은아, 반장 (3) 인생 (4) 지아, 우유

출산 휴가 제도는 근로 기준법에 따라 임신 중인 여성 근로자에게 출산 전후에 부여하는 휴가를 말합니다.「출산 전후 90일 동안 여성 근로자의 근로 의무를 면제함으로써, 산모와 태아의 건강을 보호하고 출산 후 여성 근로자의 체력 회복을 돕기 위해 시행되고 있습니다. 이에 따르면 사용자는 임신 중인 여성 근로자에게 시간 외 근로를 요구할 수 없으며, 출산 휴가가 끝난 후에는 휴가 전과 동일한 업무나 동등한 수준의 급여를 지급하는 직무로 복귀시켜야 합니다.」

2, 4번의 근거 / 「 」: 2번의 근거

▶오늘날의 출산 휴가 제도의 개념과 내용

그렇다면 이러한 출산 휴가 제도를 처음 시행한 인물은 누구일까요? 바로 훈민정음 창제라는 위대한 업적을 남긴 세종 대왕입니다. 조선 시대, 세종 대왕이 왕이 되기 전까지는 여자 노비들이 아이를 낳기 직전까지도 일을 해야 했고, 아이를 낳고도 7일만 쉬었다가 다시 일터에 나가야 했습니다. 따라서 만삭의 몸으로 힘겹게 일을 하고 아이를 낳고도 몸을 제대로 추스르지 못해, 여자 노비들의 출산 후 사망률은 극에 달했다고 합니다.

4번의 근거 / 3번의 근거 / 3번의 근거 / 3번의 근거

▶조선 시대에 출산 휴가 제도를 처음 시행한 세종 대왕

이를 해결하기 위해 세종 대왕은 여자 노비들에게 출산 후 휴가 100일을 주는 법을 제정하였습니다. 그러나 정확한 해산 날짜를 알지 못해 해산 당일까지 일을 하는 것은 물론이고 일을 하는 도중에 아이를 낳는 경우도 많아, 여자 노비들의 출산 후 사망률은 쉽게 낮아지지 않았습니다. 그래서 세종 대왕은 여자 노비들이 아이를 낳기 한 달 전에는 일을 쉬면서 건강을 잘 챙길 수 있도록 법제화하였습니다.

4, 5번의 근거 / 5번의 근거

▶여자 노비들의 출산 전후 휴가를 법제화한 세종 대왕

그럼에도 불구하고 여자 노비들의 출산 후 사망률은 일정 비율로 계속 유지되고 있었습니다. 세종 대왕은 여자 노비들이 출산 전 한 달과 출산 후 100일의 휴가를 가질 수 있음에도 왜 사망하는 것인지 의문을 가졌습니다. 그리고 여자 노비들의 산후 몸조리를 도와줄 사람이 없다는 것에서 그 이유를 찾았습니다. 이에 세종 대왕은 여자 노비들이 아이를 낳으면 그 남편 역시 30일 동안 일을 쉬면서 산모와 아이를 돌보게 하였습니다.

5번의 근거

▶여자 노비들의 남편에게도 출산 휴가를 준 세종 대왕

당시 노비의 생명권을 존중하는 제도가 있었던 나라가 드물었고, 오늘날의 출산 휴가 제도가 2007년이라는 늦은 시기에 시작된 것으로 볼 때, 세종 대왕은 시대를 앞섰던 파격적인 제도를 실시했음을 알 수 있습니다. 특히 남편의 출산 휴가 제도는 세종 대왕이 세계 최초로 시행한 제도라는 점에서 큰 의미가 있습니다.

▶시대를 앞선 파격적인 제도를 시행한 세종 대왕

이렇게 지도해 주세요! 이 글은 조선 시대의 출산 휴가 제도에 대해 설명한 글입니다. 출산 휴가 제도를 처음 시행한 세종 대왕과 당시 출산 휴가 제도의 세부 내용을 잘 이해할 수 있도록 설명해 주세요.

• **주제** 조선 시대에 세종 대왕이 실시한 출산 휴가 제도의 의미

1 이 글은 오늘날의 출산 휴가 제도의 출발점이 된 조선 시대의 '출산 휴가 제도'에 대해 설명한 글입니다.

2 출산 휴가 제도는 산모와 태아의 건강을 보호하고 출산 후 여성 근로자의 체력 회복을 돕기 위해 시행되고 있다고 하였습니다.

오답 풀이

② 출산 휴가 제도는 출산 전후 90일 동안 여성 근로자의 근로 의무를 면제한다고 하였습니다.
③ 출산 휴가 제도는 임신 중인 여성 근로자에게 출산 전후에 부여하는 휴가라고 하였습니다.
④ 출산 휴가가 끝난 후에는 휴가 전과 동등한 수준의 급여를 지급하는 직무로 복귀시켜야 한다고 하였습니다.
⑤ 사용자는 임신 중인 여성 근로자에게 시간 외 근로를 요구할 수 없다고 하였습니다.

3 여자 노비들은 아이를 낳고 7일만 쉬었다가 다시 일터에 나가야 했다고 하였습니다.

오답 풀이

① 조선 시대, 세종 대왕이 왕이 되기 전까지 여자 노비들의 출산 후 사망률은 극에 달했다고 하였습니다.
② 조선 시대, 세종 대왕이 왕이 되기 전까지 여자 노비들은 만삭의 몸으로 힘겹게 일을 했다고 하였습니다.
③ 조선 시대, 세종 대왕이 왕이 되기 전까지 여자 노비들은 아기를 낳기 직전까지도 일을 해야 했다고 하였습니다.
④ 조선 시대, 세종 대왕이 왕이 되기 전까지 여자 노비들은 아기를 낳고도 몸을 제대로 추스르지 못했다고 하였습니다.

4 오늘날 출산 휴가 제도는 근로 기준법에 따른 것이라고 했을 뿐, 이 글에 근로 기준법의 세부 내용은 나타나 있지 않습니다.

오답 풀이

② 첫째 문단에 오늘날 출산 휴가 제도의 의미가 나타나 있습니다.
③ 셋째, 넷째 문단에 조선 시대 출산 휴가 제도의 내용이 자세히 나타나 있습니다.
④ 둘째 문단에서 출산 휴가 제도를 처음 시행한 인물은 세종 대왕이라고 하였습니다.
⑤ 세종 대왕은 여자 노비들의 출산 후 사망률이 극에 달해 출산 후 휴가 100일을 주는 법을 제정했다고 하였습니다.

5 세종 대왕은 여자 노비들에게 출산 후 휴가 '100'일을 주는 법을 제정했다고 하였고, 여자 노비들이 아이를 낳으면 그 남편 역시 '30'일 동안 일을 쉬면서 산모와 아이를 돌보게 했다고 하였습니다.

6 이 글은 조선 시대의 출산 휴가 제도에 대하여 쓴 설명문입니다. 첫째 문단에서는 오늘날의 출산 휴가 제도의 개념과 내용, 둘째 문단에서는 조선 시대에 출산 휴가 제도를 처음 시행한 '세종 대왕'에 대해 설명하였고, 셋째 문단에서는 여자 노비들의 출산 전후 휴가를 법제화한 세종 대왕, 넷째 문단에서는 여자 노비들의 '남편'에게도 30일의 출산 휴가를 준 세종 대왕, 마지막 문단에서는 시대를 앞서 파격적인 제도를 시행한 세종 대왕에 대하여 설명하였습니다.

생각 글 쓰기

◆예시 **답안** 당시 노비의 생명권을 존중하는 나라가 드물었고, 오늘날에도 출산 휴가 제도가 늦은 시기에 시작되었기 때문이다.

이렇게 지도해 주세요! 당시 노비의 생명권을 존중하는 제도가 있었던 나라가 드물었고, 오늘날의 출산 휴가 제도가 2007년이라는 늦은 시기에 시작된 것으로 보아 세종 대왕의 출산 휴가 제도는 시대를 앞선 파격적인 제도라고 평가할 수 있다고 알려 주세요.

어법 다지기

03 명사는 사람이나 사물, 추상적인 대상의 이름을 나타내는 낱말이라고 하였습니다. 따라서 (1) '바람', (2) '은아', '반장', (3) '인생', (4) '지아', '우유'는 모두 명사임을 알 수 있습니다.

04회 동물원은 없어져야 한다

▶ 본문 22~25쪽

1 동물원 2 ⑤ 3 ㉠ 4 ⑤ 5 눈요깃거리 6 연지 7 대립, 동물원, 스트레스, 안전

어휘·어법 다지기 01 (1) 이상 (2) 광활 (3) 사살 (4) 관점 02 (1) 이상 (2) 광활 (3) 사살 03 (1) ○ (2) × (3) ○

동물원은 살아 있는 동물들을 모아서 기르는 곳입니다. 자연 상태에서 보기 힘든 다양한 동물들을 가까이에서 볼 수 있어 동물들의 생태와 습성, 자연환경의 소중함을 배울 수 있는 교육 장소이지만, 동물들이 좁은 우리에 갇혀 스트레스를 받는 공간이기도 합니다.(4번의 근거) 이처럼 동물원이 필요하다는 입장과 동물원은 없어져야 한다는 입장이 계속해서 대립하고 있습니다. ▶동물원의 필요성에 대한 입장의 대립

동물원이 필요하다는 입장에서는 평소 쉽게 만날 수 없는 동물들을 가까이에서 볼 수 있어 큰 즐거움을 느낄 수 있다고 합니다. 또 야생에서 약한 동물들이 강한 동물들에게 공격을 당하거나 먹이가 없어 굶어 죽는 것을 막아 주기 때문에 동물들에게 훨씬 이롭다고 주장합니다. 하지만 이러한 주장들은 모두 인간의 이기적인 관점에서 비롯된 것들입니다. ▶인간의 이기적인 관점에서 비롯된 동물원의 필요성

동물원은 동물들의 자유를 구속하고, 동물들에게 사람의 구경거리가 되는 고통을 줍니다.(2번의 근거) 동물원에서 동물들은 제한된 공간에 갇혀 수많은 관람객과 항상 마주해야 합니다.(4번의 근거) 이러한 상황에서 동물들은 극심한 스트레스를 받습니다. 한 동물원에 있는 바다코끼리는 사육장 내의 철제 기둥에 입 부분을 지나치게 계속 문지르고, 다른 동물원의 북극곰은 하얀 털이 갈색이 될 정도로 자신의 몸에 대변을 묻힙니다. 이들은 모두 온종일 좁은 우리에 갇혀 눈요깃거리가 되는 생활에(5번의 근거) 스트레스를 받아 이상 행동을 보이는 것입니다. ▶동물들의 자유를 구속하고 고통을 주는 동물원은 없어져야 함.

또 동물들의 권리와 안전을 책임져야 하는 동물원이 오히려 동물들을 해치는 일이 발생하고 있습니다.(4번의 근거) 한 동물원에서 사육사의 부주의로 문이 제대로 잠기지 않아 퓨마 한 마리가 우리를 탈출했습니다. 관계자들은 퓨마를 생포하려고 했지만, 실패로 돌아가자 주변 시민들의 안전을 생각하여 퓨마를 사살했습니다. 이와 같이 동물들의 보호를 우선으로 해야 할 동물원에서 인간의 실수로 동물들을 해치는 일이 더 이상 발생해서는 안 됩니다. ▶인간의 실수로 동물을 해치는 일이 발생하고 있는 동물원

동물들은 인간에게 즐거움을 줍니다. 하지만 동물들에게

도 동물원이 즐거운 장소일까요? 친환경 동물원이 생기고 있지만 동물들이 원래 살던 환경을 그대로 동물원으로 옮기는 것은 불가능합니다. 동물들은 동물원보다 생태계가 어우러진 광활한 자연에서 살아야 합니다. 따라서 동물들에게 이로움보다 해로움이 훨씬 더 많은 동물원은 없어져야 합니다.

4번의 근거

▶동물들에게 이로움보다 해로움이 더 많아 없어져야 하는 동물원

이렇게 지도해 주세요! 이 글은 동물원은 없어져야 한다고 주장하는 글입니다. 글쓴이가 주장의 근거로 든 내용이 무엇인지 이해할 수 있도록 지도해 주세요.

- **주제** 동물원은 없어져야 한다는 주장과 근거

1 이 글은 '동물원'은 없어져야 한다고 주장하는 글입니다.

2 이 글에서 글쓴이는 동물들의 자유를 구속하는 동물원은 없어져야 한다고 주장하고 있습니다.

오답 **풀이**

① 글쓴이는 동물원이 필요하다는 입장은 인간의 이기적인 관점에서 비롯된 것들이라며 동물원은 없어져야 한다고 주장하였습니다.
② 동물원은 인간에게 즐거움을 준다는 것은 동물원이 필요하다는 주장의 근거입니다.
③ 동물들의 권리와 안전을 책임져야 하는 동물원이 오히려 동물을 해치는 일이 발생한다고 하였습니다.
④ 글쓴이는 동물들을 위해 동물원은 없어져야 한다고 하였습니다.

3 이 글은 주장하는 글이며, 인물의 생애를 기록한 글은 전기문이라고 합니다.

4 동물들이 원래 살던 환경을 그대로 동물원으로 옮기는 것은 불가능하다고 하였습니다.

오답 **풀이**

① 동물들의 권리와 안전을 책임져야 하는 동물원이 오히려 동물들을 해치는 일이 발생하고 있다고 하였습니다.
② 동물들은 동물원보다 생태계가 어우러진 광활한 자연에서 살아야 한다고 하였습니다.
③ 동물원에서 동물들은 제한된 공간에 갇혀 극심한 스트레스를 받는다고 하였습니다.
④ 동물원에서 동물들은 제한된 공간에 갇혀 수많은 관람객과 항상 마주해야 한다고 하였습니다.

5 '눈요깃거리'는 '눈으로 보기만 하면서 어느 정도 만족을 느끼는 대상.'이라는 뜻입니다.

6 이 글에서 글쓴이는 동물원은 없어져야 한다고 주장하고 있습니다. **보기** 에서 '연지'가 동물원에 있는 동물들도 자유를 누릴 권리가 있다고 하였으므로, 글쓴이의 주장과 같은 생각을 가지고 있음을 알 수 있습니다.

7 동물원의 필요성에 대한 입장이 '대립'하는 상황에서, 글쓴이는 '동물원'은 없어져야 한다고 주장하였습니다. 그 근거로 동물원은 동물들의 자유를 구속하고, 제한된 공간에서 극심한 '스트레스'를 받게 하며, 동물들의 권리와 '안전'을 책임져야 하는 동물원이 오히려 동물들을 해치는 일이 발생하고 있다고 하였습니다.

생각 글 쓰기

◆예시 **답안** 온종일 좁은 우리에 갇혀 눈요깃거리가 되는 생활에 스트레스를 받았기 때문이다.

이렇게 지도해 주세요! 동물원에서 동물들은 제한된 공간에 갇혀 온종일 수많은 관람객과 항상 마주해야 합니다. 이러한 상황에서 동물들은 극심한 스트레스를 받고, 이상 행동까지 보일 수 있다는 점을 설명해 주세요.

어법 다지기

03 (1) '아니다'의 뒤에는 '–에요'가 붙어 쓰입니다.
(2) '–이에요'의 줄인 말은 '–예요'입니다. '화장실'은 자음으로 끝나는 말이므로 '–이에요'가 그대로 쓰입니다.
(3) '학생'은 자음으로 끝나는 말이므로 '–이에요'가 그대로 쓰입니다.

05회 스마트폰 중독 문제와 예방법

▶ 본문 26~29쪽

1 스마트폰 2 ⑤ 3 ① 4 ④ 5 스마트폰 과의존 상태 6 경추 7 스마트폰, 문제점, 예방법

어휘·어법 다지기 01 (1) 감퇴 (2) 중독 (3) 건전 02 (1) 건전 (2) 감퇴 (3) 중독 03 (1) 어느 (2) 여느

오늘날 스마트폰을 포함한 정보 기기와 인터넷의 발달은 유용한 정보를 얻거나 게임, 음악 감상 등 취미 활동을 하는 데 도움을 줍니다. 그러나 정보 기기와 인터넷을 지나치게 사용하면 불안 증상, 분노 조절 장애, 시력 감퇴와 같은 문제가 나타나기도 합니다. 이러한 문제로 일상생활에서 어려움을 겪는 상태를 사이버 중독이라고 하는데(7번의 근거), 특히 요즘 가장 눈에 띄는 사이버 중독은 국민 대부분이 사용하고 있는 스마트폰으로 인한 중독입니다. ▶사이버 중독의 하나인 스마트폰 중독

한 조사에 따르면, 우리나라 청소년의 30.3퍼센트가 일상에서 과도하게 스마트폰을 사용하고 스마트폰 이용 정도를 스스로 조절하지 못해 가정과 학교생활에서 여러 문제를 겪는 스마트폰 과의존 상태라고 합니다(5번의 근거). 과의존 상태는 중독과 같은 수준으로 해석할 수 있어 심각성이 매우 높고, 특히 청소년기의 스마트폰 중독은 성인에 비해 더 심각한 문제가 될 수 있습니다. ▶청소년기 스마트폰 중독의 심각성

청소년기에 스마트폰에 중독되면 주의력과 집중력이 낮아져 학습 능력이 떨어질 수 있습니다(3번의 근거). 전화번호 외우기, 간단한 계산 등 뇌가 학습하는 훈련을 스마트폰이 대신하여 뇌 발달에 나쁜 영향을 미칩니다(3번의 근거). 또 스마트폰은 청소년기의 성장 발달에 악영향을 끼칩니다. 스마트폰을 장시간 고개를 숙이고 보게 되면 C자형을 이루어야 할 경추가 점점 일자로 변하면서 거북목 증후군이 발생하고 목 디스크로 발전될 수 있습니다(3, 6번의 근거). 가까운 거리에 있는 작은 화면을 오랜 시간 집중해서 보게 되면, 눈에 과도한 피로를 주고 눈 깜박임을 줄어들게 해 눈물의 생성을 방해하여 안구 건조증까지 유발하기도 합니다(3번의 근거). ▶청소년기의 스마트폰 중독의 문제점

그렇다면 이렇게 많은 문제들이 있는 스마트폰 중독을 예방하기 위해서는 어떤 방법들이 있을까요?(2, 7번의 근거) 먼저, 스마트폰 사용은 정해진 시간에만 합니다(4번의 근거). 하루에 몇 시간 정도 사용할 것인지 미리 계획하고 자신과의 약속을 지킬 수 있도록 노력합니다. 되도록 하루 최대 3시간은 넘기지 않는 것이 좋다고 합니다. 다음으로, 스마트폰 사용을 줄이고 가족이나 친구들과 함께하는 시간을 늘리거나 건전한 취미 생활을 합니다(4번의 근거). 가족과 함께 문화생활을 즐기거나, 친구들과 함께 야외에 나가 운동을 하며 건강한 신체를 만듭니다. 마지막으로, 스스로 스마트폰 사용 시간을 조절하기 어려울 때에는 주변에 도움을 청합니다. 부모님, 학교 선생님, 스마트폰 중독 예방 단체 등의 도움을 받아 스마트폰 중독을 예방할 수 있도록 합니다(4번의 근거). ▶스마트폰 중독의 예방법

이렇게 지도해 주세요! 이 글은 스마트폰 중독으로 인한 여러 문제와 스마트폰 중독을 예방하는 방법에 대해 설명하고 있습니다. 일상생활에서 직접 실천해 볼 수 있도록 지도해 주세요.

• **주제** 스마트폰 중독 문제와 예방법

1 이 글은 '스마트폰' 중독 문제와 예방법에 대한 글입니다.

2 이 글은 스마트폰 중독으로 인한 문제점과 그 예방법에 대하여 설명하는 글입니다.

3 대인 관계란 사람과 사람 사이의 사회적 · 심리적 관계를 말합니다. 이 글에서는 스마트폰 중독으로 인해 대인 관계가 나빠진다는 내용은 나타나 있지 않습니다.

오답 **풀이**

② 가까운 거리에 있는 작은 화면을 오랜 시간 집중해서 보게 되면 안구 건조증까지 유발하기도 한다고 하였습니다.

③ 청소년기에 스마트폰에 중독되면 학습 능력이 떨어질 수 있다고 하였습니다.

④ 스마트폰을 장시간 고개를 숙이고 보게 되면 거북목 증후군이 발생한다고 하였습니다.

⑤ 청소년기에 스마트폰에 중독되면 뇌 발달에 나쁜 영향을 미친다고 하였습니다.

4 이 글에서는 스마트폰 중독 예방법으로 스스로 정한 스마트폰 사용 시간이 지나면 컴퓨터를 이용한다는 내용은 나오지 않았습니다.

오답 **풀이**

① 넷째 문단에서 스마트폰은 정해진 시간에만 사용해야 한다고 하였습니다.

②, ③ 넷째 문단에서 스마트폰 사용을 줄이고 가족이나 친구들과 함께하는 시간을 늘리거나 건전한 취미 생활을 해야 한다고 하였습니다.

⑤ 넷째 문단에서 스스로 스마트폰 사용 시간을 조절하기 어려울 때에는 부모님, 학교 선생님, 스마트폰 중독 예방 단체 등의 도움을 받아야 한다고 하였습니다.

5 둘째 문단에서 일상에서 과도하게 스마트폰을 사용하고 스마트폰 이용 정도를 스스로 조절하지 못해 가정과 학교생활에서 여러 문제를 겪는 것을 '스마트폰 과의존 상태'라고 하였습니다.

6 셋째 문단을 보면 척추뼈 가운데 가장 위쪽에 있는 일곱 개의 뼈로, C자형으로 이루어져 있는 것은 '경추'입니다.

7 이 글은 먼저 사이버 중독의 하나인 '스마트폰 중독'에 대해 말한 뒤, 청소년기 스마트폰 중독의 심각성에 대해 말하였습니다. 그리고 청소년기 스마트폰 중독의 '문제점'과 스마트폰 중독의 '예방법'을 설명하였습니다.

생각 글 쓰기

예시 **답안** 학습 능력 저하, 질병 유발 등 청소년기의 성장 발달을 방해하기 때문이다.

이렇게 지도해 주세요! 청소년기의 스마트폰 중독은 학습 능력 저하, 거북목 증후군, 안구 건조증과 같은 질병 유발을 비롯하여 많은 문제가 나타납니다. 이외에도 스마트폰 중독으로 인해 어떤 문제들이 발생하는지 설명해 주세요.

어법 다지기

03 (1) 꼭 집어 말할 필요가 없는 한 마을을 뜻하므로 '어느'가 알맞습니다.

(2) 오늘은 보통의 때와 달리 일찍 일어났음을 뜻하므로 '여느'가 알맞습니다. 참고로, '여느'는 '보통'으로 바꾸어 써도 어색하지 않으면 사용할 수 있다고 기억하면 좋습니다.

06회 올바른 우리말을 사용하자

▶ 본문 30~33쪽

1 ③ 2 ④ 3 ㈐ 4 (3) × 5 ⑤ 6 언어 습관, 배려, 우리말

어휘·어법 다지기 01 (1) 소통 (2) 순화 (3) 남용 02 (1) 만연 (2) 남용 (3) 소통 03 (1) 좇아 (2) 쫓는다 (3) 좇기로

국립 국어원에서 실시한 '청소년 언어문화 실태' 조사에 따르면, 초 · 중 · 고 재학생의 95퍼센트가 일상 대화 속에서 신조어와 욕설을 섞어 쓰고 있는 것으로 나타났습니다. 실제로 요즘 청소년들의 대화를 유심히 들여다보면, 줄임말은 물론이고 비속어와 욕설 등을 빼면 대화가 힘들어 보일 만큼 청소년들 사이에 잘못된 언어 습관이 만연해 있음을 알 수 있습니다.(6번의 근거) 이러한 문제의 원인으로는 인터넷의 대중화 그리고 스마트폰과 SNS(소셜 네트워크 서비스)의 보편화, 파급력이 강한 방송에서 잘못된 언어 습관이 사용되고 있는 것 등을(2번의 근거) 들 수 있습니다. 그렇다면 청소년들은 올바른 우리말을 사용하기 위해 어떤 노력을 해야 할까요?(1번의 근거)

▶잘못된 언어 습관이 만연한 요즘 청소년들의 실태

먼저, 다른 사람을 배려하며 말해야 합니다.(3, 6번의 근거) 두 친구가 길을 걷다가 뜻하지 않게 서로 부딪혔을 때 서로 노려보며 "야, 넌 눈도 없냐? 똑바로 보고 다녀야지!", "뭐라고? 재수 없어. 네가 날 쳤잖아!"라고 말한다면, 더 큰 다툼이 일어날 것입니다. 하지만 같은 상황에서 "부딪쳐서 미안해. 다치지 않았니?"라고 배려하는 말을 건넨다면, 말하는 사람과 듣는 사람 모두 존중하고 있고 존중받고 있다는 생각에 기분이 좋아질 것입니다.

▶다른 사람을 배려하며 말하기

다음으로 부정적인 말보다는 긍정적인 말을 사용해야 합니다.(3번의 근거) 반 친구들과 공놀이를 할 때마다 실수해서 같은 편이 되기를 꺼려하는 친구가 있다고 해 봅시다. 대부분 그 친구와 같은 편이 되면 "망했어."라는 부정적인 말이나 비속어, 욕설을 합니다. 하지만 부정적인 말 대신 "힘내자, 넌 잘 할 수 있어."라고 긍정적인 말을(4번의 근거) 건넨다면, 말하는 사람과 듣는 사람 모두 기분이 좋아지고 듣는 사람은 자신감도 생길 것입니다.

▶부정적인 말보다 긍정적인 말 사용하기

마지막으로 고운 우리말을 사용하기 위해 노력해야 합니다.(3, 6번의 근거) 거리를 걷다 보면 우리말 간판을 찾기가 ㉠하늘의 별 따기만큼 어렵고, 영어 이름을 마구 섞어 쓰거나 뜻 모를 외국어를 발음 그대로 쓴 간판을 볼 수 있습니다. 또 우리가 사용하는 단어에도 많은 외래어와 외국어가 있는데, 이러한 단(3번의 근거)

어들은 고운 우리말로 순화하여 사용해야 합니다. 예를 들어 떼었다 붙였다 할 수 있는 메모지인 '포스트잇'은 '붙임쪽지'로, 문자와 기호, 숫자 등을 조합하여 만든 그림 문자인 '이모티콘'은 '그림말', 죽음을 앞둔 사람이 죽기 전에 하고 싶은 일을 적은 목록인 '버킷 리스트'는 '소망 목록' 등으로 순화할 수 있습니다. ▶고운 우리말 사용하기

청소년기의 잘못된 언어 습관은 언어폭력으로 이어질 수 있습니다. 우리말의 우수성과 가치를 깨닫지 못하고 줄임말, 신조어, 비속어와 욕설, 외래어와 외국어 등 잘못된 우리말을 남용하는 청소년들은 스스로의 언어 습관을 반성해야 합니다. 또 올바른 우리말 사용에 책임감을 가지고 건전한 소통을 할 수 있도록 노력해야 할 것입니다. ▶올바른 우리말을 사용하기 위한 노력

이렇게 지도해 주세요! 이 글은 청소년들이 잘못된 언어 습관을 반성하고 올바른 우리말 사용을 위해 노력해야 한다는 주장을 담은 글입니다. 올바른 우리말 사용의 중요성을 함께 지도해 주세요.

• **주제** 올바른 우리말을 사용하자.

1 이 글은 올바른 우리말을 사용하자고 주장하기 위한 목적으로 쓴 글입니다.

2 이 글에서 청소년들의 잘못된 언어 습관의 원인으로 든 것은 인터넷의 대중화, 스마트폰과 SNS의 보편화, 파급력이 강한 방송에서 잘못된 언어 습관이 사용되고 있는 것입니다.

3 이 글에서는 올바른 우리말을 사용하기 위해 청소년들이 해야 할 노력으로 다른 사람을 배려하며 말하기, 부정적인 말보다는 긍정적인 말 사용하기, 고운 우리말 사용하기를 제시하고 있습니다. 그러나 청소년들의 신조어 사용은 잘못된 언어 습관입니다.

4 시험을 망쳐서 슬픈 친구에게는 '어쩔 수 없어. 정말 망했어.'라는 부정적인 말 대신, '괜찮아. 다음에는 잘 볼 수 있을 거야. 힘내자.'와 같은 긍정적인 말을 해야 합니다.

5 '하늘의 별 따기'는 '무엇을 얻거나 성취하기가 매우 어려운 경우를 비유적으로 이르는 말.'입니다.

오답 **풀이**

① '자기에게 해가 돌아올 짓을 함을 비유적으로 이르는 말.'은 '하늘 보고 침 뱉기'입니다.

② '별안간 아무도 모르게 사라져 버림을 비유적으로 이르는 말.'은 '하늘로 올라갔나 땅으로 들어갔나'입니다.

③ '어떤 일을 이루기 위해서는 자신의 노력이 중요함을 이르는 말.'은 '하늘은 스스로 돕는 자를 돕는다'입니다.

④ '아무리 어려운 경우에 처하더라도 살아 나갈 방도가 생긴다는 말.'은 '하늘이 무너져도 솟아날 구멍이 있다'입니다.

6 이 글은 첫째 문단에서 잘못된 '언어 습관'이 만연한 요즘 청소년들의 실태를 언급하고, 해결 방안으로 둘째~넷째 문단에서 다른 사람을 '배려'하며 말하기, 부정적인 말보다 긍정적인 말 사용하기, 고운 '우리말' 사용하기를 들며, 마지막 문단에서 올바른 우리말을 사용할 수 있도록 노력해야 한다고 주장하였습니다.

생각 글 쓰기

◆예시 **답안** 청소년기의 잘못된 언어 습관은 언어폭력으로 이어질 수 있기 때문이다.

이렇게 지도해 주세요! 청소년기의 잘못된 언어 습관은 언어폭력으로까지 이어질 수 있습니다. 이 시기에 올바른 우리말을 사용하기 위해 노력해야 하는 까닭에 대해 설명해 주세요.

어법 다지기

03 (1) '꿈'이라는 보이지 않는 목표를 따르는 것이므로 '좇아'로 고쳐 써야 합니다.

(2) 강아지가 '내 뒤'를 따르는 것이므로 '쫓는다'로 고쳐 써야 합니다.

(3) 오빠가 '부모님의 의견'을 따르는 것이므로 '좇기로'로 고쳐 써야 합니다.

공기를 이루는 기체

▶ 본문 34~37쪽

1 공기, 기체 2 ② 3 ⑤ 4 색깔, 냄새 5 (1)-ⓛ (2)-ⓡ (3)-ⓒ (4)-ⓖ 6 질소, 아르곤, 이산화 탄소

어휘·어법 다지기 01 (1) 생존 (2) 각광 (3) 용도 (4) 구성 02 (1) 생존 (2) 각광 (3) 구성 03 (1) 여기 (2) 그

인간을 포함한 동물, 그리고 식물이 살아가는 데 있어 가장 중요하고 필요한 것은 공기입니다. 공기는 생명이 살 수 있는 곳이라면 어디든 함께 하며, 생명체의 생존에 필수적인 소중한 존재입니다. 이러한 공기는 여러 가지 기체가 섞여 있는 혼합물이라는 것을 알고 있나요?(3번의 근거) 공기의 대부분은 78퍼센트의 질소와 21퍼센트의 산소이지만, 이 밖에도 아르곤, 이산화 탄소, 네온, 헬륨, 메탄, 크립톤, 수소 등의 기체가 포함되어 있습니다. 공기를 구성하고 있는 기체에 대해 자세히 살펴볼까요?(1, 2번의 근거)

▶공기의 소중함과 공기를 구성하고 있는 기체

먼저, 질소는 공기의 대부분을 차지하고 있는 기체입니다.(6번의 근거) 질소는 색깔과 냄새가 없으며,(4번의 근거) 보통 온도에서는 공기보다 가볍고 물에 잘 녹지 않아 다른 물질과 거의 화합하지 않습니다.(3번의 근거) 하지만 높은 온도에서는 여러 물질들과 화합하여 암모니아나 산화 질소 등을 만들어 냅니다. 질소는 식품의 내용물을 보존하거나 신선하게 보관하는 데 이용됩니다. 과자가 상하는 것을 막아 주기 위해 과자 봉지에 들어 있는 질소를 흔히 볼 수 있습니다.(5번의 근거) 또 충격이나 약품에 강한 물질을 만드는 데 쓰이거나 식물의 비료로 사용되기도 합니다.

▶질소의 특징과 이용

질소 다음으로 공기에 많이 들어 있는 기체는 산소입니다.(3번의 근거) 산소는 공기보다 약간 무겁고, 질소와 마찬가지로 색깔과 냄새가 없습니다.(4번의 근거) 산소는 대부분 녹색 식물의 광합성에 의해 만들어지며, 모든 생물의 생명 유지에 반드시 필요한 기체입니다. 따라서 의료용 생명 유지 장치나 산소통 등 일상생활에서 다양하게 이용되고 있습니다.(5번의 근거) 또 산소는 스스로는 타지 않지만 다른 물질이 타는 것을 도와 물질의 연소가 일어나게 하므로, 불을 이용하는 산업에서도 사용되고 있습니다.

▶산소의 특징과 이용

공기의 약 0.94퍼센트를 차지하는 아르곤이라는 기체도 있습니다.(6번의 근거) 아르곤 역시 질소와 산소처럼 색깔과 냄새가 없습니다. 주로 형광등 안에 넣는 가스로 이용되며, 형광등 안에서 쉽게 전류가 흐를 수 있도록 돕는 역할을 합니다.(3번의 근거)

▶아르곤의 특징과 이용

이산화 탄소는 공기의 약 0.03퍼센트를 차지하지만 매우(3, 6번의 근거) 중요한 기체입니다. 색깔과 냄새가 없고,(4번의 근거) 물질이 타는 것을 막는 성질이 있습니다. 그리고 지구의 식물이 광합성을 하는 데 꼭 필요하며, 소화기, 드라이아이스나 탄산음료, 액체 소화제 등을 만드는 데 이용됩니다.(5번의 근거)

▶이산화 탄소의 특징과 이용

이 밖에도 네온은 특유의 빛을 내는 조명 기구나 네온 광고에 이용되며, 헬륨은 비행선이나 풍선을 공중에 띄우는 용도로 이용됩니다.(5번의 근거) 수소는 청정 연료로써 전기를 만드는 데 이용되고 있으며, 우주에서 가장 흔한 원소이자 물을 구성하는 원소인 만큼 미래 에너지로 각광을 받고 있습니다. 이처럼 공기를 이루고 있는 여러 가지 기체들은 우리 생활에서 다양하게 이용되고 있습니다.

▶네온, 헬륨, 수소의 이용

이렇게 지도해 주세요! 이 글은 공기를 구성하는 기체에 대해 설명한 글입니다. 공기는 여러 가지 기체가 섞여 있는 혼합물이라는 사실과 각 기체의 특징과 이용을 이해할 수 있도록 지도해 주세요.

• **주제** 공기를 구성하는 여러 가지 기체

1 이 글은 '공기'를 이루는 '기체'에 대하여 설명한 글입니다.

2 이 글은 공기를 구성하고 있는 질소, 산소 등의 기체를 각각 설명하기 위하여 쓴 글입니다.

3 공기의 약 0.94퍼센트를 차지하는 아르곤은 주로 형광등 안에 넣는 가스로 이용되며, 형광등 안에서 쉽게 전류가 흐를 수 있도록 돕는 역할을 한다고 하였습니다.

4 질소, 산소, 이산화 탄소는 모두 '색깔'과 '냄새'가 없다고 하였습니다.

5 질소는 과자 봉지, 산소는 의료용 생명 유지 장치, 이산화 탄소는 탄산음료를 만드는 데 이용되고, 헬륨은 비행선이나 풍선을 공중에 띄우는 데 이용된다고 하였습니다.

6 이 글은 첫째 문단에서 공기의 소중함과 공기를 구성하고 있는 기체를 언급한 후, 그 다음 문단에서 순서대로 '질소', 산소, '아르곤', '이산화 탄소'의 특징과 이용에 대해 각각 설명하였습니다. 그리고 마지막 문단에서 공기를 구성하는 그 밖의 기체들을 설명하며 글을 마무리하였습니다.

생각 글 쓰기

◆예시 **답안** 우주에서 가장 흔한 원소이자 물을 구성하는 원소이기 때문이다.

이렇게 지도해 주세요! 수소는 청정 연료로 흔하게 구할 수 있어 미래 에너지로 주목받고 있다는 것을 설명해 주세요.

어법 다지기

03 (1) '여기'는 장소를 대신하여 나타내는 대명사입니다.
(2) '그'는 사람을 대신하여 나타내는 대명사입니다.

봄비_심후섭

▶ 본문 38~41쪽

1 봄비 2 ⑤ 3 ④ 4 8연 24행 5 ① 6 ②

어휘·어법 다지기 01 (1)-㉢ (2)-㉡ (3)-㉠ 02 (1) 둥둥 (2) 반짝 (3) 쨍그랑 (4) 댕그랑 03 ②

해님만큼이나

큰 은혜로

내리는 교향악 ▶1연: 교향악 같은 봄비 내리는 소리
3번의 근거 – 봄비 내리는 소리

㉠이 세상

모든 것이 다

악기가 된다. → 은유법 사용(은유법: 사물의 상태나 움직임을 나타내는 것)
3번의 근거 ▶2연: 모든 것에서 들리는 봄비 내리는 소리

달빛 내리던 지붕은
2번의 근거

두둑 두드둑
큰북 소리를 흉내 낸 말

큰북이 되고 ▶3연: 큰북 소리 같은 지붕에 봄비 내리는 소리
3번의 근거

아기 손 씻던

세숫대야 바닥은
2, 3번의 근거

㉡도당도당 도당당
작은북 소리를 흉내 낸 말

작은북이 된다. ▶4연~5연: 작은북 소리 같은 봄비 내리는 소리
2, 6번의 근거

앞마을 냇가에선
2번의 근거

퐁퐁 포옹 퐁

뒷마을 연못에선
2번의 근거

퐁퐁 푸웅 퐁 ▶6연: 냇가와 연못에 내리는 봄비 소리

외양간 엄마 소도 함께
2번의 근거

댕그랑댕그랑 ▶7연: 외양간에서 나는 봄비 내리는 소리

엄마 치마 주름처럼

산들 나부끼며

왈츠
3번의 근거

봄의 왈츠

하루 종일 연주한다. ▶8연: 엄마 치마 주름처럼 내리는 봄비

이렇게 지도해 주세요! 이 글은 봄비 내리는 소리를 교향악으로 비유하여 표현한 시입니다. 여러 가지 비유하는 표현을 생각할 수 있도록 지도해 주세요.

• **주제** 봄비 내리는 날

1 이 시는 '봄비'가 내리는 모습을 떠올리며 쓴 작품입니다. 시의 제목도 소재가 될 수 있습니다.

2 이 시에서 악기가 되는 것은 '지붕, 세숫대야 바닥, 앞마을 냇가, 뒷마을 연못, 외양간 엄마 소'입니다.

3 이 시에서 '작은북'은 '세숫대야 바닥'을 비유한 것입니다.

4 행은 시의 한 줄을 말하고, 연은 몇 행을 하나로 묶은 것을 말합니다. 이 시는 8연 24행으로 이루어져 있습니다.

5 ㉠ '이 세상 모든 것이 다 악기가 된다.'처럼 '-은/는 -이다'로 표현하는 방법을 은유법이라고 합니다. '내 마음은 호수요'는 '내 마음'을 '호수'로 비유하여 표현하는 은유법을 사용하였습니다.

오답 풀이
'-처럼', '-같이', '-듯이', '-인 듯', '-인 양' 등으로 표현하는 방법을 직유법이라고 합니다.
② 직유법을 사용하여 '둥근 달'을 '쟁반'에 비유하였습니다.
③ 직유법을 사용하여 '나'를 '찬밥'에 비유하였습니다.
④ 직유법을 사용하여 '별'을 '보석'에 비유하였습니다.
⑤ 직유법을 사용하여 '발소리'를 '배추 잎'에 비유하였습니다.

6 '도당도당 도당당'은 '작은북'의 소리를 흉내 내어 운율을 나타내고 있습니다. **보기**에서 ㉯ '통통'은 공이 튀는 소리를 흉내 내어 운율을 나타냈습니다.

생각 글 쓰기

◆예시 **답안** 여러 가지 소리가 섞여 있는 것이다.

이렇게 지도해 주세요! 이 시에서는 여러 가지 소리가 섞여 있는 것이 비슷하기 때문에 '봄비 내리는 소리'를 '교향악'에 비유하고 있습니다. 비유하는 표현은 대상 하나를 다른 대상에 빗대어 표현하기 때문에 두 대상 사이에는 공통점이 있는 것이라고 설명해 주세요.

어법 다지기

03 '-로서'는 지위, 신분, 자격을 나타내는 조사이고, '-로써'는 수단, 도구, 재료, 원료를 나타내는 조사입니다. '대화로서 오해를 풀었다.'에서 '대화'는 오해를 풀기 위한 수단이므로 '-로서'가 아니라 '-로써'로 쓰는 것이 알맞은 표현입니다.

09회 칭기즈 칸의 매

▶ 본문 42~45쪽

1 칭기즈 칸 2 ④ 3 ① 4 ③ 5 (1) 아끼던 매를 제 손으로 죽인 일 (2) 매

어휘·어법 다지기 01 (1) 허공 (2) 으름장 (3) 고함 (4) 매 02 (1) 으름장 (2) 고함 (3) 허공 03 ④

[앞부분 줄거리] 대륙의 정복자 칭기즈 칸이 가장 아끼는 부하는 사람이 아니라 매였습니다. 어느 날 칭기즈 칸은 부하들을 거느리고 사냥을 나갔습니다. 여름 가뭄으로 좀처럼 사냥감이 눈에 띄지 않자, 칭기즈 칸은 부하들에게 모두 흩어져서 사냥감을 찾아보라고 명령하고 자신도 매와 함께 사냥감을 찾기 시작했습니다. 2번의 근거

사냥감을 찾아 헤매던 칭기즈 칸은 자기도 모르게 숲속 깊은 곳까지 들어와 버렸습니다. 숲을 샅샅이 뒤져도 사냥감은 보이지 않았고, 몸은 점점 지쳐 갔습니다. 게다가 목이 타서 견딜 수가 없었습니다. 하지만 숲속 어디에도 샘물은커녕 열매조차 보이지 않았습니다. 가뭄 때문에 숲도 말라 가고 있었던 것입니다.

"거기 아무도 없나? 다들 어디 있나!"

큰 소리로 부하들을 불러 봤지만 누구 하나 대답하는 이가 없었습니다. 2번의 근거 칭기즈 칸은 슬슬 짜증이 나기 시작했습니다. 그는 들고 있던 칼을 마구 휘두르며 수풀을 헤쳐 나갔습니다.

"도대체 다들 어디로 간 거야?"

더위와 피로에 지친 칭기즈 칸은 부하들마저 보이지 않자 점점 더 화가 치밀어 올랐습니다.

"이놈들, 가만두지 않을 테다." ▶사냥감을 찾아 헤매다 지친 칭기즈 칸

그때 어디선가 졸졸 물 흐르는 소리가 들려왔습니다. 칭기즈 칸은 소리가 나는 곳으로 허겁지겁 달려갔습니다.

놀랍게도 두 개의 바위틈으로 가느다란 물줄기가 흘러내리고 있었습니다. 칭기즈 칸은 허리춤에 늘 차고 다니는 은잔을 꺼냈습니다. 2번의 근거 그리고 몸을 숙여 은잔에 물을 받기 시작했습니다. 물줄기가 워낙 가늘어서 잔이 가득 차기까지 한참이나 걸렸습니다. 칭기즈 칸은 입맛을 다시며 물이 찰 때까지 기다렸습니다. 목이 타던 칭기즈 칸이 물을 마시기 위해 한 일

드디어 물이 찰랑찰랑 넘치도록 잔이 채워졌습니다. 그런데 칭기즈 칸이 잔을 입에 가져가는 순간, ㉠갑자기 매가 날아오르더니 잔을 확 채어 떨어뜨리고 말았습니다.

"무슨 짓이야!"

칭기즈 칸은 버럭 고함을 질렀습니다.

애써 담은 물을 다 쏟는 바람에 그는 화가 머리끝까지 났습니다. 하지만 워낙 아끼는 매였기에 꾹 참고 다시 잔을 들어 물을 받기 시작했습니다.

졸졸, 잔이 반쯤 찼을까? 매가 또다시 달려들더니 잔을 후려쳤습니다.

"아니, 이런 괘씸한 녀석!"

칭기즈 칸의 얼굴이 붉게 달아올랐습니다. 매가 잔을 떨어뜨리게 하여 화가 난 칭기즈 칸

"네 이놈! 한 번만 더 그랬다간 내 용서치 않겠다!"

칭기즈 칸은 칼을 빼어 들고 매를 향해 두어 번 휘두르며 으름장을 놓았습니다. 하지만 매는 겁을 먹기는커녕 장난이라도 치듯이 허공에서 계속 날갯짓만 해 대고 있었습니다.

칭기즈 칸은 다시 잔을 주워 들어 물을 받기 시작했습니다. 물줄기는 갈수록 가늘어지더니 이제 한 방울씩 똑똑 떨어질 뿐이었습니다. 물이 차기를 기다리는 동안 매는 칭기즈 칸의 머리 위를 계속 맴돌고 있었습니다. 칭기즈 칸의 잔을 떨어뜨리기 위해 매가 기다림.

"저리 가, 저리 가!" ▶칭기즈 칸이 물을 마시려고 하자 못 마시게 하는 매

한쪽 손으로 물을 받으면서 다른 손으로 칼을 휘두르느라 여간 성가신 게 아니었습니다. 그렇게 겨우겨우 잔을 채워 물을 마시려는 순간, 어느새 매가 쏜살같이 날아와 또다시 잔을 채어 떨어뜨렸습니다. 2번의 근거

"이 나쁜 놈!"

칭기즈 칸은 들고 있던 칼로 매를 내리쳤습니다. 2번의 근거

매는 바닥에 떨어져 애처롭게 날갯짓을 하더니 이내 죽고 말았습니다. 칭기즈 칸은 그래도 분이 가라앉지 않았는지 거친 숨을 내뱉었습니다. ▶칭기즈 칸이 매를 죽임.

잠시 후 다시 잔을 들어 물을 받으려 했지만 물줄기는 어느새 끊겨 있었습니다. 칭기즈 칸은 어쩔 수 없이 바위 절벽 위로 기어오르기 시작했습니다.

간신히 꼭대기까지 올라 물웅덩이를 보는 순간 칭기즈 칸은 깜짝 놀라고 말았습니다. 3번의 근거 웅덩이 위에 커다란 뱀이 죽어 있었기 때문입니다. ▶매가 물을 못 마시게 한 까닭을 알게 된 칭기즈 칸

이렇게 지도해 주세요! 이 글은 힘든 상황에서 평정심을 잃은 칭기즈 칸의 신중하지 못한 행동과 매의 충성심이 담긴 이야기입니다. 마음이 급할 때 오히려 신중하게 행동해야 한다는 점을 잘 이해할 수 있도록 설명해 주세요.

• **주제** 칭기즈 칸의 신중하지 못한 행동과 매의 충성심

1 이 글은 칭기즈 칸과 그가 아끼던 매의 일화를 담은 이야기입니다. 중심 인물은 '칭기즈 칸'입니다.

2 칭기즈 칸은 바위틈으로 흘러내리는 물줄기를 받기 위해 허

리춤에 늘 차고 다니는 은잔을 꺼냈다고 하였습니다.

3 매는 웅덩이 위에 커다란 뱀이 죽어 있다는 사실을 알고 칭기즈 칸을 보호하기 위해 잔을 확 채어 떨어뜨렸을 것입니다.

4 칭기즈 칸은 웅덩이에 죽어 있던 뱀이 아니라, 자신이 아끼던 매의 죽음을 안타깝게 생각하고 있습니다.

오답 **풀이**

① 매는 주인을 살리기 위해 계속해서 잔을 떨어뜨렸던 것이라고 하였으므로, 이를 통해 매의 충성심을 알 수 있습니다.
② 칭기즈 칸이 죽은 매를 고이 안고 돌아와 매의 날개에 후회와 반성의 글귀를 적었다고 하였습니다. 이를 통해 자신의 행동을 반성하고 있다고 볼 수 있습니다.
④ 칭기즈 칸은 평정심을 잃고 신중하지 못한 행동으로 아끼던 매를 죽이고 말았으므로, 이 이야기의 교훈은 '신중하게 행동하자.'로 볼 수 있습니다.
⑤ 칭기즈 칸은 숲속에서 순간적인 감정으로 인해 아끼던 매를 죽이고 말았습니다. 따라서 이 글에 어울리는 속담은 어떤 행동이든 순간적인 감정에 의한 것이라면 잠시 멈춰 한 번쯤 깊이 생각해 볼 필요가 있다는 뜻인 '급할수록 돌아가라.'입니다.

5 ㉠은 칭기즈 칸이 신중하지 못한 판단으로 '아끼던 매를 제 손으로 죽인 일'을 가리키고, ㉡은 칭기즈 칸이 아끼던 '매'를 가리킵니다.

생각 글 쓰기

◆예시 **답안** 깊은 곳까지 들어와 버렸고, 목이 타서 견딜 수가 없었기 때문이다.

이렇게 지도해 주세요! 칭기즈 칸은 홀로 숲속 깊은 곳에서 더위와 피로에 지쳐 화가 치밀어 올라 평정심을 잃었기 때문에, 매의 행동에 대해 과민하게 반응한 것입니다. 칭기즈 칸의 이런 행동으로 인해 벌어진 일과 이를 통해 얻을 수 있는 교훈도 함께 지도해 주세요.

어법 다지기

03 주아가 이게 '어찌 된', '어떠한' 떡이냐는 표정을 지은 것이므로, '왠'이 아니라 '웬'으로 고쳐 써야 합니다. 참고로 '왠'은 '왠지'를 제외하고는 쓰지 않습니다.

10회 아기장수 설화

▶ 본문 46~49쪽

1 아기장수 **2** 지금의 서울 동쪽 아차산 옆 **3** ⑤ **4** ④ **5** ② **6** ⑤ **7** 용마산

어휘·어법 다지기 **01** (1) 화근 (2) 금실 (3) 효험 (4) 축지법 **02** (1) 축지법 (2) 화근 (3) 금실 **03** (1) 이, 이, 사 (2) 하나 (3) 첫째, 둘째

옛날 옛적에, 지금의 서울 동쪽 아차산 옆에 금실(琴瑟)이 좋기로 소문난 착한 부부가 살고 있었다. (2번의 근거) 신분은 평민이었고 재산도 그리 많지 않은 평범한 가정이었다. (4번의 근거) 그런데 딱 한 가지 근심이 있었는데 결혼한 지 10년이 지나도 아이가 없는 것이다. (3, 4번의 근거) 아이를 낳기 위해 별의별 수단을 다 동원해 보았지만 효험이 없었다. 부부가 아이 낳기를 포기할 무렵, 태기를 느끼고 열 달 동안 금이야, 옥이야 하며 몸가짐을 바르게 하였다. 열 달이 지나 아이를 낳았는데 경사에 경사가 겹쳐 건강한 아들을 낳았고 마을 사람들도 함께 기뻐해 주었다. (3번의 근거) 너무 귀한 옥동자이기에 눈에 쏙 들어왔다. ▶아들을 어렵게 낳은 부부

부인이 첫국밥을 먹고 국물을 그 갓난아기 입에 축이고 부엌에 잠깐 나갔다 왔더니 이것이 어찌 된 일인가? 갓난아기가 온데간데없었다. 아기 부모는 화들짝 놀랐다.

"아기가 없어지다니, 세상에 이런, 귀신이 곡할 일이 있는가? 정말 환장할 노릇이군. 아기가 도대체 어디를 갔을까? 귀신이 곡할 노릇이네."

이렇게 혼자 두런두런하고 혹시나 하는 마음에 방구석을 둘러보니까 방 안에 있는 제법 높은 선반에 아기가 올라가 놀고 있었다.

"원 세상에, 갓난아기가 무슨 수로 저 높은 선반에 올라갔을까?" (3번의 근거)

하며 아기를 내려놓았다. 그리고 혹시 다친 곳은 없는지 살펴보기 위해 아기 몸을 들어올렸다. 그때, 겨드랑이에서 이상한 것이 손에 잡혔다. 얼른 아기의 양손을 올려 보았더니 겨드랑이에 날개가 달려 있는 것이었다. (4번의 근거) 부인이 남편을 바라보며 말하였다. ▶날개가 달려 방을 날아다니는 아기

"아기가 날아서 선반에 올라갔으니 이것을 어쩐다지요?" (부인이 걱정함.)

그 남편도 놀랐다. 아기가 겨드랑이에 날개가 달려서 방안을 훨훨 날아다닌다니 이 아이는 장차 장수가 될 것이다. (4번의 근거) 이제 커서 방 안이 아니라 세상을 날아다니면 금방 어디든

갈 수 있으니까 축지법(縮地法)을 쓰는 셈이라, 장수가 될 인물이 틀림이 없었다.

여기까지 생각을 한 남편은 부인에게 조심스럽게 말하였다.

"아, 우리 집에 아기장수가 태어나다니…… 장차 큰일을 할 장수가 태어나다니……."

아내도 크게 걱정하면서 말하였다.

5번의 근거

"우리 같은 가난한 백성 집에 이런 아기가 어찌 태어난다는 말인가요?"

남편이 이어서 말하였다.

"그래서 걱정이오, 가문도 재산도 없는 집에서 영웅이 태어난다는 것은 곧 역적이요. 이는 우리 집이 망할 징조라는 것이요."

5번의 근거 – 부부가 걱정하는 까닭

"역적이라면 집안의 화근덩어리뿐만 아니라 이 나라의 화근덩어리잖아요. 우리가 죽는 것은 어쩔 수 없다지만, 아무리 이름 없는 가문일지언정 삼족(三族)이 멸할 텐데 어쩌면 좋아요?"

3번의 근거

부부는 머리를 맞대고 밤새도록 의논에 의논을 거듭하였다. 결국 부부는 10년 만에 얻은 아이지만, 장차 역적이 될 겨드랑이에 날개 달린 아기장수를 죽이기로 하였다.

3번의 근거 / 4번의 근거

▶비범한 아기장수를 죽이기로 한 부부

이렇게 지도해 주세요! 이 글은 '용마산'이라는 구체적인 지명과 관련된 아기장수 설화입니다. 지명의 유래를 이야기하는 글을 잘 이해할 수 있도록 설명해 주세요.

• **주제** 아기장수의 비극적인 죽음

1 이 글은 주인공인 '아기장수'에 대하여 쓴 설화입니다.

2 이 글의 공간적 배경은 '지금의 서울 동쪽 아차산 옆'입니다.

3 부부는 아기장수가 장차 집안의 화근덩어리뿐만 아니라 이 나라의 화근덩어리가 될 것이라고 생각하였습니다.

4 아기장수의 겨드랑이에 날개가 달려 있다고 하였습니다.

오답 **풀이**

① 아기장수는 아이를 낳기 위해 별의별 수단을 다 동원해 보았지만 효험이 없었던 부부의 외동아들로 태어났다고 하였습니다.
② 아기장수는 방 안을 훨훨 날아다녔다고 하였습니다.
③ 아기장수의 부모의 신분은 평민이었고 재산도 그리 많지 않은 평범한 가정이었다고 하였습니다.
⑤ 아기장수의 부모는 장차 역적이 될 아기장수를 죽이기로 했다고 하였습니다.

5 부부는 아기장수가 영웅으로 태어난 것을 '우리 집이 망할 징조'라고 생각하였습니다. 그래서 10년 만에 얻은 아이지만 장차 역적이 될 아기장수를 죽이기로 하였습니다. 이를 통해 부부는 겁이 많다고 볼 수 있습니다.

6 보기에서 관군이 무덤을 파헤치자 군사가 된 곡식들과 함께 일어서려던 아기장수는 사그라들었다고 하였습니다.

오답 **풀이**

① 부부는 아기장수를 잘 키우지 않았습니다.
② 부부는 아기장수를 무거운 곡식으로 눌러 죽였다고 하였습니다.
③ 부부는 아기장수를 집 앞 산기슭에 묻었다고 하였습니다.
④ 관군은 아기장수를 찾기 위해 바쁘게 돌아다니지 않았고, 아기장수의 소문을 듣고 찾아왔다고 하였습니다.

7 보기에서 마을 사람들이 아기장수의 죽음을 안타까워하며 그 산을 '용마산'이라고 불렀다고 하였습니다.

생각 글 쓰기

✦예시 **답안** 날개가 있어 날아다닐 수 있는 능력을 지니고 있기 때문이다.

이렇게 지도해 주세요! 부부는 아기의 겨드랑이에 날개가 달려서 방안을 훨훨 날아다니기 때문에 장차 장수가 될 인물이라고 생각하였습니다. 부부가 아기가 영웅이 될 것을 두려워한 까닭을 알 수 있도록 지도해 주세요.

어법 다지기

03 (1) '이, 이, 사'는 양수사입니다.
(2) '하나'는 양수사입니다.
(3) '첫째, 둘째'는 서수사입니다.

11회 비무장 지대의 생태계를 보호하자

▶ 본문 52~55쪽

1 비무장 지대 2 ② 3 ① 4 ② 5 ㉠ 6 비무장 지대, 우리, 화합, 발전

어휘·어법 다지기 01 (1)-㉢ (2)-㉡ (3)-㉣ (4)-㉠ 02 (1) 보고 (2) 주둔 (3) 상호 (4) 황폐 (5) 협정 03 (1) 부분 (2) 부문

비무장 지대는 군대가 주둔하거나 무기 및 군사 시설이 들어설 수 없는 공간을 말합니다.(2, 3번의 근거) 우리나라에도 정전 협정에 의해 설치된 비무장 지대가 있습니다. 휴전선으로부터 남북으로 각각 2킬로미터씩 물러난 구간이 바로 비무장 지대입니다.(3번의 근거) 그곳은 60년이 넘도록 사람들이 살지 않았기 때문에 자연스럽게 풀과 나무가 자랐고, 먹을 것을 찾아 동물들이 모여들면서 동식물의 낙원이 되었습니다.

▶동식물의 낙원이 된 비무장 지대

사람들의 손길이 닿지 않는 비무장 지대는 많은 야생 동식물의 피난처입니다.(4번의 근거) 특히 곧 사라질 위기에 처한 멸종 위기종의 상당수가 비무장 지대에 서식하고 있습니다. 환경부의 조사에 의하면 수달, 담비, 산양, 금개구리 등의 동물과 가는동자꽃, 대청부채 등의 식물을 합해 총 101종의 멸종 위기 야생 생물이 비무장 지대에 살고 있다고 합니다.(2, 3번의 근거) 또한 비무장 지대는 많은 철새들이 겨울을 나는 공간입니다. 가을이 되면 천연기념물로 지정된 두루미와 재두루미, 독수리 같은 새들이 비무장 지대로 날아옵니다.(2번의 근거) 수만 마리의 기러기 떼도 무리 지어 비무장 지대를 찾습니다.

▶많은 야생 동식물의 피난처인 비무장 지대

이처럼 비무장 지대는 다양한 생물종의 보고입니다. 우리는 비무장 지대의 생태계를 보호해야 합니다. 그 이유는 첫째, 생태계를 지키는 일이 곧 우리를 지키는 일이기 때문입니다.(2, 6번의 근거) 지구를 구성하는 모든 생물종들은 혼자서는 살 수 없는, 상호 의존적인 존재입니다. 따라서 한 종이 영원히 사라져 버리면 그 결과로 우리에게 어떤 피해가 발생할지 아무도 모릅니다. 생물학자들은 지금 수준의 환경 파괴가 계속된다면 이번 세기의 말에는 지금 살고 있는 동식물의 절반이 사라질 것이라고 경고합니다. 그런 일이 벌어지고 난 뒤에는 돌이킬 수 없습니다. 그러므로 우리는 비무장 지대에 있는 멸종 위기종들이 사라지지 않도록 보호하고 관리해야 합니다.

▶비무장 지대의 생태계를 보호해야 하는 까닭 ①

둘째, 비무장 지대의 생태계를 보호하는 일이 남북한의 화합과 발전을 이끌어 낼 수 있기 때문입니다.(2, 6번의 근거) 통일은 단순히 땅만 합치는 것이 아니라 서로의 사상과 문화, 언어, 그리고 생태를 이해하고 받아들이는 일입니다. 그러므로 남한과 북한의 경계에 있는 비무장 지대의 생태계를 남북한이 함께 조사하고 보존하는 일은 꼭 필요합니다. 남북한이 비무장 지대의 산과 늪, 동식물을 보호하려고 관심을 기울이는 동시에 그곳을 연구한다면 많은 과학적 지식도 얻을 수 있을 것입니다.(3번의 근거)

▶비무장 지대의 생태계를 보호해야 하는 까닭 ②

전쟁이 휩쓸고 지나간 후 비무장 지대는 누구도 발을 들이지 않는 황폐한 공간이었습니다. 하지만 이제는 많은 동식물에게 없어서는 안 될 장소가 되었습니다. 우리는 아름답게 변한 이곳이 또다시 황폐해지지 않도록 잘 가꾸고 보호해야 합니다.(4번의 근거)

▶비무장 지대를 잘 가꾸고 보호해야 함.

이렇게 지도해 주세요! 이 글은 다양한 멸종 위기종의 서식지이며 철새들이 머무는 비무장 지대의 생태계를 보호하자는 주장을 담은 글입니다. 글쓴이의 주장과 근거를 중심으로 글을 이해할 수 있도록 설명해 주세요.

- **주제** 비무장 지대의 생태계를 가꾸고 보호하자.

1 이 글은 '비무장 지대'에 대해 설명한 뒤 비무장 지대의 생태계를 보호해야 한다고 주장하는 글입니다.

2 비무장 지대에 사는 멸종 위기종을 나열하고 있지만 이미 멸종된 동식물의 종류는 나타나 있지 않습니다.

오답 **풀이**

① 첫째 문단에서 비무장 지대는 군대가 주둔하거나 무기 및 군사 시설이 들어설 수 없는 공간이라고 하였습니다.

③ 둘째 문단에서 수달, 담비, 산양, 금개구리 등의 동물과 가는동자꽃, 대청부채 등의 동식물이 서식하고, 가을이 되면 두루미, 재두루미, 독수리, 기러기 등이 겨울을 나기 위해 찾는다고 하였습니다.

④ 셋째, 넷째 문단에서 생태계를 지키는 일이 곧 우리를 지키는 일이고, 비무장 지대의 생태계를 보호하는 일이 남북한의 화합과 발전을 이끌어 낼 수 있기 때문에, 비무장 지대의 생태계를 보호해야 한다고 하였습니다.

⑤ 둘째 문단에서 가을이 되면 두루미와 재두루미, 독수리 같은 새들과 수만 마리의 기러기 떼가 비무장 지대를 찾는다고 하였습니다.

3 글쓴이는 아름답게 변한 비무장 지대가 또 다시 황폐해지지 않도록 잘 가꾸고 보호해야 한다고 하였습니다. 따라서 비무장 지대가 아직까지 황폐한 채로 남아 있다는 것은 알맞지 않습니다.

4 글쓴이는 다양한 생물종의 보고인 비무장 지대의 생태계를 보호해야 한다고 주장하였습니다.

5 비무장 지대 안의 용늪을 보존해야 한다는 주장은 비무장 지대의 생태계를 지켜야 한다는 글쓴이의 주장을 더 자세히 말한 의견입니다.

6 이 글은 글쓴이의 주장과 그에 대한 근거를 담은 논설문입니다. 글쓴이는 먼저 '비무장 지대'의 생태계를 보호하자고 주

장하고 있습니다. 그 근거로는 두 가지를 들었습니다. 첫째는 생태계를 지키는 일이 '우리'를 지키는 일이라는 것이고, 둘째는 비무장 지대의 생태계 보호가 남북한의 '화합'과 '발전'을 이끌어 낼 수 있기 때문이라는 것입니다.

생각 글 쓰기

◆예시 **답안** 모든 생물종은 상호 의존적인 존재로, 한 종이 사라지면 그 결과로 우리에게 어떤 피해가 발생할지 모르기 때문이다.

이렇게 지도해 주세요! 글쓴이는 지구의 모든 생물들과 인간은 상호 의존적인 존재이기 때문에 한 생물종의 멸종이 인간에게 영향을 미칠 수 있다고 하였습니다. 생태계에 포함된 각각의 생물종이 안전해야 사람도 안전할 수 있다는 것을 설명해 주세요.

어법 다지기

03 (1) 감자 전체에서 썩은 일부분을 잘라낸 것이므로 '부분'이 알맞습니다.
(2) 민지는 글짓기 대회를 글의 속성이라는 일정한 기준에 따라 시, 소설, 기행문, 논설문 등으로 나누었을 때 그중 하나의 분야에서 상을 받은 것이므로 '부문'이 알맞습니다. 부문과 유사한 단어로는 경지(境地), 분야(分野), 영역(領域)이 있습니다.

12회 초소형 로봇

▶ 본문 56~59쪽

1 초소형 로봇 **2** ④ **3** (1)-㉢ (2)-㉡ (3)-㉠ **4** ④ **5** 생체 모방형 로봇 **6** ㉠ **7** 소금쟁이, 꿀벌, 2,000

어휘·어법 다지기 **01** (1) 수색 (2) 탑재 (3) 정찰 **02** (1) 탑재 (2) 정찰 (3) 제어 **03** (1) ○ (2) ○ (3) ×

초소형 로봇은 아주 작은 전자 부품과 기계 장치를 이용해 만든 로봇을 말합니다.(1번의 근거) 사람의 혈관 안에 들어갈 만큼 작게 제작된 의료용 로봇은 우리의 몸을 탐색하고 치료합니다. 수색을 목적으로 만들어진 초소형 로봇은 방사능으로 오염된 곳이나 무너진 건물 안과 같이 사람이 갈 수 없는 장소를 대신 살핍니다. 적의 눈에 잘 띄지 않을 만큼 작게 제작되어 정찰 활동에 쓰이는 군사용 초소형 로봇도 있습니다.(2번의 근거) 이처럼 초소형 로봇은 우리 생활에서 점차 활용 영역을 넓혀가고 있습니다.(2번의 근거) ▶우리 생활의 초소형 로봇

'로보비(Robobee)'는 미국의 하버드 대학교 연구진이 만든 벌 모양의 초소형 로봇입니다.(2번의 근거) 「무게가 약 80밀리그램, 길이가 약 3센티미터 정도인 로보비는 1초당 날개를 120회」(「」: 4번의 근거) 정도 움직이며, 실제 꿀벌처럼 날개를 이용해 상하좌우로 날아다닐 수 있습니다.(3번의 근거) 로보비는 그 몸체 안에 탑재할 만큼 작은 배터리를 찾지 못했기 때문에 아직까지는 컴퓨터와 연결해서만 쓸 수 있습니다. 하지만 연구자들이 초소형 로봇에 들어갈 만큼 작은 제어 시스템과 배터리를 개발한다면 로보비가 스스로 움직이는 것이 가능해집니다. 그렇게 되면 로보비가 사라져 가는 꿀벌을 대신해 꽃가루를 다른 꽃으로 옮기는 역할도 할 수 있을 것입니다.(6번의 근거) ▶로보비에 대한 소개

'소금쟁이 로봇'은 우리나라의 서울대학교 연구진에 의해 개발된 초소형 로봇으로, 물 위를 떠다니는 소금쟁이의 모습을 본떠 만든 로봇입니다.(2번의 근거) 이처럼 실제로 살고 있는 생물체의 특징을 모방해서 만든 로봇을 생체 모방형 로봇이라고 하는데,(5번의 근거) 앞서 살펴본 로보비도 생체 모방형 로봇의 일종입니다. 무게가 「60밀리그램 정도 나가는 소금쟁이 로봇은 실제 소금쟁이처럼 수면에 떠 있는 것은 물론 수면에서 공중으로 14센티미터가량을 뛰어오르는 것도 가능합니다.」(「」: 4번의 근거, 3번의 근거) 이 로봇은 개발이 완료되면 주로 오염 지역이나 전쟁터 같은 위험 지역에 사용될 계획입니다.(6번의 근거) ▶소금쟁이 로봇에 대한 소개

'마이크로 터그 로봇'은 미국 스탠퍼드 대학교의 한 연구

소에서 개발되었습니다. 이 초소형 로봇은 자기 몸무게에 비해 훨씬 무거운 물체를 들 수 있는 개미를 본떠 만든 생체 모방형 로봇으로, 「무게가 약 17그램에 불과하지만 자기 무게의 2,000배에 달하는 물체를 끌 수 있는 강력한 힘」을 지니고 있습니다. 따라서 마이크로 터그 로봇을 잘 활용하면 빼내기 어려운 곳에 있는 무거운 물건을 가져올 수 있습니다. 마이크로 터그 로봇을 제작한 연구팀에 의하면 이 초소형 로봇 여섯 대를 합해 1.8톤짜리 차를 끄는 데 성공했다고 합니다.

(3번의 근거 / 「 」: 4번의 근거 / 6번의 근거 / 2번의 근거)

▶마이크로 터그 로봇에 대한 소개

이렇게 지도해 주세요! 이 글은 초소형 로봇의 특징과 그 사례인 로보비, 소금쟁이 로봇, 마이크로 터그 로봇에 대해 설명한 글입니다. 이외에도 어떤 초소형 로봇들이 있는지 초소형 로봇들의 특징을 잘 파악할 수 있도록 지도해 주세요.

• **주제** 우리 생활에서 활용 영역을 넓혀 가는 초소형 로봇

1 이 글은 아주 작은 전자 부품과 기계 장치를 이용해 만든 '초소형 로봇'에 대해 설명한 글입니다.

2 마이크로 터그 로봇 여섯 대를 합해 1.8톤짜리 차를 끄는 데 성공했다고 하였습니다.

3 ⑴ 마이크로 터그 로봇은 무게가 약 17그램에 불과한 로봇이라고 하였습니다.
⑵ 소금쟁이 로봇은 수면에 떠 있거나 수면 위로 뛰어오를 수 있다고 하였습니다.
⑶ 로보비는 꿀벌처럼 날개를 이용해 상하좌우로 날아다닐 수 있는 로봇이라고 하였습니다.

4 이 글은 초소형 로봇들의 무게, 로보비가 초당 날개를 움직이는 횟수, 소금쟁이 로봇이 수면에서 뛰는 높이, 마이크로 터그 로봇이 들 수 있는 물체의 무게 등을 수치로 표시하며 로봇의 특징을 자세히 설명하고 있습니다.

오답 **풀이**
①, ② '로보비, 소금쟁이 로봇, 마이크로 터그 로봇'의 장점을 중심으로 초소형 로봇들의 특징을 설명하고 있습니다.
③ 우리 생활에서 활동 영역을 넓혀 가고 있는 초소형 로봇의 예로 '로보비, 소금쟁이 로봇, 마이크로 터그 로봇'을 들고 있습니다.
⑤ 이 글은 우리 생활에서 활동 영역을 넓혀 가고 있는 초소형 로봇에 대해 설명하고 있습니다.

5 실제로 살고 있는 생물체의 특징을 모방해서 만든 로봇을 '생체 모방형 로봇'이라고 한다고 하였습니다.

6 로보비는 공중을 날아다닐 수 있는 초소형 로봇이므로, 땅속 생물을 조사하기에는 알맞지 않습니다.

7 이 글은 아주 작은 부품과 기계 장치로 만든 초소형 로봇에 대하여 설명한 글입니다. 로보비는 '꿀벌'처럼 날개를 이용해 날아다닐 수 있는 초소형 로봇이고, '소금쟁이' 로봇은 수면에 떠 있거나 수면 위로 뛰어오를 수 있는 초소형 로봇이라고 하였습니다. 또한, 마이크로 터그 로봇은 자기 무게보다 '2,000'배 무거운 물체를 끌 수 있는 강력한 힘을 가진 로봇이라고 하였습니다.

생각 글 쓰기

◆예시 **답안** 로보비 안에 탑재할 만큼 작은 배터리를 찾지 못했기 때문이다.

이렇게 지도해 주세요! 로보비의 목표는 선 없이 공중을 날아다니는 것입니다. 하지만 아직 로보비에 탑재할 작은 제어 시스템과 배터리가 개발되지 않았기 때문에 로보비는 컴퓨터와 연결해야만 쓸 수 있다는 것을 설명해 주세요.

어법 다지기

03 ⑴ '뵈다'의 '뵈'에 '어'와 '요'를 결합해 만든 '뵈어요'는 '봬요'로 줄일 수 있습니다.
⑵ 상대를 높이는 표현의 하나인 '해요체'로 윗사람에게 뵈자고 청할 때에는 '뵈다'의 '뵈'에 '어'와 '요'를 붙입니다.
⑶ '뵈다'에 '요'만 결합한 '뵈요'는 '어'를 빠뜨린 것으로, 맞춤법에 어긋난 표현입니다.

13회 전통 민화 속 동물들

▶ 본문 60~63쪽

1 동물 2 ⑤ 3 ② 4 장수 5 ⑤ 6 우애, 호랑이, 닭

어휘·어법 다지기 01 (1)-㉠ (2)-㉡ (3)-㉣ (4)-㉢ 02 (1) 신령한 (2) 번창 (3) 재생력 03 (1) 도 (2) 만 (3) 만

예로부터 사람들은 자신들의 생활 습관이나 종교, 전설, 풍속 등을 그림으로 표현하였습니다. 이러한 그림을 '민화'라고 합니다. (2번의 근거) 민화를 그린 사람은 대개 이름난 화가가 아닌 평범한 백성들이었습니다. 백성들은 민화를 벽에 걸어 두면 집을 아름답게 꾸밀 수 있을 뿐만 아니라 민화가 귀신을 쫓고 복을 가져다준다고 믿었습니다. 그렇기 때문에 백성들은 좋은 의미를 담고 있는 동식물과 사물을 골라 반복해서 그렸습니다. 특히 몇몇 동물들은 아주 좋은 의미를 가지고 있었기 때문에 자주 그려졌습니다. (1번의 근거) ▶민화의 개념

옛사람들은 사슴을 신령한 동물이라고 생각했습니다. 따라서 민화 속 사슴도 지상과 천상을 이어준다는 신성한 의미를 담고 있었습니다. 사람들은 사슴을 그려서 걸어 두면 오래 살 수 있다고 믿었습니다. (2, 4번의 근거) 사슴뿔은 떨어져도 다시 돋아나는 재생력을 가진데다가 달여 먹으면 아픈 사람이 몸을 회복할 수 있었기 때문입니다. 민화 속 사슴은 장수 이외에도 벼슬, 우애 등의 의미가 있었습니다. (4번의 근거) ▶민화 속 사슴의 의미

(5번의 근거) 호랑이는 '벽사'를 상징했습니다. (3번의 근거) 벽사는 악한 귀신을 물리친다는 뜻입니다. (2번의 근거) 사람들은 호랑이 그림을 벽에 걸어 두면 나쁜 것들은 물러가고 좋은 일이 생긴다고 믿었습니다. 이처럼 옛사람들의 사랑을 받았던 호랑이는 용맹하고 사나운 모습으로 그려진 것이 아니라 친근하고 우스꽝스러운 모습으로 표현되었습니다. 또, 까치와 함께 그려지는 경우가 많았습니다. 까치와 호랑이가 함께 있는 그림은 기쁜 소식을 뜻하기도 하고, 인간 존중을 의미하기도 했습니다. (3, 5번의 근거) ▶민화 속 호랑이의 의미

개는 우리와 아주 친밀한 동물인 만큼 상징하는 것도 많았습니다. 우선 개는 신뢰와 충성, 믿음을 상징했습니다. 주인을 잘 따르고 좋아하는 개의 특성과 잘 어울리지요. 또한 개는 귀신을 물리치는 벽사를 의미하기도 했습니다. 개는 털의 빛깔에 따라 의미하는 바가 달라지기도 했는데, 백구는 불길한 기운을 누르는 벽사의 의미가 강조되었고 황구는 풍요로움을 상징했습니다. (2번의 근거) ▶민화 속 개의 의미

동이 틀 무렵이면 울음소리로 하루가 시작되었음을 알리는 닭은 어둠을 물리치고 빛을 몰고 오는 동물입니다. 따라서 닭 그림 역시 벽사의 의미가 있었습니다. 닭은 부부간의 금실과 자손 번창을 상징하기도 했습니다. 이는 알을 많이 낳는 닭의 특성과 연관이 있겠지요? ▶민화 속 닭의 의미

이처럼 전통 민화 속 동물들은 우리 민족의 다양한 소망을 담고 있습니다. 앞서 설명한 동물 이외에도 고양이, 나비, 매, 원앙이나 물고기 한 쌍도 민화에서 자주 사용되는 소재였습니다. 고양이는 수호신 역할을 했고, 장수를 상징하기도 했습니다. (4번의 근거) 나비도 장수를 의미했지요. 매는 악귀를 몰아내고 자연재해를 방지한다는 의미가 있었습니다. (5번의 근거) 원앙이나 물고기를 한 쌍 그려 넣은 것은 부부가 한평생 함께 살고 함께 늙는다는 '해로'와 부부간의 사랑을 상징했답니다. (5번의 근거) ▶민화 속 고양이, 나비, 매, 원앙과 물고기의 의미

이렇게 지도해 주세요! 이 글은 전통 민화에 주로 등장하는 동물과 그 동물이 상징하는 바를 설명한 글입니다. 이밖에도 다른 동물들이 상징하는 의미를 생각해 볼 수 있도록 지도해 주세요.

- **주제** 전통 민화 속에 등장하는 동물들과 의미

1 이 글은 전통 민화 속에 등장하는 '동물'들과 그 동물들이 상징하는 바를 설명한 글입니다.

2 셋째 문단에서 까치와 호랑이가 함께 있는 그림이 인간 존중을 의미한다고 했을 뿐, 그 까닭에 대해서는 나타나 있지 않습니다.

3 민화 속 호랑이는 '벽사', 까치와 함께 있는 그림은 '기쁜 소식(경사)', '인간 존중'을 의미한다고 하였습니다.

오답 **풀이**
①, ③ 신뢰와 충성, 믿음을 상징하는 민화 속 동물은 '개'라고 하였습니다.
④ 원앙이나 물고기를 한 쌍 그려 놓은 것은 부부 해로를 상징한다고 하였습니다.
⑤ 매는 악귀를 몰아내고 자연재해를 방지한다는 의미가 있었다고 하였습니다.

4 옛사람들은 사슴을 그려서 걸어 두면 오래 살 수 있다고 믿었다고 했으며, 고양이와 나비도 장수를 의미한다고 하였습니다.

5 민화에 그려진 원앙이나 물고기 한 쌍은 부부 해로와 부부간의 사랑을 상징한다고 하였습니다. 따라서 이모와 이모부의 해로를 기원하기 위해서는 원앙 한 쌍이나 물고기 한 쌍이 그려진 그림을 선물드리는 것이 알맞습니다.

오답 **풀이**
① 매는 '악귀를 몰아내고 자연재해를 방지한다.'는 의미입니다.
② 까치와 호랑이가 함께 있는 그림은 '기쁜 소식, 인간 존중'을 의미합니다.
③ 사슴은 '장수, 벼슬, 우애' 등을 의미합니다.
④ 호랑이는 '벽사'를 의미합니다.

6 이 글은 민화에 등장하는 동물들과 의미를 설명한 글입니다.

사슴은 지상과 천상을 이어준다는 의미와 함께 장수, 벼슬, '우애'를 상징합니다. '호랑이'는 벽사, 까치와 함께 있는 그림은 기쁜 소식, 인간 존중의 의미가 있습니다. 개는 신뢰, 충성, 믿음, 벽사(백구), 풍요로움(황구)을 의미합니다. '닭'은 벽사, 부부간의 금실, 자손 번창을 상징합니다. 이외의 동물이 가진 의미는 마지막 문단에서 알 수 있습니다.

생각 글 쓰기

◆예시 **답안** 개가 주인을 잘 따르고 좋아하는 특성을 지녔기 때문이다.

이렇게 지도해 주세요! 민화 속 동물이 상징하는 의미는 그 동물의 특성을 나타내는 경우가 많습니다. 사슴이 뿔의 재생력 때문에 장수를 상징하고 닭이 알을 많이 낳아서 부부간의 금실과 자손 번창을 상징하는 것처럼, 개도 개의 특성과 연관된 의미를 갖는다는 것을 알 수 있도록 지도해 주세요.

어법 다지기

03 (1) 이미 '나'가 포함된 '안경을 쓴 무리'에 '너'를 추가하기 위해서는 이미 어떤 것이 포함되고 그 위에 더함의 뜻을 나타내는 보조사인 '도'를 써야 합니다.

(2) 좋아하는 반찬 뒤에 '만'을 붙여 '좋아하는 반찬 이외의 다른 것은 먹지 않는다.'라는 뜻을 드러내야 그 뒤의 문장인 '골고루 먹다'와 대비를 이룰 수 있습니다.

(3) '지수'를 다른 사람들로부터 제한해서 모임에 온 사람으로 한정하려면 '만'을 붙여야 합니다. 여기에 '도'를 붙이면 지수 이외에 다른 누군가도 온 상황이 되므로 뒤의 문장과 어울리지 않습니다.

14회 공정 무역을 확대하자

▶ 본문 64~67쪽

1 공정 무역 **2** ① **3** ② **4** ㉣ **5** 초콜릿, 축구공, 커피, 설탕 **6** ㉣ **7** 아이들, 공정 무역, 생산자들

어휘·어법 다지기 **01** (1) 대우 (2) 임금 (3) 유통 **02** (1) 유통 (2) 대우 (3) 임금 **03** (1) 일절 (2) 일체

카카오는 초콜릿의 원료로, 일일이 사람 손이 닿아야 수확할 수 있는 까다로운 작물입니다.(3번의 근거) 긴 낫으로 열매를 딴 뒤 칼로 딱딱한 껍질을 벗기고 그 안에 있는 카카오 콩을 햇빛에 말려야 하는데, 이 모든 작업이 기계가 아닌 사람의 손으로 이루어지기 때문에(3번의 근거) 농민들은 1년 내내 카카오 농사에 매달려야 합니다. 그러나 정작 돈을 버는 것은 농민들이 아니라 카카오를 수입하는 사람들과 초콜릿 회사입니다. 그렇기 때문에 농민들은 일꾼을 고용하지 못하고 대신 임금이 싼 아이들을 일터로 내몰고 있습니다.

▶불평등한 카카오 농사의 구조와 희생되는 아이들

이러한 문제를 해결하기 위해 시작된 것이 바로 공정 무역입니다.(1번의 근거) 공정 무역은 노동의 대가를 공정하게 지불하는 무역입니다. 즉, 생산자와 기업 간의 경제적 불균형을 없애 개발도상국의 생산자가 경제적으로 자립할 수 있도록 도와주고, 중간 상인의 개입을 줄여 유통 비용을 낮추는 효과를 내는 무역 방식을 말합니다.(3번의 근거) 생산자는 노동에 대한 정당한 대가를 받고 소비자는 더욱 저렴한 가격으로 좋은 품질의 제품을 구입할 수 있습니다.(3, 4번의 근거)

▶공정 무역의 좋은 점

우리는 공정 무역을 확대해 나가야 합니다.(2번의 근거) 공정 무역은 생산자들에게 공정한 가격을 지불하고 그들에게 건강한 작업 환경을 제공합니다.(4번의 근거) 공정 무역을 하는 단체들은 개발 도상국 사람들이 생산하는 농작물을 정당한 값에 사들이고,(3번의 근거) 형편이 어려운 생산자들에게는 물건 값을 미리 지불하기도 합니다. 또 공정 무역 단체들의 도움을 통해 생산자들은 농업 기술을 배우고 해당 시장에 대한 지식을 쌓으며, 무역 과정에서 발생할 수 있는 부당한 대우를 피할 수 있게 됩니다.

▶공정 무역을 확대해 나가야 할 근거 ①

공정 무역은 어린이들을 보호합니다.(4번의 근거) 공정한 방식으로 무역이 진행되면 생산자들은 노동의 대가를 정당하게 받을 수 있어 소득이 증가합니다.(3번의 근거) 따라서 아이들을 노동에 참여시키지 않아도 되고, 학교에 보낼 수도 있게 됩니다.(3번의 근거) 실제로 공정 무역을 하는 생산자들 스스로가 어린 아이들에게 힘든 일을 시키지 않고(4번의 근거) 환경과 소비자를 위한 질 좋은 물건을 생산할

것을 약속하고 있습니다. ▶공정 무역을 확대해 나가야 할 근거 ②

공정 무역이 확대되려면 일상생활 속에서 공정 무역 제품을 이용해야 합니다. 공정 무역 제품에는 초콜릿, 축구공, 커피, 설탕 등이 있습니다.(5번의 근거) 이러한 제품을 구입할 때에는 공정 무역 인증 표시가 붙어 있는지 확인합니다. 또 공정 무역 홍보 캠페인에 참여하고, 적은 금액이라도 공정 무역이 활성화될 수 있도록 기부할 수도 있습니다. 작은 소비에서부터 많은 사람들이 공정 무역에 관심을 갖는다면 공정 무역은 자연스럽게 확대될 수 있을 것입니다. ▶작은 소비에서부터 시작하는 공정 무역

이렇게 지도해 주세요! 이 글은 생산자에게 노동의 대가를 공정하게 지불하는 공정 무역을 확대하자고 주장하는 글입니다. 공정 무역에 대한 글쓴이의 주장과 근거를 이해할 수 있도록 지도해 주세요.

• **주제** 공정 무역을 확대하자.

1 이 글은 생산자들에게 노동의 대가를 공정하게 지불하는 '공정 무역'에 대한 글입니다.

2 글쓴이는 공정 무역을 확대해야 한다고 주장하고 있습니다.

3 공정 무역을 하면 생산자들은 노동의 대가를 정당하게 받을 수 있어 소득이 증가하고, 따라서 아이들을 노동에 참여시키지 않아도 된다고 하였습니다.

4 공정 무역을 통해 소비자들은 더욱 저렴한 가격으로 좋은 품질의 제품을 구입할 수 있다고 했을 뿐, 소비자들이 생산자들에게 직접 돈을 지불할 수 있다고 하지는 않았습니다.

5 마지막 문단에서 공정 무역 제품에는 '초콜릿, 축구공, 커피, 설탕' 등이 있다고 하였습니다.

6 공정 무역을 실천하려면, 유명 브랜드 로고 대신 공정 무역 인증 표시가 있는 축구공을 구매해야 합니다.

7 이 글은 불평등한 구조인 카카오 농사에 희생되는 '아이들'을 문제 상황으로 제시하고, 이를 해결하기 위해 '공정 무역'을 확대하자고 주장하고 있습니다. 이의 근거로 공정 무역은 '생산자들'에게 공정한 가격과 건강한 작업 환경을 제공하고 어린이들을 보호한다는 것을 들고 있습니다.

생각 글 쓰기

◆예시 **답안** 농민들이 정당하게 노동의 대가를 받지 못해 임금이 싼 아이들을 노동에 참여시키기 때문이다.

이렇게 지도해 주세요! 카카오 농사로 정작 돈을 버는 것은 농민들이 아닌 카카오를 수입하는 사람들과 초콜릿 회사라고 하였습니다. 그 결과로 임금이 싼 아이들이 일을 하게 된 상황을 설명해 주세요.

어법 다지기

03 (1) 간섭하지 말라는 '금지'의 뜻이므로, '일절'이 알맞습니다.
(2) 재산 '전부'를 기부한 것이므로, '일체'가 알맞습니다.

15회 국경 없는 의사회

▶ 본문 68~71쪽

1 국경 없는 의사회 2 ④ 3 ⑤ 4 ⑤ 5 ④ 6 국경, 공평
어휘·어법 다지기 01 (1)-ⓒ (2)-㉠ (3)-ⓔ 02 (1) 민간 (2) 살포 (3) 타개 (4) 복구 03 (1) 축적 (2) 축척 (3) 축적

국경 없는 의사회는 전쟁, 질병, 굶주림, 자연재해 등으로 고통받는 세계 각 지역의 주민들을 돕는 국제 민간 의료 구호 단체입니다. 이 단체는 1971년 의사와 언론인 열두 명이 프랑스 파리에 모여 설립한 단체로,(2번의 근거) 인종, 종교, 계급, 성별, 정치적 성향에 관계없이 도움이 필요한 사람들에게 의료 혜택을 주기 위해 만들어졌습니다. 이 단체가 생기기 전까지 사람들은 나와 전혀 다른 사람을 돕기 위해 낯선 곳에 간다고 생각하지 못했습니다. 하지만 국경 없는 의사회는 위험을 무릅쓰고 국경을 넘었습니다. 국경 너머에 아프고 가난한 사람들이 있었기 때문입니다. ▶국경 없는 의사회의 의미와 설립 배경

국경 없는 의사회가 설립될 때 만들어진 3대 원칙은 '중립', '공평', '자원'입니다.(6번의 근거) 국경 없는 의사회는 아픈 사람을 낫게 하는 일에 어떠한 목적도 갖지 않으며, 다양한 사회적 논쟁에서 ㉠중립을 지킵니다. 또한 국경 없는 의사회는 모든 사람들을 공평하게 돕습니다. 누구나 인간이라는 이유만으로 구호를 받을 권리가 있기 때문입니다.(3번의 근거) 국경 없는 의사회에 속한 사람들은 국경 없는 의사회가 제공할 수 있는 것 외에는 어떠한 보상도 바라지 않습니다.(2번의 근거) 그들은 자신들이 수행하는 임무의 위험성과 부담을 알고 있으면서도 아프고 가난한 사람들을 돕는 일에 자원했기 때문입니다. ▶국경 없는 의사회의 3대 원칙

국경 없는 의사회가 하는 가장 큰 일은 '치료'입니다. 국경 없는 의사회는 자연재해나 전쟁으로 피해를 입은 지역에 가능한 한 빨리 가서 피 흘린 사람들을 수술하고 치료합니다. 이와 동시에 무너진 병원과 진료소를 복구하고 음식을 보급하며,(5번의 근거) 현지의 의료진을 교육합니다. 재해 지역에 전염병이 돌아 2차 피해가 생기는 것을 막기 위해 예방 접종을 하고 공중위생 프로그램을 운영하기도 합니다.(2, 5번의 근거) 전쟁으로 마음에 상처를 입은 사람들의 정신 건강을 살피는 것도 국경 없는 의사회의 일입니다. 현재까지 국경 없는 의사회로부터 이러한 도움을 받은 나라는 약 70개국에 이릅니다.(2번의 근거) ▶국경 없는 의사회의 임무 – 치료

국경 없는 의사회의 또 다른 주요한 일은 '증언'입니다. 이들은 재난 현장에서 자신들이 보고 겪은 것을 이야기함으로(2, 5번의 근거)

써 고통받는 사람이 있다는 사실을 전 세계에 알립니다. 한 예로 국경 없는 의사회는 이라크가 화학 무기를 살포한 사실을 전 세계에 알렸고, 1995년 르완다에서 양민 학살 사건이 있었음을 폭로하기도 했습니다. 국경 없는 의사회의 증언은 재난 지역의 상황이 더 빨리 종결되도록 도와주고, 국경 없는 의사회의 힘만으로는 해결할 수 없는 문제를 다른 단체나 국가가 나서서 타개할 수 있게 해 줍니다.

▶국경 없는 의사회의 임무 – 증언

이렇게 지도해 주세요! 이 글은 국경 없는 의사회의 설립 배경과 설립 당시 내세운 원칙, 단체의 주요 임무를 바탕으로 국경 없는 의사회를 설명한 글입니다. 국경 없는 의사회가 어떤 단체인지 이해할 수 있도록 지도해 주세요.

• **주제** 국경 없는 의사회의 의미와 주요 임무

1 이 글은 '국경 없는 의사회'의 설립 배경, 원칙, 주요 임무를 설명한 글입니다.

2 국경 없는 의사회에 속한 사람들은 국경 없는 의사회가 제공할 수 있는 것 외에는 어떠한 보상도 바라지 않는다고 하였습니다.

오답 **풀이**

① 첫째 문단에서 국경 없는 의사회는 1971년 의사와 언론인 열두 명이 프랑스 파리에 모여 설립했다고 하였습니다.

② 셋째 문단에서 현재까지 국경 없는 의사회로부터 도움을 받은 나라는 약 70개국에 이른다고 하였습니다.

③ 마지막 문단에서 국경 없는 의사회는 재난 현장에서 자신들이 보고 겪은 것을 이야기함으로써 고통받는 사람이 있다는 사실을 전 세계에 알린다고 하였습니다.

⑤ 셋째 문단에서 재해 지역에 전염병이 돌아 2차 피해가 생기는 것을 막기 위해 예방 접종을 하고 공중위생 프로그램을 운영하기도 한다고 하였습니다.

3 국경 없는 의사회는 누구나 인간이라는 이유만으로 구호를 받을 권리가 있기 때문에 모든 사람들을 공평하게 돕는다고 하였습니다.

4 '중립'은 '어느 편에도 치우치지 아니하고 공정하게 처신함.' 이라는 뜻입니다. 국경 없는 의사회는 아픈 사람을 낫게 하는 일에 어떠한 목적도 갖지 않으며, 인종 문제, 정치 문제, 종교 문제 등 다양한 사회적 논쟁에 관여하지 않는다는 것을 뜻합니다.

오답 **풀이**

① '차별이 있어 고르지 아니함.'은 '불평등'의 의미입니다.

② '어떤 견해나 의견에 같은 생각을 가짐.'은 '동감'의 의미입니다.

③ '공정하지 못하고 한쪽으로 치우친 생각.'은 '편견'의 의미입니다.

④ '어떤 일을 자기 스스로 하고자 하여 나섬.'은 '자원'의 의미입니다.

5 국경 없는 의사회는 환자 수술과 치료, 병원 및 진료소 복구, 음식 보급, 현지 의료진 교육 등의 일을 하지만 마을 사람들의 집을 다시 지어 주는 일은 할 일로 알맞지 않습니다.

6 국경 없는 의사회는 '국경' 너머의 아픈 사람들을 돕기 위해 설립된 단체입니다. 국경 없는 의사회의 3대 원칙은 중립, '공평', 자원입니다. 이 단체의 주요 임무는 재난 피해자를 치료하는 것과 재난 지역의 상황을 증언하는 것입니다.

생각 글 쓰기

◆예시 **답안** 재난 지역의 상황이 더 빨리 종결되도록 도와주고, 국경 없는 의사회의 힘만으로는 해결할 수 없는 문제를 다른 단체나 국가가 도울 수 있게 하기 위해서이다.

이렇게 지도해 주세요! 국경 없는 의사회의 주요 임무인 '증언'은 위기 상황을 빨리 종결시키는 효과와 단체 외부의 도움을 받게 하는 효과가 있다고 설명해 주세요.

어법 다지기

03 축적은 '지식, 경험, 자금 등을 모아서 쌓음. 또는 모아서 쌓은 것.'을 뜻하는 낱말이고, 축척은 '지도에서의 거리와 지표에서의 실제 거리와의 비율.'을 뜻하는 낱말입니다.

(1) 지식이 쌓인다는 의미이므로 '축적'이 알맞습니다.

(2) 대동여지도가 땅에서의 실제 거리를 16만분의 1 비율로 줄여 표시한 지도라는 의미이므로 '축척'이 알맞습니다.

(3) 지방이 몸속에 쌓인다는 의미이므로 '축적'이 알맞습니다.

16회 신사임당

▶ 본문 72~75쪽

1 신사임당 2 ③ 3 ② 4 (1)-㉡ (2)-㉠ (3)-㉢ 5 초서 당시오절 6 예진 7 (라), (나), (가), (다)

어휘·어법 다지기 01 (1) 필법 (2) 칭송 (3) 화폭 02 (1) 화폭 (2) 칭송 (3) 감수성 (4) 필법 03 (1) 쏟아진다 (2) 흔든다 (3) 일어난다

신사임당은 조선 시대에 활동한 예술가입니다. 또한 조선 시대의 대표적인 학자이자 정치가인 율곡 이이의 어머니이기도 합니다.(3번의 근거) 과거에 신사임당은 율곡 이이를 훌륭하게 길러 낸 어머니로서 많은 존경을 받았습니다. 조선의 유학자들은 율곡 이이가 뛰어난 이론과 저서를 남긴 것이 그의 어머니 덕분이라고 칭송했습니다. 하지만 현대 사회로 들어오면서 사람들은 신사임당의 예술가적 모습에 더 관심을 기울이고 있습니다.(6번의 근거) 신사임당은 여성이 활동하기 힘들었던 사대부 중심의 조선 사회에서 그림과 글씨로 이름을 알린 우수한 화가이자 서예가로서 주목받고 있습니다.

▶우수한 화가이자 서예가로 주목받고 있는 신사임당

신사임당은 1504년 강원도 강릉에서 아버지 신명화와 어머니 용인 이씨의 다섯 딸 가운데 둘째로 태어났습니다.(2번의 근거) 신사임당의 부모님은 딸들에게도 학문과 예술을 가르쳤습니다. 특히 신사임당은 관찰력이 뛰어나고 감수성이 풍부해 그림에 재능이 있었습니다.(2번의 근거) 이것을 알아본 신사임당의 외할아버지는 신사임당이 마음껏 재능을 펼칠 수 있도록 도왔고, 조선 초기의 유명한 화가였던 안견의 그림을 구해다 주기도 했습니다. 신사임당은 일곱 살 때 안견의 그림을 모방해 산수화를 완성했는데, 사람들은 신사임당의 산수화가 안견의 그림에 버금간다며 칭찬했습니다.

▶가족들의 도움으로 재능을 발견한 신사임당

신사임당이 산수화만큼 잘 그리는 것은 우리 주변에서 흔히 볼 수 있는 풀과 나무, 벌레들이었습니다. 다른 사람들은 당시 유행하던 중국 그림을 베껴 그렸지만 신사임당은 자신이 직접 관찰한 것들을 그렸습니다. 신사임당은 포도, 수박, 수박을 서리하는 생쥐, 맨드라미, 맨드라미 옆을 지나가는 쇠똥구리, 가지, 사마귀 등 자신의 눈에 보이는 것을 마치 살아 있는 것처럼 사실적인 모습으로 화폭에 담았습니다.(2번의 근거) 신사임당이 볕에 말리려고 내놓은 풀벌레 그림을 닭들이 진짜인 줄 알고 쪼아서 종이가 뚫어질 뻔했을 정도로 그녀의 그림은 섬세했습니다.

▶자신이 직접 관찰한 것을 사실적으로 그린 신사임당

신사임당은 아름다운 서체를 구사한 명필가이기도 합니다. 신사임당이 활동했던 16세기에는 명나라 중기의 초서체가 들어와 유행했습니다. 이 서체는 거침없는 필법으로 아주 심하게 흘려 쓰는 글씨체였습니다. 신사임당은 이 서체를 그대로 쓰는 대신 다른 방식으로 초서체를 사용했습니다.(2, 6번의 근거) 초서체는 본래 많이 흘려 쓰는 글씨체이지만 신사임당은 이 서체를 단아하고 깔끔하게 표현했습니다. 그 덕분인지 그녀의 작품은 전체적으로 단정하고 차분한 인상을 줍니다. 이러한 신사임당의 서체는 「초서 당시오절」에 잘 드러나 있습니다.(5번의 근거)

▶자신만의 방식으로 초서체를 표현한 신사임당

이렇게 지도해 주세요! 이 글은 현대 사회에서 우수한 화가이자 서예가로 주목받고 있는 신사임당의 전기문입니다. 신사임당의 그림과 서체에 나타난 특성을 이해할 수 있도록 설명해 주세요.

- **주제** 조선 시대에 활동한 예술가 신사임당

1 이 글은 조선 시대에 활동한 예술가인 '신사임당'을 소개한 글입니다.

2 신사임당은 16세기에 유행한 명나라 중기의 초서체를 그대로 쓰는 대신 다른 방식으로 초서체를 사용했다고 하였습니다.

오답 **풀이**

① 둘째 문단에서 신사임당은 1504년 강원도 강릉에서 아버지 신명화와 어머니 용인 이씨의 다섯 딸 가운데 둘째로 태어났다고 하였습니다.

② 첫째 문단에서 신사임당은 조선 시대의 대표적인 학자이자 정치가인 율곡 이이의 어머니이기도 하다고 하였습니다.

④ 둘째 문단에서 신사임당은 관찰력이 뛰어나고 감수성이 풍부해 그림에 재능이 있어서 외할아버지께서 재능을 펼칠 수 있도록 도와주셨다고 하였습니다.

⑤ 셋째 문단에서 신사임당은 포도, 수박, 수박을 서리하는 생쥐 등 자신의 눈에 보이는 것을 마치 살아 있는 것처럼 사실적인 모습으로 화폭에 담았다고 하였습니다.

3 이 글은 신사임당의 예술가적 모습에 대하여 쓴 전기문입니다.

4 (1) '펼치다'는 '생각 등을 전개하거나 발전시키다.'라는 뜻입니다.

(2) '담다'는 '어떤 내용이나 사상을 그림, 글, 말, 표정 등 속에 포함하거나 반영하다.'라는 뜻입니다.

(3) '기울이다'는 '정성이나 노력 등을 한곳으로 모으다.'라는 뜻입니다.

5 신사임당의 서체는 「초서 당시오절」에 잘 드러나 있다고 하였습니다.

6 과거에 신사임당은 율곡 이이를 훌륭하게 길러낸 어머니로서 존경받았지만 현대 사회로 들어오면서 사람들이 신사임당의 예술가적 모습에 관심을 기울이고 있다고 하였습니다.

7 이 글은 먼저 신사임당이 우수한 화가이자 서예가로 주목받고 있다고 말한 다음 신사임당이 가족들의 도움으로 재능을 발견한 일을 소개하였습니다. 이후에는 자신이 직접 관찰한

것을 사실적으로 그리는 신사임당의 화풍을 설명했고, 신사임당의 필법을 설명하며 글을 마무리하였습니다.

생각 글 쓰기

예시 **답안** 초서체는 본래 많이 흘려 쓰는 글씨체이지만 신사임당은 이 서체를 단아하고 깔끔하게 표현하였다.

이렇게 지도해 주세요! 16세기에 들어온 명나라 중기의 초서체는 아주 심하게 흘려 쓰는 글씨체였습니다. 신사임당은 이 서체를 그대로 쓰지 않고 단아하고 깔끔하게 표현했다고 설명해 주세요.

어법 다지기

03 (1) '비'가 강하게 내린다는 것을 나타내는 '쏟아진다'가 문장의 동사입니다.
(2) '강아지'(생물)가 꼬리를 좌우로 움직인다는 동작을 나타내는 '흔든다'가 문장의 동사입니다.
(3) '나'(생물)가 아침 일곱 시에 잠에서 깨어난다는 동작을 나타내는 '일어난다'가 문장의 동사입니다.

17회 친환경 농업

▶ 본문 76~79쪽

1 친환경 농업 2 ④ 3 ④ 4 ③ 5 ㉣ 6 천적, 이용, 분뇨

어휘·어법 다지기 01 (1)-㉠ (2)-㉢ (3)-㉡ 02 (1) 천적 (2) 폐기 (3) 지속 (4) 분뇨 03 (1) 운영 (2) 운용

지속 가능한 발전이란 미래 세대가 살아갈 환경을 해치지 않는 선에서 우리의 생활 환경을 향상시키는 발전을 말합니다. 미래 세대를 배려하지 않고 자원을 마구 사용하거나 생태계를 파괴하면 당장은 우리 삶이 편해지지만 언젠가는 자원이 고갈되고 환경 오염에 의한 피해를 입게 됩니다.(지속 가능한 발전이 필요한 까닭) 발전을 위해 했던 일들이 미래 사회의 발전을 멈추는 결과를 가져오는 것입니다. 이러한 비극을 불러오지 않기 위해 최근 여러 분야에서는 지속 가능한 발전을 추구하고 있습니다. 농업 분야도 예외는 아닙니다. ▶지속 가능한 발전을 농업 분야에도 추구함.

스스로 양분을 만들 수 없는 인간은 땅에서 식물을 가꾸고 동물을 키우는 활동을 꼭 해야 합니다.(4번의 근거) 하지만 농업 생산량을 늘리기 위해 과도하게 사용하는 농약과 화학 비료는 땅과 강, 바다를 오염시킵니다.(3번의 근거) 또한, 농기계와 온실의 냉난방 장치를 가동하는 데 사용되는 화석 연료는 온실가스를 배출해 지구의 온도를 높입니다.(3, 4번의 근거) 이와 같은 환경 파괴는 결국 사람들의 건강을 위협하는 결과를 낳습니다.(3번의 근거) 뿐만 아니라 오염된 땅에서는 더 이상 농작물이 생산되지 않습니다.(4번의 근거) 따라서 우리는 눈앞의 농업 생산량을 늘리는 일에 집중할 것이 아니라 지속 가능한 발전이 일어날 수 있도록 노력해야 합니다. 그 노력의 한 가지로 친환경 농업을 들 수 있습니다.(3번의 근거) 친환경 농업은 농산물을 생산하고 이용하고 폐기하는 중에 발생하는 오염 물질을 최소화하는 농업으로,(4번의 근거) 농작물을 안정적으로 얻으면서도 자연환경을 해치지 않는 산업입니다.(3번의 근거) ▶친환경 농업을 해야 하는 까닭

「친환경 농업을 실천할 수 있는 방법으로는 우선 생산 단계에서 땅을 산성화하는 화학 비료를 쓰지 않고 자연 퇴비를 이용하는 방법을 들 수 있습니다.(2번의 근거) 농약을 치는 대신 논에 오리나 우렁이를 풀어 벌레와 잡초를 제거하는 천적 농법을 사용하는 것도 좋은 방법입니다.(3번의 근거) 친환경 연료로 농기계를 돌리거나 태양광 온실에서 식물을 키우면 대기 오염도 크게 줄일 수 있습니다.」(「」: 5번의 근거) ▶친환경 농업의 실천 방법 중 생산 단계

이용 단계에서는 소비자도 친환경 농업으로 생산된 농산물을 적극 이용함으로써 친환경 농업에 참여할 수 있습니다.(2, 4번의 근거)

지역 사회와 생산자는 친환경 농업으로 재배한 질 좋은 먹거리들을 홍보하고, 소비자는 친환경 인증을 받은 농산물을 구입하는 것입니다. ▶이용 단계

마지막으로 폐기 단계에서는 가축의 분뇨를 자연 퇴비로 만들어 활용하는 방법(2번의 근거)을 들 수 있습니다. 이 방법은 동물의 분뇨로 인해 환경이 오염되는 것과 생산 단계에서 화학 비료가 남용되는 것을 막아 줍니다. ▶폐기 단계

이렇게 지도해 주세요! 이 글은 지속 가능한 발전을 실현하는 방법 중 하나인 친환경 농업에 대해 설명한 글입니다. 친환경 농업의 좋은 점과 실천 방법을 자세히 설명해 주세요.

• **주제** 친환경 농업의 의미와 실천 방법

1 이 글은 지속 가능한 발전을 실현할 수 있는 '친환경 농업'에 대해 설명한 글입니다.

2 이 글은 친환경 농업의 실천 방법을 생산 단계, 이용 단계, 폐기 단계와 같은 다양한 측면에서 살펴보았습니다.

3 친환경 농업은 농작물을 안정적으로 얻으면서도 자연환경을 해치지 않는 산업이라고 하였습니다.

4 친환경 농업은 농산물을 생산하고 이용하고 폐기하는 중에 발생하는 오염 물질을 최소화하는 농업으로, 농작물을 안정적으로 얻으면서도 자연환경을 해치지 않는 산업이라고 하였습니다.

오답 **풀이**

① 스스로 양분을 만들 수 없는 인간은 식물을 가꾸고 동물을 키우는 활동을 꼭 해야 한다고 하였습니다.

② 소비자도 친환경 농업으로 생산된 농산물을 적극 이용함으로써 친환경 농업에 참여할 수 있다고 하였습니다.

④ 과도하게 사용된 농약과 화학 비료는 땅과 강, 바다를 오염시키며, 환경이 파괴되고 오염된 땅에서는 더 이상 농작물이 생산되지 않는다고 하였습니다.

⑤ 화석 연료가 온실가스를 배출해 지구의 온도를 높이는데, 친환경 농업은 친환경 연료로 농기계를 돌리거나 태양광 온실을 이용하므로 지구의 온도가 높아지는 것을 막을 수 있습니다.

5 친환경 농업은 농산물을 생산, 이용, 폐기하는 중에 발생하는 오염 물질을 최소화하는 농업이라고 하였습니다. 농약을 사용하는 것은 친환경 농업의 실천 방법이 아닙니다.

오답 **풀이**

㉠ 농약을 치는 대신 논에 오리나 우렁이를 풀어 벌레와 잡초를 제거하는 천적 농법이 있습니다.

㉡ 땅을 산성화하는 화학 비료를 쓰지 않고 자연 퇴비를 이용하면 친환경 농업을 실천할 수 있습니다.

㉢ 태양광 온실에서 식물을 키우면 대기 오염을 크게 줄일 수 있다고 하였습니다.

6 이 글은 지속 가능한 발전을 실현하는 친환경 농업에 대하여 설명하였습니다. 친환경 농업을 생산 단계에서 실천하는 방법으로는 자연 퇴비 이용하기, '천적' 농법 활용하기, 친환경 연료 사용하기 등이 있습니다. '이용' 단계에서는 친환경 농산물 홍보 및 구입으로 친환경 농업을 실천할 수 있습니다. 폐기 단계에서는 가축 '분뇨'로 자연 퇴비를 만들어 활용하는 방법으로 친환경 농업을 실천할 수 있다고 하였습니다.

생각 글 쓰기

◆예시 **답안** 지속 가능한 발전을 추구하지 않으면 언젠가는 자원이 고갈되고 환경 오염에 의한 피해를 입게 되기 때문이다.

이렇게 지도해 주세요! 지속 가능한 발전은 미래 세대가 살아갈 환경을 해치지 않는 선에서 우리의 생활 환경을 향상시키는 발전입니다. 지속 가능한 발전이 이루어지지 않으면 장래에 우리와 미래 세대가 피해를 입을 수 있다고 설명해 주세요.

어법 다지기

03 '운용'과 '운영'은 무엇인가를 움직여 나간다는 점에서 의미상의 공통점이 있지만, '운용'은 대상을 움직여 가면서 사용하는 것이고 '운영'은 대상을 관리하면서 움직여 가는 것이라는 차이가 있습니다.

(1) 직업 학교라는 조직을 경영한다는 의미이므로 '운영'이 알맞습니다.

(2) 돈을 부려서 이웃을 돕는다는 의미이므로 '운용'이 알맞습니다.

18회 우리가 눈발이라면_안도현

▶ 본문 80~83쪽

1 편지, 새살 2 진눈깨비 3 ③ 4 ⑤ 5 ⑤ 6 지훈 7 눈발, 함박눈, 편지, 새살

어휘·어법 다지기 01 (1)-ⓔ (2)-ⓐ (3)-ⓛ 02 (1) 허공 (2) 진눈깨비 (3) 함박눈 03 ③

우리가 눈발이라면 (가정적 표현)
허공에서 쭈빗쭈빗 흩날리는 (2번의 근거)
진눈깨비는 되지 말자 ▶1~3행: 진눈깨비가 되지 말자.
세상이 바람 불고 춥고 어둡다 해도
사람이 사는 마을
가장 낮은 곳으로 (어려운 이웃이 살아가는 곳)
따뜻한 함박눈이 되어 내리자 ▶4~7행: 함박눈이 되자.
('-자'를 반복하여 말하는 이의 소망을 드러냈음. / '진눈깨비'와 '함박눈'을 대조하여 표현함.)
우리가 눈발이라면
잠 못 든 이의 창문가에서는 (어려움에 처한 이웃)
편지가 되고 (1번의 근거)
그이의 깊고 붉은 상처 위에 돋는 (하얀 '함박눈'과 시각적으로 대조를 이룸.)
새살이 되자 (1번의 근거) ▶8~12행: 어려운 이웃을 위로하는 사람이 되자.

이렇게 지도해 주세요! 이 시는 우리를 눈발로 가정하여 어려운 이웃에게 함박눈처럼 따뜻한 사람이 되자고 말하는 시입니다. 말하는 이가 추구하는 삶의 모습을 잘 이해할 수 있도록 설명해 주세요.

• **주제** 주변의 어려운 이웃을 위로하는 따뜻한 사람이 되자.

1 함박눈은 위로와 희망이 되는 존재를 의미하는 긍정적인 시어입니다. 함박눈과 비슷한 의미를 지닌 시어는 '편지', '새살'입니다.

2 말하는 이는 우리가 눈발이라면 허공에서 쭈빗쭈빗 흩날리는 '진눈깨비'는 되지 말자고 하였습니다.

3 우리를 눈발로 가정하고 있지만, 눈발을 사람처럼 표현하는 의인법은 드러나지 않았습니다.

4 4행의 '세상이 바람 불고 춥고 어둡다 해도'에서 말하는 이가 세상을 어떻게 바라보는지 알 수 있습니다.

5 이 시는 어려운 이웃과 더불어 따뜻한 삶을 살고 싶은 소망이 나타난 시입니다.

6 이 시에서 '사람이 사는 마을 / 가장 낮은 곳'은 가난하고 외롭게 살아가는 곳, 희망을 잃어버린 곳 등을 뜻합니다.

7 말하는 이는 1~3행에서 우리가 '눈발'이라면 진눈깨비는 되지 말자고 하였습니다. 4~7행에서는 사람이 사는 가장 낮은 곳에 '함박눈'이 되어 내리자고 하였습니다. 8~12행에서는 잠 못 든 이에게는 '편지'가 되고 상처 위에 돋는 '새살'이 되자고 하였습니다.

생각 글 쓰기

◆예시 **답안** '진눈깨비' 같은 사람은 어려운 사람들을 만났을 때 무관심한 사람이고, '함박눈' 같은 사람은 어려운 사람들을 따뜻하게 위로하는 사람이다.

이렇게 지도해 주세요! 진눈깨비는 비와 섞여 내리는 눈으로, 사람이 있는 곳까지 닿지 못하고 허공에서 흩날립니다. 반면 함박눈은 사람이 있는 곳까지 내려옵니다. 이러한 눈의 특성과 사람들의 모습을 연결하여 생각할 수 있도록 지도해 주세요.

어법 다지기

03 형용사는 생물이나 사물의 성질이나 상태를 나타내는 낱말입니다. '뜨겁다, 따뜻하다, 예쁘다, 기쁘다'는 성질이나 상태를 나타냅니다.
③의 '달려간다'는 '철수'의 움직임을 나타내는 것이지 성질이나 상태를 나타내는 말은 아닙니다. '달려간다'처럼 움직임이나 작용을 나타내는 낱말은 동사라고 합니다.

19회 황금 사과_송희진

▶ 본문 84~87쪽

1 황금 사과 2 ① 3 ④ 4 ① 5 ㉠, ㉣, ㉢, ㉡

어휘·어법 다지기 01 (1)-㉠ (2)-㉢ (3)-㉡ 02 (1) 울타리 (2) 보초 (3) 언뜻 (4) 또래 03 (1) 헌, 성상 (2) 다섯, 수 (3) 저, 지시

[앞부분 줄거리] 옛날 작은 도시에 황금 사과가 열리는 나무를 가운데에 둔 두 동네가 있었다. 황금 사과를 갖기 위해 다투던 윗동네와 아랫동네 사람들은 사과를 나누어 갖기 위해 땅바닥에 금을 긋고, 각각 금의 왼쪽과 오른쪽에 열리는 사과를 갖기로 한다. 그러나 사과를 따려고 금을 넘어가는 사람이 생기고, 사람들은 이를 막기 위해 작은 문이 달린 울타리를 세운다. 하지만 울타리도 사람들의 욕심을 막지 못한다. 사람들은 돌담을 세워 보초를 두고 감시한다. 돌담은 점점 높아지고, 두 동네 사람들은 서로를 의심하다 결국 미워하게 된다.

(2번의 근거: 사과가 열리는 / 4번의 근거: 보초)

세월이 흘러갈수록 담은 점점 더 높아졌지.

그러다 어느 때부터인가 아무도 그 담에 관심을 갖지 않게 되었어.

언제 담을 세웠는지, 왜 세웠는지조차 사람들은 까맣게 잊고 만 거야.

담을 넘는 사람들이 없어지자 보초도 사라졌고, 황금 사과까지 사라졌어.

오직 남은 것은 가슴 깊숙이 뿌리박힌 서로 미워하는 마음뿐이었지. (4번의 근거)

▶윗동네와 아랫동네 사람들이 미워하게 된 까닭

어느 날, 한 꼬마 아이가 물었어.

"엄마, 저 담 너머에는 누가 살아요?"

"쉿! 아가야, 절대로 저 담 옆에 가면 안 돼. 저 담 너머에는 심술궂고 못된, 아주 나쁜 사람들이 산단다."

그 아이가 어른이 되어 다시 딸을 낳았지.

어느 날, 어린 딸이 물었어.

"엄마, 저 담 너머에는 누가 살아요?"

"쉿! 아가야, 절대로 저 담 옆에 가면 안 돼. 저 담 너머에는 무시무시한 괴물들이 산단다." (2번의 근거)

시간이 지날수록 윗동네는 점점 바뀌어 갔어.

어느새 커다란 현대식 건물들로 가득 찬 엄청나게 큰 동네가 되었지. (2번의 근거)

하지만 아랫동네는 높은 담 때문에 멀리까지 그늘이 졌어.

그래서 낮에도 햇볕이 들지 않고, 동네는 늘 어두웠어. (4번의 근거)

그늘진 곳에 살던 사람들은 따뜻하고 밝은 곳을 찾아 멀리 떠났지.

▶윗동네와 아랫동네의 서로 다른 모습

그러던 어느 날, 한 꼬마 아이가 공놀이를 하다가 공을 놓치고 말았어.

공은 떼굴떼굴 담 쪽으로 굴러갔지.

아이는 아무도 살지 않는 으스스한 그곳으로 걸어갔어.

그런데 담 쪽으로 다가가 보니 작은 문이 언뜻 보이는 거야. (2번의 근거)

몸이 오싹거렸지만 그 아이는 계속 다가갔어.

열쇠 구멍에서 희미한 빛이 새어 나왔거든.

아이는 무서운 마음을 꾹 누르고 구멍 속을 들여다보았어.

"와, 세상에 이럴 수가!"

아이의 눈에 보인 건 공을 가지고 즐겁게 노는 아이들이었어. (4번의 근거)

엄마가 말한 끔찍한 괴물들이 아니라 자기하고 비슷한 또래 친구들 말이야. (4, 5번의 근거)

끼이이이익—

아이가 문을 밀자 쓱 열렸어.

문은 낡았고, 자물쇠는 망가져 있었거든.

환한 햇살 때문에 아이는 눈이 부셨지.

아이는 친구들에게 다가가 말했어.

"얘들아, 안녕! 내 이름은 사과야. 너희 이름은 뭐야?"

▶아이가 담 쪽으로 가서 괴물이 아닌 친구들을 만남.

이렇게 지도해 주세요! 이 글은 황금 사과를 갖기 위해 다투던 두 동네가 어떻게 멀어졌는지에 대한 이야기입니다. 두 동네 사람들의 소통이 단절된 까닭과 소통의 중요성을 이해할 수 있도록 설명해 주세요.

- **주제** 소통이 단절되는 까닭과 소통의 중요성

1 동네 사람들은 두 동네 가운데에 있는 나무에서 열리는 '황금 사과'를 갖기 위해 다투었다고 하였습니다.

2 현대식 건물들로 가득 찬 큰 동네가 된 것은 윗동네입니다.

3 두 동네 사람들은 처음에는 서로를 의심하여 미워했고, 이후에는 상대방에 대해 잘 알지 못하면서도 이유 없이 서로를 미워하였습니다. 상대방에 대해 잘 모르면서 이유 없이 미워하는 태도를 보이는 것은 은아입니다.

4 두 동네 사람들은 담 너머에 있는 사람들을 서로 미워한다고 하였으므로, 담 너머로 가고 싶어 하지는 않았을 것입니다.

오답 풀이

② 아랫동네 사람들은 높은 담 때문에 멀리까지 그늘이 지자 따뜻하고 밝은 곳을 찾아 멀리 떠났다고 하였습니다.
③ 황금 사과까지 사라지고 오직 남은 것은 서로 미워하는 마음뿐이라고 하였습니다.
④ 동네 사람들은 땅바닥의 금을 기준으로 사과를 나누어 갖기로 했지만 사과를 따려고 금을 넘어가는 사람이 생겼다고 하였습니다.
⑤ 꼬마 아이는 열쇠 구멍 너머로 자기와 비슷한 또래 친구들을 보고 "세상에 이럴 수가!"하고 놀랐습니다.

5 사람들은 황금 사과가 열리는 나무를 두고 다투었고(㉠), 그 결과 담을 세웠지만 시간이 흐르자 담을 세운 이유를 잊은 채 서로 미워합니다(㉣). 서로를 모르는 동네 사람들은 담 너머에 괴물이 산다고 믿습니다(㉢). 그래서 아무도 가지 않던 담 너머를 꼬마가 우연히 보고 그곳으로 넘어갔습니다(㉡).

생각 글 쓰기

◆예시 **답안** 담 너머에 누가 사는지 모르지만 자신의 엄마로부터 그곳에 아주 나쁜 사람들이 살고 있다고 들었기 때문이다.

이렇게 지도해 주세요! '엄마'는 아이일 적에 자신의 어머니로부터 담 너머에 대한 이야기를 듣고 그곳에 괴물이 산다고 믿었습니다. 이 이야기를 바탕으로 소통이 이루어지지 않았을 때의 문제점을 알려 주세요.

어법 다지기

03 (1) 명사 '옷'을 꾸며 줌으로써 낡은 상태라는 점을 나타내는 '헌'은 '성상' 관형사입니다.
(2) 명사 '공책'의 수량을 나타내는 '다섯'은 '수' 관형사입니다.
(3) 말하는 이로부터 멀리 떨어진 명사 '아이'를 가리키는 '저'는 '지시' 관형사입니다.

홍길동전

▶ 본문 88~91쪽

1 (홍)길동 2 ② 3 ③ 4 ⑤ 5 ④ 6 ② 7 ㉣, ㉢, ㉠, ㉡
어휘·어법 다지기 01 (1) 적삼 (2) 적막 (3) 방자 02 (1) 책망 (2) 방자 (3) 적막 03 (1) 좋아할는지 (2) 일어날는지

길동이 점점 자라 여덟 살이 되자, 총명하기가 보통이 넘어 하나를 들으면 백 가지를 알 정도였다. (2번의 근거) 그래서 공은 길동을 더욱 귀여워하면서도 길동의 출생이 천하여, 길동이 '아버지'나 '형'이라고 부르면 즉시 꾸짖어 그렇게 부르지 못하게 하였다. 길동은 열 살이 넘도록 감히 부형을 부르지 못하고 종들로부터 천대받는 것을 뼈에 사무치도록 한탄하면서 마음 둘 바를 몰랐다. (2, 5번의 근거) ▶길동이 호부호형을 하지 못해 한탄함.

어느 가을 9월 보름께가 되자, (2번의 근거) 달빛은 처량하게 비치고 맑은 바람은 쓸쓸히 불어와 사람의 마음을 울적하게 하였다. 길동은 서당에서 글을 읽다가 문득 책상을 밀치고 탄식하기를,

"대장부가 세상에 나서 공맹을 본받지 못할 바에야, 차라리 병법이라도 익혀, 대장인을 허리춤에 비스듬히 차고 동정서벌하여 나라에 큰 공을 세우고 이름을 만대에 빛내는 것이 장부의 통쾌한 일이 아니겠는가! (길동이 병법을 익히려고 한 까닭) 나는 어찌하여 일신이 적막하고, 부형이 있는데도 아버지를 '아버지'라 부르지 못하고 형을 '형'이라 부르지 못하니 심장이 터질지라, 이 어찌 통탄할 일이 아니겠는가!"

하고 뜰에 내려와, 검술을 익히고 있었다.

그때 마침, 공이 또한 달빛을 구경하다가, 길동이 서성거리는 것을 보고 즉시 불러 물었다. (공과 길동이 이야기를 시작함.)

"너는 무슨 흥이 있어서 밤이 깊도록 잠을 자지 않느냐?"

길동이 공경하는 자세로 대답했다.

"소인은 마침 달빛을 즐기는 중입니다. 그런데 만물이 생겨날 때부터 오직 사람이 귀한 존재인 줄 아옵니다만, 소인에게는 귀함이 없사오니 어찌 사람이라 하겠습니까?"

공은 그 말의 뜻을 짐작은 했지만, 일부러 책망하는 체하며,

"너 그게 무슨 말이냐?"

했다. 길동이 절하고 말씀드리기를,

"소인이 평생 서러워하는 바는, (아버지와 형을 '아버지', '형'이라 부르지 못하는 것) 소인이 대감의 정기를 받아 당당한 남자로 태어났고, 또 낳아서 길러 주신 어버이

의 은혜를 입었는데도 아버지를 '아버지'라 못 하옵고 형을 '형'이라 못 하오니, 어찌 사람이라 하겠습니까?"

하고, 눈물을 흘리며 적삼을 적셨다.

▶공에게 자신의 서러움을 이야기하는 길동

공이 듣고 나자 비록 불쌍하다는 생각은 들었으나, 그 마음을 위로하면 방자해질까 염려되어 크게 꾸짖어 말했다.

㉠"재상 집안에 천한 종의 몸에서 태어난 자식이 너뿐이 아닌데, 네가 어찌 이다지도 방자하냐? 앞으로 다시 이런 말을 하면 내 눈앞에 서지도 못하게 하겠다." (3번의 근거)

이렇게 꾸짖으니, 길동은 감히 한마디도 더 하지 못하고, 다만 땅에 엎드려 눈물을 흘릴 뿐이었다. 공이 물러가라 하자, 그제서야 길동은 침소로 돌아와 슬퍼해 마지않았다. (6번의 근거) 길동이 본래 재주가 뛰어나고 도량이 활달하나, 마음을 가라앉히지 못해 밤이면 잠을 이루지 못하곤 했다.

▶공의 말을 듣고 슬퍼하는 길동

이렇게 지도해 주세요! 이 글은 정실부인이 낳은 적자와 첩이 낳은 서자를 차별했던 조선 시대에 대한 비판이 담긴 작품입니다. 홍길동과 홍 판서('공')의 갈등을 통해 당시 사회의 문제점을 이해할 수 있도록 지도해 주세요.

• **주제** 적서 차별에 대한 저항, 인간 평등 사상

1 이 글은 총명하지만 첩의 자식으로 태어나 차별 당하는 '길동'을 주인공으로 한 이야기입니다.

2 공은 총명하기가 보통을 넘는 길동을 더욱 귀여워했다고 하였습니다.

3 공은 길동에게 재상 집안에 천한 종의 몸에서 태어난 자식이 너뿐이 아니라고 하였습니다. 이를 통해 그 당시에 양반 집안에서 첩의 자식으로 태어난 사람이 많았다는 사실을 알 수 있습니다.

4 ㉠은 공이 아버지와 형을 '아버지', '형'이라고 부르고 싶다는 길동을 꾸짖으면서 한 말입니다. 다시 말해 공은 길동에게 아버지와 형을 부르지 못하는 현실에 순응하라고 말하고 있습니다.

5 이 글은 부형을 부르지 못하고 종들로부터 천대받는 길동의 모습을 통해 당시 조선 사회의 모습을 짐작할 수 있습니다.

오답 **풀이**

① 공간적 배경이 자주 바뀌지 않습니다. 서당과 길동의 집에서 있었던 이야기입니다.

② 이 글은 이야기 속에 또 다른 이야기가 있는 '액자식 구성'이 아닙니다.

③ 길동에 대한 글쓴이의 비판은 드러나 있지 않습니다.

⑤ 길동이 자신의 이야기를 쓴 것은 아닙니다.

6 공이 꾸짖으니 길동은 땅에 엎드려 눈물을 흘리고, 침소로 돌아와 슬퍼해 마지않았다고 하였습니다.

7 글의 첫 부분에는 길동과 공이 갈등하는 까닭(㉣)이 드러나 있습니다. 그 후 마음이 답답했던 길동과 공이 마주치는 장면(㉢), 길동이 공에게 평생 서러워했던 바를 이야기하여 공과 갈등하는 장면(㉠)이 순서대로 나와 있습니다. 글의 마지막 부분에는 길동과 공이 갈등한 결과(㉡)가 나타나 있습니다.

생각 글 쓰기

◆예시 **답안** 길동은 문관으로 벼슬길에 나아갈 수 없기 때문이다.

이렇게 지도해 주세요! 길동은 서자로 태어났기 때문에 공맹(공자와 맹자)을 익혀 문과에 응시할 수 없었습니다. 길동이 병법을 배우려는 까닭은 문관이 될 수 없는 대신 다른 방법으로 출세하기 위한 것이라고 설명해 주세요.

어법 다지기

03 '-ㄹ는지'는 뒤의 문장이 나타내는 일과 상관있는 어떤 일이 일어날지에 대한 의문을 나타낼 때, 혹은 불확실한 사실이 일어날지에 대한 의심을 나타낼 때 쓰이는 표현입니다.

(1) 그 애가 정말 나를 좋아하는 일이 일어날지 의심스럽다는 표현으로, '좋아할는지'가 알맞습니다.

(2) 꿈에 용이 나온 것과 상관있는 좋은 일이 일어나는 상황이 생길지 궁금하다는 표현으로, '일어날는지'가 알맞습니다.

21회 잊힐 권리

▶ 본문 94~97쪽

1 잊힐 권리 2 ③ 3 ② 4 소진 5 ② 6 망각, 잊힐 권리, 반대

어휘·어법 다지기 01 (1) 회수 (2) 망각 (3) 악용 02 (1) 정정 (2) 악용 (3) 구제 03 (1) 너무 (2) 정말 (3) 빨리

'인간은 망각의 동물이다.'라는 말이 있습니다. 사람들은 누구나 시간이 흐르면 과거의 일을 잊어버릴 수밖에 없는 처지에 있다는 뜻이지요. 그런데 어떤 일이든 서서히 잊을 수밖에 없다는 사실이 정말 불행하기만 한 일일까요? 프리드리히 니체가 '망각은 새로운 것을 받아들이게 하는 적극적이고 능동적인 힘.'이라고 말했듯이, 결국 잊어버린다는 사실은 과거에 얽매이지 않고 현재를 살아갈 수 있는 원동력이 되기도 한답니다. 더욱이 슬프거나 괴로운 일들은 하루빨리 잊어버려야 삶이 건강해질 수 있겠지요. ▶망각의 긍정적 역할

그런데 자연스레 잊혀야 할 일들이 도무지 잊히지 않아 괴로워하는 사람들이 있습니다. 오늘날 널리 사용되는 인터넷이 그 원인입니다. 그들은 잊고 싶은 과거의 흔적이나 뜻하지 않게 퍼진 사진 때문에 고통받는다고 합니다. 이렇듯 원치 않게 유출된 정보들은 인터넷이라는 특성상 한 번 떠돌기 시작하면 다시 회수하는 것이 어렵고, 아무리 오랜 시간이 지나도 사라지지 않는다는 특성이 있어서 피해자들은 구제받을 방법이 마땅하지 않다고 합니다. 그러다 보니 최근에는 잊힐 권리라는 말이 등장했습니다. 잊힐 권리는 개인이 온라인상에 올라가 있는 자신과 관련된 특정 기록의 삭제나 정정을 요구할 수 있는 권리를 말합니다. ▶잊힐 권리라는 말의 등장 배경과 의미

최근 이러한 잊힐 권리의 법적 허용 문제가 논란이 되고 있습니다. 노출되길 원하지 않았던 사진이나 동영상 등이 인터넷에 유출되어 정신적 피해를 입고 있는 사람들에게는 뾰족한 대응 수단이 없습니다. 자신의 사진이나 동영상 등이 올라간 사이트를 찾아다니며 일일이 삭제 요청을 하는 수밖에 없지요. 그러나 이런 방식에는 분명 한계가 있으므로 법적으로 확실하게 잊힐 권리를 보장해야 합니다. 디지털 세탁이라는 말을 들어 보았나요? 디지털 세탁은 과거 온라인상에 개인이 남긴 여러 가지 정보들을 지우는 행위를 일컫는 말입니다. 정보 유출이 일반화된 요즘, 많은 사람들이 알게 모르게 유출된 자신과 관련된 흔적들을 지우고 싶어 한다는 증거입니다. 또, 디지털 장례식이라는 것도 등장했습니다. 이는 온라인상에 떠도는 죽은 사람의 디지털 정보를 정리하는 사업입니다. 실제로 죽은 사람의 주민 등록 번호와 개인 정보로 휴대 전화를 개통해 범죄에 악용하는 경우도 발생하는데, 이 세상을 떠날 때 자신과 관련된 디지털 정보를 삭제할 수 있는 권리가 법적으로 보장되어야 범죄로 발전될 가능성을 줄일 수 있을 것입니다. ▶잊힐 권리를 법제화해야 하는 근거

잊힐 권리의 법제화에 대한 반대의 목소리 또한 만만치 않습니다. 잊힐 권리가 때에 따라 더욱 중요한 알 권리를 침해하게 되며, 잊힐 권리를 법적으로 보장하게 되면 법적인 권력을 가진 사람들에게 악용될 소지가 크다고 말하기도 합니다. 하지만 해당 정보가 단순한 개인 정보라면 사생활을 보호하기 위해서라도 그 정보의 삭제를 요청할 수 있는 권리는 지켜져야 합니다. ▶잊힐 권리의 법제화에 대한 반대 의견

이렇게 지도해 주세요! 이 글은 잊힐 권리는 법적으로 보장되어야 한다고 주장하는 글입니다. 정보 사회에서 잊힐 권리의 역할과 필요성에 대해 생각해 볼 수 있도록 지도해 주세요.

• **주제** 잊힐 권리를 법적으로 보장하자.

1 이 글은 '잊힐 권리'의 의미, 잊힐 권리를 법적으로 허용해야 한다는 주장과 근거 등에 대한 글입니다.

2 이 글은 잊힐 권리는 법적으로 보장되어야 한다고 주장하는 글입니다.

오답 **풀이**

① '잊힐 권리'를 말하기 위해 인용한 말입니다.

② '잊힐 권리는 법적으로 보장되어야 한다'는 글쓴이의 주장에 반대하는 근거입니다.

④ 이 글에 인터넷 사용을 줄여야 한다는 내용은 나타나 있지 않습니다.

⑤ 슬프거나 괴로운 일들은 하루빨리 잊어버려야 건강해질 수 있다는 것은 망각의 긍정적인 효과를 말한 것입니다.

3 원치 않게 유출된 정보들은 인터넷이라는 특성상 한 번 떠돌기 시작하면 다시 회수하는 것이 어렵고, 아무리 오랜 시간이 지나도 사라지지 않는다는 특성이 있어 피해자들은 구제받을 방법이 마땅하지 않다고 하였습니다.

4 글쓴이는 잊힐 권리가 법적으로 보장되어야 한다고 주장하며, 단순한 개인 정보라면 사생활을 보호하기 위해서라도 그 정보의 삭제를 요청할 수 있는 권리는 지켜져야 한다고 하였습니다. 따라서 개인적인 영역을 사생활로 철저히 보장해 주는 것은 민주주의의 중요한 가치 중 하나라고 여기는 소진이가 글쓴이와 같은 의견을 가졌다고 볼 수 있습니다.

5 택배가 도착한다고 연락이 오는 경우는 자신이 필요하여 주문한 상품이 도착한다는 것을 알려 주는 것으로 개인 정보 유출로 인한 피해라고 볼 수 없습니다.

오답 **풀이**

① 보이스피싱은 유출된 개인 정보를 범죄에 이용하는 것으로 피해를 입는 사람들이 많아지고 있어 사회적으로 문제가 되고 있습니다.
③ 전화번호가 유출되어 광고 전화로 인하여 피해를 보는 사람들이 많습니다.
④ 개인 정보 중 이메일 주소가 유출되어 광고 메일을 받는 경우가 많아졌습니다.
⑤ 자신의 SNS에 올린 사진이 인터넷 검색 사이트에 올라가 피해를 보았다는 사례가 뉴스에 종종 보도되고 있습니다.

6 이 글은 서론에서 '망각'의 긍정적 역할에 대해 말하며, 본론에서 '잊힐 권리'라는 말의 등장 배경과 의미, 잊힐 권리를 법제화해야 하는 근거에 대해 말하고 있습니다. 그리고 결론에서 잊힐 권리의 법제화에 대한 '반대' 의견을 제시하고, 그럼에도 잊힐 권리를 보장해야 한다며 글을 마무리하였습니다.

생각 글 쓰기

예시 답안 어떤 사람이 정치를 하기 위해 과거의 잘못을 모조리 지우고 국회 의원 선거에 나오려고 한다면 그 정보는 삭제하면 안 된다.

이렇게 지도해 주세요! 후보자들의 과거는 국민들이 투표를 할 때 중요한 판단의 근거가 됩니다. 이밖에도 어떤 것들이 잊힐 권리에 해당되지 않는지 설명해 주세요.

어법 다지기

03 (1) 부사 '너무'는 형용사 '속상하다'를 꾸며 주고 있습니다.
(2) 부사 '정말'은 형용사 '좋다'를 꾸며 주고 있습니다.
(3) 부사 '빨리'는 동사 '뛰어갔다'를 꾸며 주고 있습니다.

22회 경복궁

▶ 본문 98~101쪽

1 경복궁 **2** 경복궁, 창덕궁, 창경궁, 경희궁, 경운궁 **3** ⑤ **4** 일월오봉도 **5** ④ **6** 법궁, 근정전 **7** 경복궁, 행사, 왕비

어휘·어법 다지기 **01** (1) 중건 (2) 창건 (3) 누각 (4) 조형미 **02** (1) 조형미 (2) 소실 (3) 중건 **03** ②

현재 서울에 남아 있는 조선 시대의 궁궐은 모두 다섯 곳으로 경복궁, 창덕궁, 창경궁, 경희궁, 경운궁이다.(2번의 근거) 이 중 '큰 복을 누리며 번성하라.'라는 뜻의 경복궁은 조선 시대 최초의 궁궐이면서 여러 궁궐 가운데 가장 대표적이다.(1, 6번의 근거) 경복궁은 태조 이성계가 조선을 세운 뒤에 한양, 즉 지금의 서울에 세운 조선의 법궁이다.(6번의 근거) 1592년 임진왜란으로 불타 없어졌다가 고종 때인 1867년 중건되었다. 이후 일제 강점기 때에는 일본에 의해 계획적으로 훼손되어 일부 건물만 남게 되었고, 심지어 조선 총독부 청사로 인해 궁궐 자체가 가려지는 시련도 겪었다. 다행히 1990년부터 본격적인 복원 사업이 추진되어 점차 제 모습을 되찾아 가고 있다.(3번의 근거)

▶조선 시대 최초이자 대표적인 궁궐인 경복궁

경복궁의 건물은 7,600여 칸으로 규모가 어마어마하다. 경복궁에서 가장 웅장한 건물은 '부지런히 나라를 다스리라.'라는 뜻을 지닌 근정전이다.(6번의 근거, 3번의 근거) 근정전은 왕의 즉위식이나 세자 책봉식, 왕실의 혼례식, 공식적인 조회 행사, 외국 사신의 접견 등 국가의 중요한 행사를 치르던 곳이다.(5번의 근거) 근정전 내부에 왕이 앉는 의자인 용상 뒤에는 '일월오봉도'라고 부르는 병풍 그림이 있다.(4번의 근거) 이는 해와 달, 5개의 산봉우리로 이루어진 그림인데, 조선 시대 왕의 존재와 권위를 상징했다. 또 이 그림에는 왕이 올바른 정치를 통해 평화로운 나라를 건설하고 백성들의 삶을 풍요롭게 만들어 주기를 바라는 염원이 담겨 있기도 하다. 그래서 왕이 있는 모든 공식적인 자리에는 일월오봉도가 항상 세워져 있었다.(5번의 근거)

▶국가의 중요한 행사를 치르던 근정전

경복궁의 안쪽에 자리 잡은 교태전은 왕비가 생활하던 곳이다.(5번의 근거) 교태전은 경복궁의 가운데에 있다고 하여 '중전'이라고 부르기도 했는데,(3번의 근거) 이 말을 왕비를 부르는 명칭으로도 사용했다. 교태전은 중앙에 대청마루를 두고 왼쪽과 오른쪽에 온돌방을 놓은 구조로 되어 있다. 교태전 뒤쪽으로는 아미산이라는 작고 아름다운 후원도 있다.(5번의 근거) 이곳은 인공으로 단을 쌓아 계단식으로 만든 정원으로, 가운데 단에는 육각형의 굴뚝 4개가 나란히 놓여 있다. 이 굴뚝은 붉은 벽돌로 쌓아 올려 그

위로 기와지붕을 올린 형태이며, 굴뚝의 벽면에는 왕비를 상징하는 봉황, 부귀를 상징하는 박쥐, 군자가 갖추어야 할 심성을 상징하는 매화와 국화 등 다양한 무늬가 조각되어 아름다운 조형미도 느낄 수 있다. ▶왕비가 생활하던 교태전

'경사스러운 연회'라는 뜻의 경회루는 커다란 연못 중앙에 섬을 만들고 그 위에 지은, 우리나라에서 가장 큰 누각이다. 이곳은 왕이 외국 사신을 접대하거나 신하들에게 연회를 베풀던 장소이다.(5번의 근거) 경회루는 창건 당시에는 작은 누각이었지만 이후 지금과 같은 규모로 만들었고,(3번의 근거) 임진왜란 때 화재로 모두 소실되었다. 그리고 1867년에 경복궁을 고쳐 지으며 현재의 모습으로 중건되었다. 우리나라 누각 중 가장 큰 규모이며 조선 3대 목조 건물 중 하나로, 어느 위치에서든 아름다운 궁궐과 주변의 자연 경치를 감상할 수 있는 공간이다. 이밖에도 경복궁에는 경복궁의 정문인 광화문, 왕의 침전인 강녕전,(3번의 근거) 대비가 거처했던 자경전(5번의 근거) 등 여러 건물들이 있다.
▶사신 접대나 연회를 베풀던 경회루

이렇게 지도해 주세요! 이 글은 조선 시대 최초이자 대표적인 궁궐인 경복궁의 여러 건물에 대해 설명한 글입니다. 이외에도 경복궁에는 어떤 건물들이 있는지 설명해 주세요.

• **주제** 조선 시대의 대표적 궁궐인 경복궁의 건물들

1 이 글은 '경복궁'의 여러 건물들에 대해 설명한 글입니다.

2 첫째 문단에서 현재 서울에 남아 있는 조선 시대의 궁궐은 모두 다섯 곳으로 '경복궁, 창덕궁, 창경궁, 경희궁, 경운궁'이 있다고 하였습니다.

3 경회루는 창건 당시에는 작은 누각이었지만 이후 지금과 같은 규모로 만들어졌다고 하였습니다. 따라서 경회루는 창건 당시와 현재의 규모가 일치하지 않습니다.

오답 **풀이**
① 글의 마지막 부분에서 경복궁에는 경복궁의 정문인 광화문, 왕의 침전인 강녕전, 대비가 거처했던 자경전 등 여러 건물들이 있다고 하였습니다.
② 셋째 문단에서 교태전은 경복궁의 가운데에 있다고 하여 '중전'이라고 부르기도 했다고 하였습니다.
③ 둘째 문단에서 경복궁에서 가장 웅장한 건물은 '부지런히 나라를 다스리라.'라는 뜻을 지닌 근정전이라고 하였습니다.
④ 첫째 문단에서 경복궁은 1990년부터 본격적인 복원 사업이 추진되어 점차 제 모습을 되찾아 가고 있다고 하였습니다.

4 '일월오봉도'는 해와 달, 5개의 산봉우리로 이루어진 그림으로, 조선 시대 왕의 존재와 권위를 상징했다고 하였습니다. 그래서 왕이 있는 모든 공식적인 자리에는 '일월오봉도'가 항상 세워져 있었다고 하였습니다. 따라서 **보기**에서 왕의 뒤편에 있는 그림은 '일월오봉도'임을 알 수 있습니다.

5 경회루는 왕이 외국 사신을 접대하거나 신하들에게 연회를 베풀던 장소라고 하였습니다.

오답 **풀이**
① 왕비가 생활하던 곳은 교태전이고, 강녕전은 왕의 침전이라고 하였습니다.
② 세자의 책봉식은 근정전에서 치러졌고, 자경전은 대비가 거처했던 곳이라고 하였습니다.
③ 왕과 왕비의 혼례는 근정전에서 치러졌고, 아미산은 왕비가 생활하던 교태전의 작은 후원이라고 하였습니다.
⑤ 왕이 있는 모든 공식적인 자리에는 '일월오봉도'가 항상 세워져 있었다고 하였습니다.

6 경복궁은 조선 시대 최초의 궁궐이면서 여러 궁궐 가운데 가장 대표적인 곳으로, 태조 이성계가 한양에 세운 조선의 '법궁'입니다. 건물은 7,600여 칸으로 '근정전', 교태전, 경회루, 광화문, 강녕전, 자경전 등이 있다고 하였습니다.

7 조선 시대 최초이자 대표적인 궁궐인 '경복궁'에는 국가의 중요한 '행사'를 치르던 근정전, '왕비'가 생활하던 교태전, 사신 접대나 연회를 베풀던 경회루 등이 있다고 하였습니다.

생각 글 쓰기

◆예시 **답안** 경회루는 우리나라 누각 중 가장 큰 규모이고, 조선 3대 목조 건물 중 하나이기 때문이다.

이렇게 지도해 주세요! 경복궁의 다른 건물들도 우리 문화에서 얼마나 중요한지 생각해 볼 수 있도록 지도해 주세요.

어법 다지기

03 '통채'는 '나누지 아니한 덩어리 전부.'라는 뜻의 '통째'를 잘못 사용한 낱말입니다. 따라서 ②는 '고기 한 덩어리를 통째로 주세요.'라고 고쳐 써야 합니다.

23회 사회적 기업 '빅이슈'

▶ 본문 102~105쪽

1 빅이슈 2 ② 3 존 버드, 고든 로딕 4 ④ 5 ㉠ 6 잡지, 노숙자, 재능 기부

어휘·어법 다지기 01 (1) 자활 (2) 유력 (3) 창출 (4) 기고 02 (1) 창출 (2) 유력 (3) 기고 (4) 자활 03 심난한, 심란해

자본주의 사회에서 기업의 목적은 이윤을 추구하는 것입니다. 그런데 기업의 궁극적 목표를 이윤 추구라고 생각하지 않는 사람들이 있습니다. 기업은 어렵고 소외된 사람에게 일자리를 제공하는 등 사회적으로 가치 있는 활동을 통해 이윤을 창출해야 한다고 믿기 때문입니다. 이러한 기업을 '사회적 책임을 다한다.'라는 의미에서 '사회적 기업'이라고 부릅니다. 사회적 기업은 궁극적으로는 취약 계층에게 일자리를 제공하고, 소외된 이들에게 적절한 서비스를 제공하는 등 공익 추구를 목적으로 삼습니다. 그중에서도 노숙인들이 자기 힘으로 살아갈 수 있도록 돕는 사회적 기업인 '빅이슈(The Big Issue)'를 살펴볼까요?

5번의 근거

▶사회적 기업의 의미와 목적

고작 다섯 살 나이에 노숙을 시작한 존 버드는 일곱 살에 고아원으로 끌려갔고, 열 살이 되면서 다시 길거리 생활을 시작했습니다. 30대가 된 버드는 자신의 과거를 딛고 일어서리라 결심을 하였고, 한 후원자의 도움으로 대학에 진학해 졸업한 후 40대에 잡지사를 이끄는 사업가가 될 수 있었습니다. 어느 날 버드에게 당시 세계적인 화장품 브랜드인 '더바디숍'의 창업자 고든 로딕은 '노숙자들을 위한 잡지를 만들어 보면 어떻겠냐?'라는 제안을 했고, 버드는 단번에 받아들였습니다. 자신이 노숙자였을 때 아무도 정당한 일자리를 제공해 주지 않았고 정부에서 나온 보조금이나 자선 단체의 도움이 노숙자들의 삶을 바꾸지 못했던 것을 떠올리며, 그들에게 노동의 가치를 알게 해 주고 스스로 자활의 길을 나서도록 도와야 한다고 생각했기 때문입니다.

▶노숙자들을 위한 잡지를 만들기로 한 존 버드

1991년 존 버드와 고든 로딕이 함께 창간한 잡지인 '빅이슈'가 런던에 모습을 드러냈습니다. 그런데 사람들의 눈길을 끈 것은 잡지 속 내용이 아니라 판매 방식이었습니다. '빅이슈'는 오로지 노숙자들에게만 잡지를 판매할 권한을 주었습니다. 또 잡지 판매 금액의 50퍼센트를 판매원에게 돌려주는 시스템을 만들었습니다. '빅이슈'는 단번에 영국 잡지계에서 화제의 중심이 되었습니다. 버드와 로딕의 취지를 이해한 수많은 사람들이 '빅이슈'를 돕기 시작했습니다. 세계적인 유명 인사들도 앞다투어 이 잡지의 무료 표지 모델을 자원했고, 저명한 작가와 기자들이 무료로 글을 기고했으며, 유명 디자이너들이 잡지 디자인을 도왔습니다. 수많은 스타와 전문가들이 재능 기부에 나선 것입니다. 이러한 도움에 힘입어 '빅이슈'는 영국에서 일주일에 15만 부 이상 팔리는 유력 주간지로 자리 잡았습니다. 또 이로 인해 5천 명이 넘는 노숙자들이 자립에 성공했습니다.

3번의 근거 / 2번의 근거 / 2번의 근거 / 2번의 근거

▶'빅이슈'의 운영 방식

'빅이슈'를 판매하는 이들은 붉은 조끼를 입습니다. 조끼 뒤쪽에는 '일하는 중입니다. 구걸하는 게 아니라고요.(Working Not Begging)'라는 문구가 적혀 있습니다. 이 문구는 사회적 기업 '빅이슈'의 설립 취지가 사회적 약자들에게 스스로 일어설 기회를 주기 위한 것이라는 사실을 알려 줍니다. '빅이슈' 판매원들은 구걸이 아닌 노동을 하며, 열등감이 아닌 자존감을 가슴에 품고 살아갈 기회를 얻은 것입니다. 현재 '빅이슈'는 11개 나라에서 15종이 발행되고 있습니다. 매주 팔리는 부수만 해도 100만 부가 넘습니다. 우리나라에서도 2010년 7월 창간되어 서울의 지하철역 앞이나 거리에서 판매원들을 만날 수 있습니다.

2번의 근거 / 2번의 근거

▶'빅이슈'를 판매하는 이들이 붉은 조끼를 입는 까닭

이렇게 지도해 주세요! 이 글은 노숙자들이 스스로 살아갈 수 있도록 돕는 사회적 기업인 '빅이슈'에 대해 설명하는 글입니다. '빅이슈'가 어떤 활동을 하고 있는지 설명해 주세요.

- **주제** 사회적 기업 '빅이슈'의 성공

1 이 글은 사회적 기업인 '빅이슈'의 설립 배경과 그들이 하는 활동에 대해 설명하는 글입니다.

2 저명한 작가와 기자들은 빅이슈에 무료로 글을 기고했다고 하였습니다.

오답 풀이

① 마지막 문단에서 '빅이슈'를 판매하는 사람들은 붉은 조끼를 입는다고 하였습니다.

③ 셋째 문단에서 '빅이슈'는 오로지 노숙자들에게만 잡지를 판매할 권한을 주었다고 하였습니다.

④ 셋째 문단에서 '빅이슈'는 잡지 판매 금액의 50퍼센트를 판매원에게 돌려주는 시스템을 만들었다고 하였습니다.

⑤ 마지막 문단에서 우리나라에서도 '빅이슈'가 2010년 7월 창간되어 서울 지하철역 앞이나 거리에서 판매원들을 만날 수 있다고 하였습니다.

3 빅이슈는 1991년 '존 버드'와 '고든 로딕'이 함께 창간한 잡지라고 하였습니다.

4 이 글은 사회적 기업의 사례로 노숙자들을 돕는 '빅이슈'에 대해 자세하게 설명하고 있습니다.

5 사회적 기업은 취약 계층에게 일자리를 제공하고, 소외된 이

들에게 적절한 서비스를 제공하는 등 공익 추구를 목적으로 삼는다고 하였습니다. 해외 공장의 인건비를 절약하기 위해 어린 아이들을 고용하여 노동을 시키는 ◇◇ 기업은 사회적 기업으로 볼 수 없습니다.

6 사회적 기업 '빅이슈'는 존 버드와 고든 로딕이 함께 창간한 '잡지'로, '노숙자'들에게만 판매 권한을 주는 독특한 판매 방식을 실행합니다. 또 세계적인 유명 인사, 저명한 작가와 기자, 유명 디자이너들의 수많은 '재능 기부'로 성공을 이루었고, 현재 11개 나라에서 15종이 발행되고 있습니다.

생각 글 쓰기

◆예시 **답안** 노숙자들은 구걸이 아닌 노동을 하며 열등감이 아닌 자존감을 품고 살아갈 기회를 얻었다.

이렇게 지도해 주세요! '빅이슈'와 같은 사회적 기업이 우리 사회에서 소외된 이들에게 주는 가치는 무엇인지 생각해 볼 수 있도록 지도해 주세요.

어법 다지기

03 일이 어려울 때에는 '심난하다'를 사용하고, 마음이 어수선할 때에는 '심란하다'를 사용해야 합니다.

24회 노 키즈 존에 대한 시선

▶ 본문 106~109쪽

1 노 키즈 존 2 출입 3 ⑤ 4 어린아이 5 현우 6 노 키즈 존, 함께

어휘·어법 다지기 01 (1) 소란 (2) 밀집 (3) 피해 02 (1) 동반 (2) 소란 (3) 배려 03 ①

요즘 길을 지나가다 보면 '노 키즈 존'이라는 팻말을 붙여 둔 음식점이나 카페를 종종 볼 수 있습니다. '노 키즈 존(No Kids Zone)'이란 어린아이나 어린아이를 동반한 고객들의 출입을 금지하는 음식점, 카페 등을 말합니다.(2번의 근거) 주로 술집들이 밀집되어 있는 곳에서만 볼 수 있었던 '노 키즈 존'은 계속해서 확산되고 있습니다. 2011년 한 식당에서 10세 어린이 손님이 뜨거운 물이 담긴 그릇을 들고 가던 종업원과 부딪혀 화상을 입었습니다.(노 키즈 존이 생기게 된 사건) 2013년까지 계속된 법정 싸움의 결과, 법원은 10세 어린이 부모의 책임을 30퍼센트, 식당 주인과 종업원의 책임을 70퍼센트로 판결하였습니다. 이 사건을 계기로 노 키즈 존을 실시하는 곳들이 크게 늘어났습니다. 그러나 노 키즈 존이 바람직한 것인지는 깊이 생각해 보아야 할 문제입니다.(5번의 근거)

▶'노 키즈 존'이 늘어난 원인

어떤 사람들은 어린아이들이 소란을 피우기 때문에, 조용히 여유를 즐기거나 식사를 편안하게 할 수 없어 노 키즈 존이 꼭 필요하다고 주장합니다.(찬성하는 입장) 그 사람들은 힘든 일상을 벗어나 휴식을 위하여 방문하는 공간에서 제대로 휴식을 취할 수 없기 때문입니다.(노 키즈 존이 필요한 까닭) 대부분의 어린아이들은 오랜 시간 조용히 앉아 있는 것을 힘들어 합니다. 그리고 간혹 소란을 피우는 아이를 보고 주의를 주지 않는 부모도 있습니다. 서로의 입장 차이로 싸움이 벌어지는 경우도 있습니다. 그렇기 때문에 분리된 공간에서 각자 만족하는 시간을 갖자는 것입니다.

▶'노 키즈 존'에 찬성하는 입장

어떤 부모들은 남에게 피해가 되지 않도록 아이에게 강하게 주의를 주기도 합니다. 일부 어린아이가 소란을 피운다고 해서 모든 어린아이가 피해를 보게 되는 상황은 바람직하지 않습니다. 또한, 노 키즈 존으로 인해 어린아이와 함께 온 어른들이 불편을 겪게 되는 경우도 생각해 볼 문제입니다. 일반인들이 이용할 수 있는 가게에는 누구나 출입할 수 있습니다. 그런데 어린아이나 어린아이와 함께 왔다는 까닭으로 출입을 금지하는 것은 너무나도 지나친 결정일 수 있습니다.(노 키즈 존이 지나치다는 입장) 또한, 노 키즈 존이 계속 늘어나게 된다면 어린아이나 어린

아이의 부모가 함께 갈 수 있는 장소가 줄어들게 되어 삶의 질까지 나빠질 우려가 있습니다. ▶'노 키즈 존'에 반대하는 입장

게다가 이러한 노 키즈 존은 사람들에게 어린아이에 대한 부정적인 생각을 자리 잡게 할 수도 있습니다. 누구나 출입할 수 있는 장소에 출입을 금지하니, 어린아이를 부정적인 시각으로 바라보게 하여 '피해를 주는 존재'로 인식하게 되는 것입니다. (4번의 근거) ▶어린아이에 대한 부정적인 생각을 하게 하는 '노 키즈 존'

어린아이는 우리가 보호하고 배려해야 하는 사회적 약자이며, 사회의 구성원입니다. (4번의 근거) 다만 아직은 예절을 익히는 중이고 사회에서 많은 사람들과 함께 살아가기 위한 사회성을 기르는 중입니다. 이러한 어린아이들이 올바르게 자랄 수 있도록 우리 사회가 도와주고 배려해야 합니다. ▶우리가 보호하고 배려해야 하는 어린아이

노 키즈 존을 만드는 것이 올바른 사회 현상이라고 하기는 어렵지만 공공장소에서 아이를 방치하는 부모의 태도도 바르지 않습니다. 노 키즈 존을 통해 무조건 어린아이의 출입을 금지하기보다 더 나은 방법은 없는지 생각해 보고, (5번의 근거) 모두가 함께 살아갈 수 있는 사회가 되도록 고민해 보아야 할 것입니다. (3번의 근거) ▶함께 사는 사회에 대한 고민

이렇게 지도해 주세요! 이 글은 노 키즈 존(No Kids Zone)에 대한 두 가지 시선에 대하여 쓴 글입니다. 모두가 함께 사는 사회에 대하여 생각하고, 고민하는 시간을 가질 수 있도록 지도해 주세요.
- **주제** 노 키즈 존이 아닌 함께 사는 사회에 대한 고민

1 이 글은 '노 키즈 존에 대한 시선'에 대하여 쓴 글입니다.

2 어린아이나 어린아이를 동반한 고객들의 '출입'을 금지하는 음식점, 카페 등을 노 키즈 존(No Kids Zone)이라고 한다고 하였습니다.

3 글쓴이는 '노 키즈 존'에 대한 찬성과 반대 입장을 제시한 후 노 키즈 존이 아닌 함께 사는 사회에 대하여 고민해 보아야 한다고 주장하였습니다.

오답 **풀이**
① 노 키즈 존이 꼭 필요하다고는 하지 않았습니다.
② 이 글은 노 키즈 존에 대한 찬성과 반대 입장을 모두 제시하였습니다.
③ 어린아이들은 어디서나 뛰어놀아야 한다는 의견은 없습니다.
④ 어린아이들을 동반할 수 있는 카페나 식당이 많아지기보다는, 함께 살아가는 사회에 대하여 고민해 보아야 한다고 하였습니다.

4 다섯째 문단에서 '어린아이'는 우리가 보호하고 배려해야 하는 사회적 약자이며, 사회의 구성원이라고 하였습니다.

5 글쓴이는 노 키즈 존에 대한 두 가지 시선 외에 더 나은 해결책은 없는지, 모두가 함께 살아갈 수 있는 사회가 되도록 고민해 보아야 한다고 하였습니다.

오답 **풀이**
지수 : 글쓴이의 생각과 같지 않습니다.
연희 : 소란을 피우는 것은 일부 어린아이라고 하였습니다.

6 이 글은 서론에서 '노 키즈 존'이 늘어난 원인을 제시하고 본론에서는 노 키즈 존에 대한 찬성과 반대의 입장에 대해 근거를 들어 말하고 있습니다. 그리고 결론에서는 노 키즈 존보다는 모두가 '함께' 살아갈 수 있는 사회에 대하여 고민해 보아야 한다고 하였습니다.

생각 글 쓰기

◆예시 **답안** 어린아이와 그 부모의 삶의 질이 나빠질 수 있고, 어린아이에 대한 부정적인 시각으로 어린아이를 '피해를 주는 존재'로 인식할 수 있기 때문이다.

이렇게 지도해 주세요! 노 키즈 존을 필요로 하는 사람들이 있는 반면, 반대하는 사람들도 있습니다. 반대하는 사람의 입장으로 그 까닭을 쓸 수 있도록 설명해 주세요.

어법 다지기

03 '즈음'은 '일이 어찌 될 무렵.'을 뜻하고, '-쯤'은 '알맞은 한도, 그만큼 가량.'의 뜻을 더하는 말입니다.
①은 '동생이 잠들었을 무렵'이라는 뜻이므로 '즈음'이 바른 표현입니다.

25회 드론

▶ 본문 110~113쪽

1 드론 2 ③ 3 ② 4 ③ 5 비용, 각도, 촬영 6 쿼드콥터
7 종류, 활용, 항공
어휘·어법 다지기 01 (1) 초동 (2) 적발 (3) 정찰 02 (1) 정찰 (2) 적발 (3) 초동 03 (1) 아 (2) 우와 (3) 앗

드론은 사람이 타지 않고 무선 전파로 원격 조종하는 무인 항공기이며, '벌 등이 윙윙거리는 소리.'라는 의미입니다.(2, 4번의 근거) 1935년 영국 해군이 여왕벌이란 이름의 비행체를 날려 대포로 맞추는 사격 훈련을 했는데,(2번의 근거) 이때 비행체의 이름을 영국 여왕을 향한 존경의 의미를 담아 여왕벌 대신 수벌을 뜻하는 '드론'으로 바꾸면서 드론이라는 이름으로 불리게 되었습니다. 드론은 날개에 따라서 이름이 달라지기도 합니다. 드론의 몸체 바깥에 달린 회전하는 날개 부분을 '로터'라고 부르는데,(4번의 근거) 이 로터의 개수가 4개면 쿼드콥터, 6개면 헥사콥터, 8개면 옥토콥터라고 부릅니다.(2, 6번의 근거) 일반적으로는 쿼드콥터가 가장 널리 사용되고 있습니다. ▶드론의 개념과 종류

드론은 원래 군대에서 무인 정찰이나 폭격기, 연습용 표적 등으로 개발된 것이었으나, 최근에는 GPS와 센서, 카메라 등을 장착한 민간용 드론이 개발되면서 그 이용 범위가 확대되었습니다. 드론은 주로 항공 촬영용으로 많이 사용되고 있습니다.(2번의 근거) 예전에는 헬리콥터를 많이 사용했지만 헬리콥터를 한 번 띄우는 데에는 비용이 많이 듭니다. 따라서 최근에는 비용이 저렴하고 헬리콥터보다 더 가까운 위치에서 촬영할 수 있으며, 더 다양한 각도로 실감나게 촬영을 할 수 있는 드론을 사용합니다.(5번의 근거) 실제로 올림픽을 비롯한 스포츠 경기의 중계에서도 많이 사용되고 있습니다.(3번의 근거) ▶드론의 항공 촬영

이밖에도 원격 탐사, 농업 등 다양한 산업 분야뿐만 아니라 환경 보호 등 지속 가능한 미래 사회를 이끌어 갈 중요한 기술로 활용되고 있습니다.(2번의 근거) 최근 벨기에는 북해의 불법 기름 유출 감시에 드론을 사용했으며, 미국의 한 회사는 알래스카 바다 조사 활동과 야생을 보호하는 용도로 드론을 활용하고 있습니다.(4번의 근거) 또 중국에서는 드론을 이용해 제철 기업의 환경 지침 위반 사례를 적발했고,(3번의 근거) 한 자동차 기업에서는 소형 드론이 차량 천장에 숨어 있다가 필요할 때 교통 체증 상황과 운전 시 주의해야 할 사항을 파악해 운전자에게 전송하는 콘셉트카를 발표하기도 했습니다. 그리고 농작물을 분석하여 필요한 지역에만 선별적으로 농약을 뿌리는 드론도 있습니다.(3번의 근거) ▶원격 탐사와 농업에 활용되는 드론

드론은 치명적인 자연재해에서도 역할을 수행합니다.(3번의 근거) 2011년 동일본 대지진으로 후쿠시마 원전에서 대량의 방사능이 누출되었던 사고가 대표적인 예입니다. 이때 미국의 군사용 무인 항공기가 원전 시설에 접근해 적외선 카메라로 발전소 내부를 들여다보고 각 시설의 온도를 포함한 정보를 파악했습니다.(4번의 근거) 그리고 일본은 이를 토대로 방사능 수습 계획을 수립할 수 있었습니다. 우리나라에서도 열과 연기를 자동으로 인식해 산불 발생 지점을 확인하고 소방대원들에게 이를 알려 발 빠른 초동 대처를 할 수 있도록 지능형 CCTV를 장착한 드론을 도입할 계획입니다. ▶자연재해에 활용되는 드론

이처럼 드론을 활용할 수 있는 분야는 무궁무진합니다.(4번의 근거) 필요에 따라 저렴하게 드론을 띄우고 정확하게 결과물을 도출하는 시대가 된 것입니다. ▶활용 분야가 무궁무진한 드론

이렇게 지도해 주세요! 이 글은 드론의 개념과 종류, 드론이 다양하게 활용되는 사례에 대해 설명한 글입니다.
- **주제** 드론의 종류와 다양한 활용 분야

1 이 글은 '드론'의 개념과 종류, 활용 분야를 설명한 글입니다.

2 이 글에서는 드론에 관련된 규제는 설명하고 있지 않습니다.

3 물건을 배송할 때 사용되는 경우는 설명하지 않았습니다.

4 첫째 문단에서 드론의 몸체 바깥에 달린 회전하는 날개 부분을 '로터'라고 부른다고 하였습니다.

5 둘째 문단에서 드론은 헬리콥터에 비해 '비용'이 저렴하고, 대상을 더 가까운 위치에서 더 다양한 '각도'로 실감나게 '촬영'할 수 있어 많이 사용되고 있다고 하였습니다.

6 드론의 몸체 바깥에 달린 회전하는 날개 부분인 로터의 개수가 4개면 '쿼드콥터'라고 하였습니다.

7 이 글은 드론의 개념과 '종류', 그리고 드론이 '활용'되는 다양한 분야에 대해 설명하였고, 활용 분야에는 '항공' 촬영, 원격 탐사, 농업, 환경 보호, 자연재해가 있다고 하였습니다.

생각 글 쓰기

◆예시 **답안** 위험한 상황에서 사람 대신 일할 수 있다.

이렇게 지도해 주세요! 드론을 이용하면, 방사능과 같이 사람에게 위험한 환경의 정보를 정확하게 파악할 수 있다고 설명해 주세요.

어법 다지기

03 감탄사는 말하는 이의 부름, 대답, 놀람, 느낌 등을 나타내고, 문장에서 생략되어도 의미에 큰 변화가 없습니다.

26회 나의 소원_백범 김구

▶ 본문 114~117쪽

1 (1) 김구 (2) 동포 2 ④ 3 ④ 4 ③ 5 ④ 6 자주독립, 평화, 문화

어휘·어법 다지기 01 (1) 천직 (2) 미천 (3) 복락 (4) 알력 02 (1) 알력 (2) 미천 (3) 복락 (4) 천직 03 (1) 경의 (2) 경이

가 "네 소원이 무엇이냐?" 하고 하느님이 내게 물으시면, 나는 서슴지 않고, "내 소원은 대한 독립이오." 하고 대답할 것이다. "그 다음 소원은 무엇이냐?" 하면, 나는 또 "우리나라의 독립이오." 할 것이요, 또 "그 다음 소원이 무엇이냐?" 하는 세 번째 물음에도, 나는 더욱 소리를 높여서 "나의 소원은 우리나라 대한의 완전한 자주독립이오." 하고 대답할 것이다.
▶'나'의 유일한 소원은 우리나라의 완전한 자주독립임.

나 동포 여러분! 나 김구의 소원은 이것 하나밖에는 없다. (1번의 근거) 내 과거의 칠십 평생을 이 소원을 위하여 살아왔고, 현재에도 이 소원 때문에 살고 있고, 미래에도 나는 이 소원을 이루려고 살 것이다.
▶평생 우리나라의 자주독립을 위해 살아온 김구

독립이 없는 백성으로 칠십 평생에 설움과 부끄러움과 애탐을 받은 나에게는, 세상에 가장 좋은 것이, 완전하게 자주독립한 나라의 백성으로 살아 보다가 죽는 일이다.「나는 일찍이 ㉠우리 독립 정부의 문지기가 되기를 원하였거니와, 그것은 우리나라가 독립국만 되면 나는 ㉡그 나라의 가장 미천한 자가 되어도 좋다는 뜻이다. 왜 그런고 하면, ㉢독립한 제 나라의 빈천이 ㉣남의 밑에 사는 부귀보다 기쁘고 영광스럽고 희망이 많기 때문이다. 옛날 일본에 갔던 박제상이, "내 차라리 ㉤계림의 개, 돼지가 될지언정 왜왕의 신하로 부귀를 누리지 않겠다."라고 한 것이 그의 진정이었던 것을 나는 안다.」 제상은 왜왕이 높은 벼슬과 많은 재물을 준다는 것을 물리치고 달게 죽음을 받았으니, 그것은 "차라리 내 나라의 귀신이 되리라." 함이었다.
(「」: 3번의 근거)
▶자주독립한 나라의 백성으로 살다가 죽는 것이 가장 좋은 것임.

다 그러므로 우리 민족으로서 하여야 할 최고의 임무는, 첫째로, 남의 절제도 아니 받고 남에게 의뢰도 아니하는, 완전한 자주독립의 나라를 세우는 일이다. (4번의 근거) 이것이 없이는 우리 민족의 생활을 보장할 수 없을뿐더러, 우리 민족의 정신력을 자유로 발휘하여 빛나는 문화를 세울 수가 없기 때문이다. 이렇게 완전한 자주독립의 나라를 세운 뒤에는, 둘째로 이 지구상의 인류가 진정한 평화와 복락을 누릴 수 있는 사상을 낳아, 그것을 먼저 우리나라에 실현하는 것이다. (4번의 근거) ▶우리 민족의 임무

라 나는 오늘날의 인류의 문화가 불완전함을 안다. (4번의 근거)「나라마다 안으로는 정치상, 경제상, 사회상으로 불평등, 불합리가 있고, 밖으로는 나라와 나라의, 민족과 민족의 시기, 알력, 침략, 그리고 그 침략에 대한 보복으로 작고 큰 전쟁이 끊일 사이가 없어서 많은 생명과 재물을 희생하고도, 좋은 일이 오는 것이 아니라 인심의 불안과 도덕의 타락은 갈수록 더하니, 이래 가지고는 전쟁이 끊일 날이 없어 인류는 마침내 멸망하고 말 것이다.」 그러므로 인류 세계에는 새로운 생활 원리의 발견과 실천이 필요하게 되었다. (4번의 근거) 이것이야말로 우리 민족이 담당한 천직이라고 믿는다.
(「」: 인류의 문화가 불완전함의 내용)
▶불완전한 인류 문화에 필요한 새로운 생활 원리의 발견과 실천

마 내가 원하는 우리 민족의 사업은 결코 세계를 무력으로 정복하거나 경제력으로 지배하려는 것이 아니다. (4번의 근거) 오직 사랑의 문화, 평화의 문화로 우리 스스로 잘 살고 인류 전체가 의좋게, 즐겁게 살도록 하는 일을 하자는 것이다.
▶사랑과 평화의 문화로 인류를 잘 살도록 해야 함.

이렇게 지도해 주세요! 이 글은 김구 선생이 우리나라의 완전한 자주독립을 염원하며 쓴 글입니다. 이 글이 쓰인 당시의 시대적 상황을 이해할 수 있도록 지도해 주세요.
• **주제** 우리나라의 완전한 자주독립에 대한 염원

1 **나**의 '동포 여러분! 나 김구의 소원은~'을 통해 알 수 있는 부분입니다. 이 글을 쓴 사람은 '김구'이고, 듣는 대상은 '동포'입니다.

2 이 글은 글쓴이가 자신의 주장이나 의견에 대한 타당한 근거를 들어 여러 사람을 설득하는 연설문입니다.

3 ㉠, ㉡, ㉢, ㉤은 가장 미천한 자가 되더라도 독립된 우리나라의 백성이 되겠다는 뜻이고, ㉣은 일본의 지배하에 잘 사는 것으로, 민족보다 개인의 부귀영화를 추구하는 삶을 뜻합니다.

4 마지막 문단에서 글쓴이가 원하는 우리 민족의 사업은 결코 세계를 무력으로 정복하거나 경제력으로 지배하려는 것이 아니라고 하였습니다.

5 **보기**는 우리 민족의 독립이 세계와 인류를 위한 것이라고 주장하고 있으므로, 오늘날 인류 문화가 불완전하기 때문에 우리 민족이 새로운 생활 원리를 발견하고 실천하는 것이 필요하다는 주장인 **라** 뒤에 들어가는 것이 알맞습니다.

오답 **풀이**
① **가**에서는 '나'의 유일한 소원은 우리나라의 완전한 자주독립이라고 주장하고 있습니다.
② **나**에서는 '나'는 평생 우리나라의 자주독립을 위하여 살아왔고, 자주독립한 나라의 백성으로 살다가 죽는 것이 가장 좋은 것이라고 하였습니다.
③ **다**에서는 우리 민족의 최고의 임무는 완전한 자주독립으로 인류의 평화와 복락에 기여하는 것이라고 주장하고 있습니다.
⑤ **마**에서는 우리 민족은 사랑과 평화의 문화를 바탕으로 인류를 잘 살게 해야 한다고 주장하고 있습니다.

6 글쓴이의 유일한 소원은 우리나라의 완전한 '자주독립'이며, 완전한 자주독립으로 인류의 '평화'와 복락에 기여하는 것이 우리 민족의 최고 임무라고 하였습니다. 또 우리 민족이 사랑과 평화의 '문화'로 인류 전체를 잘 살도록 해야 한다고 주장하고 있습니다.

생각 글 쓰기

◆예시 **답안** 글쓴이의 유일한 소원인 우리나라의 완전한 자주독립에 대한 간절함을 강조한다.

이렇게 지도해 주세요! 박제상은 높은 벼슬과 재물을 준다는 것을 물리치고, 일본 왕의 신하가 되지 않겠다며 죽음을 맞이하였습니다. 이러한 박제상의 일화 내용을 알려 주고, 이를 통해 김구의 독립에 대한 간절한 마음을 강조한다고 설명해 주세요.

어법 다지기

03 '경의'는 존경의 의미, '경이'는 놀라움의 의미입니다. 따라서 스승님께는 '경의'를 표하고, 웅장한 벽화를 '경이'에 찬 눈빛으로 바라보는 것이 알맞습니다.

27회 멸종 위기의 수달

▶ 본문 118~121쪽

1 ② **2** ④ **3** 사냥 **4** ㉢ **5** 서진 **6** 멸종, 환경 오염, 보호

어휘·어법 다지기 **01** (1) 하사 (2) 멸종 (3) 서식 (4) 포유류
02 (1)-㉢ (2)-㉡ (3)-㉠ **03** ③

수달은 족제비과의 포유류로, 전 세계적으로 13종이 있습니다. 그중 해달은 바다에 사는 수달을 말하지요. 해달은 배영을 하듯 물 위에 떠 있기를 좋아하고, 배 위에 조개를 올린 후 돌로 깨서 먹습니다. 다른 수달들도 조개를 먹는데, 돌은 사용하지 않고 앞발로 조개를 잡고 껍질째 씹어 먹지요.(1번의 근거) 또한, 수달은 물고기도 딱딱한 뼈까지 통째로 씹어 먹습니다. 그만큼 수달은 아주 세고 튼튼한 이빨을 가지고 있어요. 남아메리카의 아마존에 살고 있는 큰수달은 악어는 물론, 아나콘다와 같은 초대형 뱀도 사냥합니다. 이렇게 강하다고 할 수 있는 수달이 지구상에서 멸종 위기에 처했습니다. 그 까닭은 무엇일까요? ▶수달이 멸종 위기에 처한 까닭에 대한 문제 제기

예전부터 수달 가죽은 비싼 값에 팔렸습니다.(2번의 근거) 우리나라 수달은 한반도 전역에 폭넓게 서식하고 있었고, 중국이나 몽골이 수달 모피를 빈번히 요청하였다는 기록이 있지요. 또한 세종 대왕이 수달 가죽으로 만든 겉옷을 입었고,(2번의 근거) 신하들에게도 수달 가죽 두루마기를 하사했다는 기록이 남아 있습니다. 수달 가죽은 무엇이 특별했던 것일까요? 수달 가죽은 2중 털 구조로 되어 있고 방수와 추위를 막는 기능이 탁월하다고 합니다.(2번의 근거) 바다코끼리나 바다사자 등 덩치가 큰 포유류는 피부 아래 두꺼운 지방을 쌓아 추위를 견디는 반면,(2번의 근거) 수달은 2중 털 구조로 체온을 유지하지요. 그 이유로 많은 사람들은 수달 가죽을 얻기 위하여 수달을 사냥하였습니다.(3번의 근거) 이렇게 지나친 사냥은 수달에게 큰 위기가 되었지요. ▶지나친 사냥으로 멸종 위기인 수달

미국 캘리포니아에 있는 한 마을은 여러 물고기와 킹크랩, 성게 등이 많아 황금 어장으로 불렸습니다. 하지만 그곳의 어부들은 비싼 해산물을 먹는 해달이 큰 문제였어요. 어부들은 고민 끝에 수백 마리의 해달을 사냥하였습니다. 과연 어부들은 더 많은 해산물을 얻을 수 있었을까요? 아닙니다. 해달이 사라지고 단 3년 만에 바다는 황폐해졌지요.(1번의 근거) 그 까닭은 무엇이었을까요? 바로, 먹이 사슬이 깨졌기 때문입니다. 해달은 주로 성게를 먹었는데, 해달이 사라지고 난 뒤 성게의 수가 빠르게 늘어나 해초를 남김없이 먹어 치웠습니다. 그렇

게 해초가 없어지고 나니, 물고기는 알을 낳거나 몸을 숨길 수 있는 곳이 사라져 버렸습니다. 결국 바다는 아무것도 살 수 없는 곳이 되었지요. 해달은 성게의 수를 알맞게 유지시키며 다른 생물들도 살아갈 수 있게 했던 것입니다. 이렇게 생태계를 적절하게 유지시켜 주는 생물종을 핵심종이라고 합니다. (가)

1, 4번의 근거

▶생태계의 핵심종인 수달

이렇게 여러 이유로 반복되는 사냥과 함께 환경 오염 또한 수달에게 큰 영향을 미칩니다. 수질 오염으로 수달의 서식지가 파괴되기 때문이지요. 수질 오염은 물고기에게 영향을 미치고, 물고기를 먹는 수달에게까지 영향을 주게 됩니다. 또한, 수달은 집을 짓지 않고 하천변의 나무나 바위틈에서 사는데, 강과 하천 공사가 빈번한 현대에서 수달은 살 곳을 잃어 가고 있습니다.

1번의 근거 / 5번의 근거 / 5번의 근거

▶환경 오염으로 살 곳을 잃어 가는 수달

우리나라의 일부 지역에서는 수달을 위해 인공적으로 수달 둥지를 만들기도 하고, 법적으로 수달 보호 지역을 설정해 두고 있습니다. 이러한 노력과 함께 환경이 다시 원래의 모습을 찾을 수 있도록 노력한다면 수달을 비롯한 여러 동물들이 위기에서 벗어날 수 있을 것입니다. ▶수달을 보호하기 위한 노력

이렇게 지도해 주세요! 이 글은 멸종 위기인 수달에 대하여 설명한 글입니다. 수달을 비롯하여 멸종 위기에 처한 동물들을 위하여 어떤 일을 할 수 있는지 생각할 수 있도록 지도하고 설명해 주세요.

• **주제** 멸종 위기의 수달과 수달을 보호하기 위한 우리의 노력

1 이 글은 멸종 위기인 수달에 대하여 설명하고 있습니다. '앞발'은 수달이 조개를 먹을 때 이용하는 부분으로, 중요한 낱말은 아닙니다.

오답 **풀이**

① 이 글에서 설명하는 대표적인 멸종 위기인 동물입니다.

③ 수달은 생태계를 적절하게 유지시켜 주는 생물종입니다.

④ 먹이 사슬이 깨지면 환경은 황폐해집니다.

⑤ 환경 오염으로 인해 수달과 많은 동물들이 위기에 처했습니다.

2 피부 아래 두꺼운 지방을 쌓아 추위를 견디는 것은 바다코끼리나 바다사자 등 덩치가 큰 포유류라고 하였습니다. 수달 가죽은 2중 털 구조로 되어 있어 방수와 추위를 막는 기능이 탁월하다고 하였습니다.

3 둘째 문단에서 많은 사람들은 수달 가죽을 얻기 위하여 수달을 '사냥'하였고, 이것은 수달에게 큰 위기가 되었다고 하였습니다.

4 해달은 성게의 수를 알맞게 유지시키며 다른 생물들도 살아갈 수 있게 했다고 하였으므로, '수달은 정말 중요한 핵심종이지요.'가 알맞습니다.

오답 **풀이**

㉠ 이 글에서 핵심종은 바다에만 있다고 하지는 않았습니다.

㉡ 환경 오염이 핵심종인 수달에게 영향을 미친다고 하였습니다.

5 수질 오염으로 인하여 수달의 서식지가 파괴되었다고 하였습니다.

6 이 글은 처음 부분에서 수달이 멸종 위기에 처한 까닭에 대한 문제 제기를 하였고, 중간 부분에서 지나친 사냥으로 '멸종' 위기인 수달과 '환경 오염'으로 살 곳을 잃어 가는 수달에 대하여 설명하였습니다. 그리고 마지막 부분에서 수달을 '보호'하기 위한 우리의 노력에 대하여 제시하였습니다.

생각 글 쓰기

예시 **답안** 수달의 서식지를 보호하고, 생태계가 파괴되지 않으며 환경 오염이 되지 않도록 노력한다.

이렇게 지도해 주세요! 수달을 비롯하여 여러 동물들이 멸종 위기에 처해 있습니다. 그 원인을 살펴보고, 우리가 일상생활에서 환경 보호를 위하여 어떤 일을 할 수 있는지 생각해 볼 수 있도록 지도해 주세요.

어법 다지기

03 '손바닥'은 '사람의 팔목 끝에 달린 부분.'이라는 뜻을 가진 '손'과 '평평하게 넓이를 이룬 부분.'의 뜻인 '바닥'을 합쳐서 만든 '합성어'입니다.

㉮ 하여가_이방원
㉯ 단심가_정몽주

▶ 본문 122~125쪽

1 (1) 만수산 드렁칡 (2) 일편단심 2 ② 3 ③ 4 석현 5 ⑤ 6 ③ 7 조선, 고려

어휘·어법 다지기 01 (1)-㉢ (2)-㉡ (3)-㉣ (4)-㉠ 02 (1) 드렁칡 (2) 일편단심 (3) 백골 (4) 넋 03 (1) 세었다 (2) 쇠었다

㉮

이런들 어떠하며 ㉠저런들 어떠하리
㉡만수산 드렁칡이 얽혀진들 어떠하리 — 운율을 강조함.
개성의 송악산 언덕을 따라 뻗은 칡덩굴.
우리도 이같이 얽혀져 백 년까지 누리리
조선 건국에 협력할 것을 권유함. ▶초장~종장: 자신의 뜻을 권함.

㉯

「이 몸이 죽고 죽어 ㉢일백 번 고쳐 죽어」
「」: 같은 시어를 반복하여 의미를 강조함.
「백골이 진토 되어 ㉣넋이라도 있고 없고」
「」: 일어날 수 없는 일을 과장하여 표현함. 있든지 없든지 → 없어진다고 해도
임 향한 일편단심(一片丹心)이야 ㉤가실 줄이 있으랴
고려 충심을 뜻하는 한자 성어 ▶초장~종장: 자신의 뜻을 굽히지 않음.

이렇게 지도해 주세요! ㉮는 조선 건국에 협력하도록 권하는 시조이고, ㉯는 이에 대해 거절하는 시조입니다. 이 작품들의 말하는 이가 자신의 뜻을 전하기 위해 사용한 여러 표현 방법에 대하여 생각할 수 있도록 지도해 주세요.

• **주제** ㉮ 조선 건국에 협력하도록 권함.
㉯ 고려에 대한 충심

1 ㉮는 '만수산 드렁칡'을 소재로 하여 조선 건국에 협력하도록 권하는 마음을 담은 작품이고, ㉯는 '일편단심'을 소재로 하여 고려에 대한 충성스러운 마음을 표현한 작품입니다.

2 ㉮에서 말하는 이는 흐름에 따라 자유롭게 얽혀 살라고 말하고 있습니다.

오답 **풀이**
① 말하는 이의 생각을 간접적으로 표현하고 있습니다.
③ '만수산 드렁칡'은 서로 얽혀 지내는 것으로, 말하는 이는 이처럼 자유롭게 얽혀 살자고 말하고 있습니다.
④ ㉮에서 자연이 가장 중요하다고 강조하는 내용은 나타나 있지 않습니다.
⑤ '우리'는 시에서 말하는 이인 이방원과 이 시를 받는 사람인 정몽주를 의미하는데, 이 두 사람은 모두 양반입니다.

3 ㉯는 ㉮에 대한 답시조입니다. 하지만 ㉯의 말하는 이는 ㉮의 의견에 따르는 것이 아니라, 단호하게 거절하며 자신의 의지를 직접적으로 표현하고 있습니다.

오답 **풀이**
① '~ 죽고 죽어, ~ 고쳐 죽어'를 반복하여 자신의 뜻을 더욱 강조하였습니다.
② 임을 향한 자신의 마음이 변하지 않을 것이라고 말하고 있습니다.
④ 말하는 이는 '일편단심'이라는 한자 성어를 사용하여 주제를 더욱 강조하였습니다.
⑤ 말하는 이는 자신이 죽어도 임을 향한 마음은 그대로일 것이라며, 단호하게 자신의 의지를 드러내고 있습니다.

4 ㉮에는 국가가 바뀌며 혼란스러운 상황에 '만수산 드렁칡'이 얽혀 있는 것처럼 고려와 조선의 신하가 함께 살아가자는 뜻이 나타나 있습니다. ㉯에는 죽어서 백골이 되더라도 임을 향한 마음을 지킬 것이라는 충심이 드러나 있습니다.

오답 **풀이**
미희: ㉮에는 국가가 바뀌는 혼란스러운 시대 상황이 드러나 있습니다.

5 ㉯에서는 말하는 이의 의도나 감정과는 반대로 표현하는 방법인 '반어법'은 사용하지 않았습니다.

오답 **풀이**
① ㉮에서는 '만수산 드렁칡'을 말하는 이와 듣는 이에 비유하여 표현하였습니다.
② ㉮의 초장, 중장에는 '~들 어떠하리.'를 반복하여 운율을 느낄 수 있게 하였습니다.
③ ㉯의 중장 '백골이~없고'는 일어날 수 없는 일을 과장하여 표현한 것입니다.
④ ㉯의 초장에서는 '~죽고 죽어, ~고쳐 죽어'라는 시어를 반복하여 의미를 강조하였습니다.

6 '일백 번 고쳐 죽어'는 '백 번을 다시 죽어'라는 뜻입니다.

7 ㉮에는 시대 흐름에 따라 '조선' 건국에 힘쓰자는 뜻이 담겨 있고, ㉯에는 '고려'의 신하로서 충심을 지키겠다는 뜻이 담겨 있습니다.

생각 글 쓰기

◆예시 **답안** ㉮의 말하는 이는 새로운 왕조인 조선 건국의 뜻에 함께 하도록 권하고 있고, ㉯의 말하는 이는 전혀 그럴 마음이 없고 고려에 충심을 다하겠다는 것을 드러내고 있다.

이렇게 지도해 주세요! ㉮의 말하는 이는 자신의 생각을 '드렁칡'에 비유하여 돌려 말하였지만, ㉯의 말하는 이는 자신의 생각을 '일편단심'이라는 한자 성어로 직접적으로 표현하였습니다. 각 시의 시어들을 살펴보고, 그 시어가 담고 있는 뜻을 통해 시를 더욱 깊이 감상할 수 있도록 설명해 주세요.

어법 다지기

03 '세다'는 '사물의 수를 헤아리거나 꼽다.'라는 뜻으로 쓰이고, '쇠다'는 '명절, 생일, 기념일 등을 맞이하며 지내다.'라는 뜻으로 씁니다.
(1) '현수는 과일의 숫자를 세었다.'가 되어야 합니다.
(2) '나는 가족과 함께 추석을 쇠었다.'라고 써야 합니다.

29회 목걸이_모파상

▶ 본문 126~129쪽

1 루아젤 부인 2 ⑤ 3 ④ 4 ② 5 영은 6 목걸이, 10, 가짜

어휘·어법 다지기 01 (1) 부채 (2) 청산 (3) 의기양양 (4) 찬미
02 (1) 찬미 (2) 청산 (3) 의기양양 03 (1) 버리다 (2) 벌리고 (3) 벌이려고

[앞부분 줄거리] 루아젤 부인은 프랑스의 어느 가난한 하급 관리의 아내로, 넉넉하지 못한 처지에 항상 불만을 품고 살아간다. 어느 날 장관 부부가 주최하는 저녁 만찬에 초대받아 친구인 포레스티에 부인에게 다이아몬드 목걸이를 빌려 참석하고 많은 사람들의 주목을 받지만, 집에 돌아왔을 때 목걸이를 잃어버린 사실을 알고 4만 프랑이나 하는 목걸이를 새로 사서 친구에게 돌려준다. (3번의 근거)

가 루아젤 부인이 목걸이(인간의 헛된 욕망을 보여 주는 소재)를 포레스티에 부인에게 가지고 갔을 때, 포레스티에 부인은 좋지 않은 얼굴로 말했다.

"좀 일찍 가져오지 그랬니. 나도 쓸 데가 있단 말이야."

㉠포레스티에 부인은 보석 상자를 열어 보지 않았다. 사실 루아젤 부인은 그것을 몹시 두려워하고 있었다. 만약 그녀가 목걸이가 바뀌었다는 것을 눈치채면 어떻게 생각할 것이며 또 뭐라고 말할까? (2번의 근거) 그녀를 도둑이라고 생각하지는 않을까?

루아젤 부인은 가난한 살림의 고통을 몸소 체험하게 되었다. 실제로 그녀는 용감하게도 즉시 결심을 했다. '이 엄청난 부채를 갚아야만 한다. 그리고 그것을 꼭 갚을 것이다.'라고. 그들은 하녀를 내보내고 지붕 밑 다락방으로 이사를 갔다. (3번의 근거)

그녀는 힘든 집안일과 귀찮고 더러운 부엌일을 손수 해냈다. 기름때 낀 솥과 냄비를 닦으며 설거지를 하느라 그녀의 장밋빛 손톱은 엉망이 되었다.

▶가난한 생활을 시작한 루아젤 부인

나 남편은 일과가 끝난 저녁 시간에 상점의 장부를 정리했다. 때로는 밤중까지 한 페이지에 5수우를 받고 원고 베끼는 아르바이트를 했다. (3번의 근거)

이런 생활이 10년 동안 계속되었다.

그리고 10년이 지났을 때 그들은 모든 것을 청산할 수 있었다. 모든 것을. 그 높은 이자에도 불구하고, 그리고 이자에 대한 이자까지도.

루아젤 부인은 이제 폭삭 늙었다.(빚을 갚기 위해 고생함.) 「그녀는 가난한 아줌마들이 으레 그렇듯이 힘세고 건장하고 시끄러운 여자가 되어 있었다. 머리에 빗질도 하지 않고 치마가 비뚤어져도 상관하지 않았다. 손은 붉었고 목소리는 컸으며 물을 콸콸 끼얹어 마루를 닦기도 했다.」(「」: 루아젤 부인의 변한 모습) 그러나 가끔 남편이 관청에 나가고 없을 때면 그녀는 창가에 앉아 그 옛날의 파티 생각을 하곤 했다. (3번의 근거) 그 무도회. 자신이 그렇게도 아름답다고 찬미받았던 그 무도회.

만약 목걸이를 잃어버리지 않았다면 어떻게 되었을까? 누가 알랴! 어쩌면 인생이란 이리도 이상하고 변화무쌍한 것인지!

▶10년이 지난 후 부채를 모두 갚음.

다 "너 기억나니? 장관 댁 파티에 갈 때 네가 빌려 준 그 다이아몬드 목걸이 말이야."

"응, 그런데?"

"실은 그걸 잃어버렸어." (3번의 근거)

"뭐라고? 하지만 내게 돌려주지 않았니?"

"아냐. 다른 걸 돌려준 거야. 똑같은 걸로. 그 빚을 갚는 데 십 년이나 걸렸단다. 우리 처지에 그게 어디 쉬운 일이니. 아무 재산도 없었는데 말이야……. 그렇지만 다 끝났어. 그래서 정말 기뻐."

포레스티에 부인은 어느새 발걸음을 멈추었다.

"아니, 내 목걸이 대신 새 다이아몬드 목걸이를 샀다는 거니?" (자신이 받은 목걸이의 진실을 알고 놀람.)

"그래. 너 감쪽같이 속았지? 정말 똑같았다니까."

㉡말을 마친 그녀는 의기양양하고 흡족하여 순진한 미소를 지어 보였다.

포레스티에 부인은 너무도 감동하여 마틸드의 두 손을 잡았다.

"어휴, 가엾은 마틸드! 내 건 가짜였어. 기껏해야 오백 프랑밖에 안 되는 거였다고!"

▶오해로 인해 10년이라는 긴 세월을 고생한 루아젤 부인

이렇게 지도해 주세요! 이 글은 '목걸이'에 대한 허영심과 오해로 인해 한 여인의 인생이 불행하게 바뀌는 과정을 보여 준 작품입니다. 허영심과 욕망이 삶을 어떻게 변화시킬 수 있는지 생각해 볼 수 있도록 지도해 주세요.

• **주제** 인간의 어리석은 욕망이 가져온 비극

1 이 글은 주인공인 '루아젤 부인'이 친구에게 목걸이를 빌리면서 생긴 인생의 변화를 보여 준 작품입니다.

2 이 글에서 '목걸이'는 사건 전개에 반전을 가져오는 소재, 인간의 어리석음을 보여 주는 소재, 등장인물의 가치관과 성격을 드러내는 소재, 인간의 헛된 욕망과 허영심을 보여 주는 소재입니다. 그러나 포레스티에 부인은 루아젤 부인에게 친구로서 목걸이를 빌려준 것이므로, '목걸이'를 빈곤층에 대한 부유층의 애정을 담고 있는 소재로 볼 수는 없습니다.

3 루아젤 부인의 남편은 일과가 끝난 저녁 시간에 상점의 장부를 정리하였고, 때로는 밤중까지 원고 베끼는 아르바이트를 했다고 하였습니다. 따라서 부인과 어려움을 함께 하기 위해

일을 돕는 남편의 모습을 찾아볼 수 있습니다.

오답 **풀이**

① 루아젤 부인은 가끔 남편이 관청에 나가고 없을 때면 창가에 앉아 그 옛날의 파티 생각을 하곤 했다고 하였습니다.

② 루아젤 부인은 장관 부부가 주최하는 저녁 만찬에 초대받아 친구인 포레스티에 부인에게 목걸이를 빌렸다고 하였습니다.

③ 루아젤 부인은 빚을 갚기 위해 지붕 밑 다락방으로 이사를 갔다고 하였습니다.

⑤ 루아젤 부인은 빚을 다 갚은 후에 포레스티에 부인에게 목걸이에 대한 진실을 고백하였습니다.

4 이 이야기의 결말을 통해 볼 때, 포레스티에 부인이 루아젤 부인이 건넨 보석 상자를 열어 보지 않은 까닭은 빌려준 목걸이가 가짜였기 때문에 꼼꼼하게 확인하지 않은 것으로 추측할 수 있습니다.

5 이 이야기는 인간의 어리석은 욕망으로 인해 불행한 삶을 산 주인공을 통해, 헛된 욕망에 집착하다 보면 결국은 불행해진다는 교훈을 전하고 있습니다. 따라서 '지나친 허영심은 결국 불행으로 돌아오는군.'이라는 깨달음이 알맞습니다.

6 루아젤 부인은 포레스티에 부인에게 '목걸이'를 빌렸지만 잃어버리고 말았습니다. 그래서 빚을 내 목걸이를 새로 사서 돌려준 후, '10'년 동안 빚을 갚게 됩니다. 그런데 모든 빚을 갚고 난 후 포레스티에 부인을 만나 얘기를 나누던 중에 잃어버린 목걸이가 '가짜'였음을 알게 됩니다.

생각 글 쓰기

예시 **답안** 성실한 삶을 살며 빚을 다 갚아 홀가분한 마음이 들었기 때문이다.

이렇게 지도해 주세요! 루아젤 부인은 10년 동안 성실한 삶을 살며 빚을 다 갚고, 포레스티에 부인에게 진실을 털어놓으며 홀가분해 하고 있습니다. 이후 벌어지는 반전과 이를 통해 얻을 수 있는 깨달음에 대해 생각해 볼 수 있도록 지도해 주세요.

어법 다지기

03 '버리다'는 '가지거나 지니고 있을 필요가 없는 물건을 내던지거나 쏟거나 하다.'라는 뜻이고, '벌리다'는 '둘 사이를 넓히거나 멀게 하다.'라는 뜻입니다. 그리고 '벌이다'는 '일을 계획하여 시작하거나 펼쳐 놓다.'라는 뜻입니다.

(1)은 '쓰레기를 길거리에 버리다.'입니다.

(2)는 '입을 크게 벌리고 하품을 했다.'입니다.

(3)은 '김 씨는 지금보다 더 큰 가게를 벌이려고 한다.'입니다.

30회 어느 날 자전거가 내 삶 속으로 들어왔다_성석제

▶ 본문 130~133쪽

1 자전거 2 ⑤ 3 ⑤ 4 ④ 5 난생처음 봄을 맞는 장끼 6 ⓒ 7 실패, 자전거, 본능

어휘·어법 다지기 01 (1) 삽시간 (2) 도랑 (3) 연단 (4) 안장 02 (1) 정강이 (2) 삽시간 (3) 연단 03 김밥, 돌다리, 책가방

[앞부분 줄거리] 초등학교 6학년 겨울, '나'는 걸어서 다니기 힘든 거리에 있는 중학교에 배정받는다. 마을에 버스가 다니지 않고 자가용도 없어서 자전거를 탈 수밖에 없는 상황이 된다.

내가 자전거를 배우기 위해 큰집에서 빌린 자전거는 읍내로 출퇴근하는 아버지의 자전거보다 더 무겁고 짐받이가 큰 '농업용' 자전거였다. 그 대신 자전거가 아주 튼튼해서 자전거를 배우자면 꼭 거쳐야 하는, '꼬라박기'를 무난히 감당해 낼 수 있을 듯 보였다. 내 몸이 그걸 견뎌 낼 수 있을지, 내 마음이 그 창피함을 견뎌 낼 수 있을지 의문스럽긴 했지만.

3번의 근거 / 4번의 근거 / ▶자전거를 배우기 위해 자전거를 빌림.

나는 오전에 자전거를 끌고 사람이 없는 운동장으로 갔다. 시멘트 계단 옆에 자전거를 세운 뒤 안장에 올라가서 발로 연단을 차는 힘으로 자전거의 주차 장치가 풀리면서 앞으로 나가도록 했다. 바퀴가 두 번도 구르기 전에 자전거는 멈췄고 나는 넘어졌다. 같은 식의 시행착오가 수백 번 거듭되었다. 정강이와 허벅지에 멍 자국이 생겨났고 팔과 손의 피부가 벗겨졌다. 나중에는 자전거를 일으키는 일조차 힘이 들었다. 마지막으로 쓰러졌을 때 어둠이 다가오고 있는 걸 알고는 막막한 마음에 자전거 옆에 한참 누워 있다가 일어났다.

3번의 근거 / 4번의 근거 / ▶시행착오가 수백 번 거듭됨.

동네로 돌아오는 길에는 오십 미터쯤 되는 오르막이 있었다. 오르막에 올라서서 숨을 고르다가 문득 내리막을 달려 내려가면 자전거를 쉽게 탈 수 있지 않을까 하는 생각이 들었다. 내리막 아래쪽은 길이 휘어 있었고 정면에는 내가 어릴 적 물장구를 치고 놀던 도랑이 기다리고 있었다. 그리고 그 옆에는 다음 해 봄에 거름으로 쓸 분뇨를 모아 두는 '똥통'이 있었다. 내가 자전거를 통제하지 못하게 된다면 결말은 단순했다. 운 좋으면 도랑, 나쁘면 똥통.

3번의 근거 / 글쓴이의 생각이 나타난 부분 / ▶오르막에 올라서서 생각함.

그럼에도 불구하고 나는 돌을 딛고 자전거에 올라섰다. 어차피 가지 않으면 안 될 길, 나는 몸을 앞뒤로 흔들어 자전거를 출발시켰다. 자전거는 앞으로 나아가기 시작했다. 페달을 밟지 않고도 가속이 붙었다. 나는 난생처음 봄을 맞는 장끼처럼 나도 모를 이상한 소리를 내지르며 자전거와 한 몸

5번의 근거 – 자전거 타기에 성공하여 가슴이 벅참.

이 되어 달려 내려갔다. 가슴이 터질 듯 부풀었고 어질어질한 속도감에 사로잡혔다. 어느새 내 발은 페달을 차고 있었고 자전거는 도랑과 똥통 옆을 지나고 있었다. 나는 삽시간에 어른이 된 기분으로 읍내로 가는 길을 내달렸다.

3번의 근거 / 4번의 근거

▶자전거와 한 몸이 되어 내달림.

그날 나는 내 근육과 뇌에 새겨진 평범한, 그러면서도 세상을 움직여 온 비밀을 하나 얻게 되었다. 일단 안장 위에 올라선 이상 계속 가지 않으면 쓰러진다. 노력하고 경험을 쌓고도 잘 모르겠으면 자연의 판단 — 본능에 맡겨라.

2번의 근거

▶세상을 움직여 온 비밀을 하나 얻게 됨.

그 뒤에 시와 춤, 노래와 암벽 타기, 그리고 사랑이 모두 같은 원리에 따라 움직인다는 것을 나는 깨달았다. 비록 다 배웠다, 안다고 할 수 있는 건 없지만.

2번의 근거

▶여러 가지가 같은 원리에 따라 움직인다는 것을 깨달음.

이렇게 지도해 주세요! 이 글은 '나'가 자전거를 처음 배우게 된 날의 경험에 대해 쓴 수필입니다. '나'가 자전거 타기에 성공한 경험을 통해 깨달은 진리가 무엇인지 설명해 주세요.

- **주제** 처음 자전거 타기를 성공한 경험을 통해 깨달은 삶의 진리

1 이 글은 글쓴이가 처음 '자전거' 타기를 성공한 경험을 통해 깨달은 삶의 진리에 대해 쓴 수필입니다.

2 글쓴이는 시와 춤, 노래와 암벽 타기, 그리고 사랑이 모두 같은 원리에 따라 움직인다는 것을 깨달았다고 하였습니다.

3 내리막 아래쪽은 길이 휘어 있었고 정면에는 '내'가 어릴 적 물장구를 치고 놀던 도랑이 기다리고 있었다고 하며, 그 옆에는 다음 해 봄에 거름으로 쓸 분뇨를 모아 두는 '똥통'이 있었다고 하였습니다.

오답 **풀이**

① '내'가 자전거를 배우기 위해 큰집에서 빌린 자전거는 읍내로 출퇴근하는 아버지의 자전거보다 더 무겁고 짐받이가 큰 '농업용' 자전거였다고 하였습니다.

② '내'가 자전거를 통제하지 못하게 된다면 그 결말로 운이 좋으면 도랑, 나쁘면 똥통이라고 했지만, '나'는 자전거 타기에 성공하여 도랑에 빠지지 않았습니다.

③ '나'는 운동장에서 자전거 연습을 하며 정강이와 허벅지에 멍 자국이 생겨났고 팔과 손의 피부가 벗겨졌지만, 다리가 부러지지는 않았습니다.

④ '나'는 수많은 연습 끝에 자전거 타기에 성공하였습니다.

4 '나'는 처음엔 무겁고 큰 농업용 자전거를 잘 탈 수 있을지 걱정되어 '두려움'을 느꼈고, 하루 종일 연습해도 자전거 타기에 계속 실패하자 '막막함'이 들었습니다. 그러다 동네로 돌아오는 길에 자전거에 올라 내리막을 달리면서 자전거 타기에 성공했다는 성취감과 삽시간에 어른이 된 듯한 '쾌감'을 느꼈습니다.

5 태어나 처음으로 봄을 맞는 장끼는 봄의 따스함과 생명력에 벅찬 감동을 느낄 것입니다. '나'는 자전거 타기에 성공하여 벅찬 감동으로 소리 지르는 자신의 모습을 '난생처음 봄을 맞는 장끼'에 빗대어 표현하고 있습니다.

6 이 글의 주제는 처음 자전거 타기에 성공한 경험을 통해 깨달은 삶의 진리로, 중간에 멈추지 않고 끝까지 노력하는 태도를 강조하고 있습니다. 따라서 이 주제와 비슷한 경험을 한 사람은 마라톤 완주를 위해 매일 땀 흘리며 연습해서 결국 성공한 민석입니다.

7 이 글은 글쓴이가 여러 번의 '실패' 끝에 처음으로 '자전거' 타기에 성공한 경험을 통해, 일단 시작한 일은 멈추지 말고 계속 노력해야 하며, 노력하고 경험을 쌓아도 잘 모르겠으면 자연의 판단, 즉 '본능'에 맡겨야 한다는 깨달음을 얻은 내용을 전하고 있습니다.

생각 글 쓰기

◆예시 **답안** 포기하지 않고 끊임없이 노력하면 좋은 결과를 얻을 수 있다는 것이다.

이렇게 지도해 주세요! 글쓴이는 실패를 반복하면서도 포기하지 않고 노력한 끝에 자전거 타기에 성공하였습니다. 그리고 이 경험을 통해 계속 도전하고 끊임없이 노력하면 목표를 이룰 수 있다는 깨달음을 얻었다는 것을 설명해 주세요.

어법 다지기

03 '김밥'은 '김'과 '밥'으로, '돌다리'는 '돌'과 '다리'로, '책가방'은 '책'과 '가방'으로 각각 낱말을 쪼갤 수 있습니다.

31회 증강 현실

▶ 본문 136~139쪽

1 증강 현실(AR) 2 ③ 3 ④ 4 ⑤ 5 실제 환경 6 사례, 환경, 게임

어휘·어법 다지기 01 (1) 선별 (2) 구현 (3) 추세 (4) 접목 02 (1) 추세 (2) 구현 (3) 선별 (4) 접목 03 (1) 들어내라 (2) 드러내는

영화 〈아이언맨〉 속 주인공은 슈트를 통해 가상의 정보를 현재의 실제 세계에 표시하는 기술을 활용하여 현실 세계의 다양한 정보를 인지합니다.(2번의 근거) 그리고 이 정보들은 주인공의 활약에 큰 도움을 줍니다. 즉, 현실 세계에 원하는 정보를 덧대어 보면서 현실을 더 정확하게 인지하고 필요한 정보를 쉽게 선별하는 것입니다. 이 영화를 본 사람들은 한 번쯤 이 슈트를 갖고 싶다는 생각을 했을 것입니다. 그런데 놀라운 점은 이것이 현실에서 실현되고 있다는 사실입니다. 우리는 휴대폰이나 안경 같은 기기를 활용해서 현실의 모습과 다양한 정보를 함께 볼 수 있습니다. 이러한 기술은 우리가 원하는 정보나 내용을 더하면서 현실을 훨씬 풍성하게 강화시켜 준다는 의미로 증강 현실, 즉 AR(Augmented Reality)이라고 불립니다. ▶증강 현실(AR)의 의미

증강 현실은 게임, 자동차, 항공기, 도서 등 다양한 분야에 적용되는데 아직까지는 대부분 경제적 이익을 위한 산업에 한정되어 있습니다.(3번의 근거) 먼저 증강 현실은 주변 환경을 스마트하게 인식하는 데 사용됩니다. 예를 들어, GPS 통합형 증강 현실 애플리케이션은 기기 카메라로 인식한 대상 이미지를 키워드로 삼아 정보 검색 절차를 거친 후 그 결괏값을 기기 모니터에 띄워 정보를 제공합니다. 만약 서울역 광장과 건물을 기기 카메라로 잡으면 기기가 해당 이미지를 인식하고, 서울역 광장 및 건물을 키워드로 관련 정보를 검색 및 정리한 후 기기 모니터에 표시하는 것입니다. 이는 사용자가 스마트 기기를 들고 특정 상황에서 특정 대상을 바라보았을 때 그에 알맞은 메시지를 실시간으로 생성, 공급하는 특징을 가집니다. ▶주변 환경을 스마트하게 인식하는 데 사용되는 증강 현실

또 증강 현실은 실제 세계에서 가상 캐릭터와 승부하는 게임에서 사용됩니다.(3번의 근거) 게임형 증강 현실 애플리케이션은 증강 현실의 상호 작용 기능을 강화해서 응용한 형태입니다.(3번의 근거) 스마트폰 카메라가 눈앞의 실제 배경을 인식함과 동시에 가상 캐릭터가 사용자 손길에 따라 움직입니다. 2016년 7월 출시된 첫날 1억 건 이상의 다운로드를 기록하고, 현재까지도 전 세계적으로 인기가 높은 게임 중 하나인 '포켓몬GO' 역시 증강 현실을 게임에 구현한 것입니다.(2번의 근거) ▶게임에 사용되는 증강 현실

자동차 앞 유리창에 자동차 운전과 관련된 다양한 정보를 표시하는 데에도 증강 현실이 사용됩니다. 초기에는 자동차의 속도와 방향을 나타내는 정도였지만,(4번의 근거) 최근에는 운행 중 앞차와의 거리 또는 차선을 확실하게 알려 주는 등 점점 다양하게 접목되고 있습니다.(4번의 근거) 이렇게 자동차 유리에 적용된 증강 현실은 전투기나 선박, 기차 등 사람이 운행하는 탈것에 적용되는 추세입니다. 운전자는 이를 통해 운행과 관련된 다양한 정보를 확인하여 사고 위험과 피로도를 줄일 수 있습니다. ▶자동차 운전과 관련된 다양한 정보를 표시하는 데 사용되는 증강 현실

증강 현실은 이밖에도 고고학 유적지 발굴,(3번의 근거) 건축, 미술, 토목 공사, 교육, 탐색 및 구호 작업, 산업 디자인, 의료, 미용, 사무 업무 지원, 스포츠, 연예, 관광, 통·번역 지원 등 활용되는 분야가 매우 다양하며, 그 적용 가능 범위도 점차 넓어지고 있습니다.(3번의 근거) ▶활용 분야가 다양하며 적용 가능 범위도 넓어지는 증강 현실

이렇게 지도해 주세요! 이 글은 증강 현실 기술과 이 기술이 사용되고 있는 사례에 대해 설명한 글입니다. 이밖에도 일상생활에서 증강 현실 기술이 사용되고 있는 예를 찾아볼 수 있도록 지도해 주세요.
- **주제** 증강 현실 기술이 사용되는 사례

1 이 글은 '증강 현실(AR)'의 의미와 사용되는 사례에 대해 설명하고 있습니다.

2 이 글은 영화 〈아이언맨〉, 게임 '포켓몬GO' 등의 익숙한 사례를 들어 증강 현실을 설명하고 있습니다.

3 현재 증강 현실은 게임, 자동차, 항공기, 도서 등 다양한 분야에 적용되지만, 아직까지는 대부분 경제적 이익을 위한 산업에 한정되어 있다고 하였습니다.

오답 **풀이**
① 증강 현실은 고고학 유적지 발굴 등에도 활용된다고 하였습니다.
② 증강 현실은 그 적용 가능 범위가 점차 넓어지고 있다고 하였습니다.
③ 증강 현실은 실제 세계에서 가상 캐릭터와 승부하는 게임에 사용된다고 하였습니다.
⑤ 증강 현실의 상호 작용 기능을 강화해서 응용한 형태는 게임형 증강 현실 애플리케이션이라고 하였습니다.

4 증강 현실은 초기에는 자동차의 속도와 방향을 나타내는 정도였지만, 최근에는 운행 중 앞차와의 거리 또는 차선을 확실하게 알려 주는 등 점점 다양하게 접목되고 있다고 하였습니다. 뒤차의 운전자를 알려 준다고 하지는 않았습니다.

5 **보기**에서 가상 현실은 실제 환경을 완전히 배제한다고 하였습니다. 그러나 증강 현실은 사용자 주변의 '실제 환경'과 가

상의 정보를 어느 정도 통합하므로, 이 점을 증강 현실과 가상 현실의 차이점으로 볼 수 있습니다.

6 이 글에서는 증강 현실이 적용되는 '사례'에 대하여 설명하였습니다. 대표적으로 주변 '환경'을 스마트하게 인식하는 데 사용하고, 실제 세계에서 가상 캐릭터와 승부하는 '게임'에서 사용하며, 자동차 운전과 관련된 다양한 정보를 표시하는 데 사용한다고 하였습니다. 이외에 고고학 유적지 발굴, 건축, 미술, 토목 공사, 교육 탐색 및 구호 작업 등 활용 분야가 매우 다양하다고 하였습니다.

생각 글 쓰기

예시 **답안** 운전자가 다양한 정보를 확인하여 사고 위험과 피로도를 줄일 수 있다.

이렇게 지도해 주세요! 증강 현실은 우리가 원하는 정보나 내용을 더하면서 현실을 강화시켜 주는 기술입니다. 이러한 기술이 자동차 같은 탈것에 적용되면, 운전자가 돌발 상황이나 도로 상황을 예측하여 사고 위험을 줄일 수 있을 것입니다.

어법 다지기

03 (1) '저 놈을 내 집에서 쫓아내라.'라는 의미이므로 '들어내라'가 알맞습니다.
(2) '저 사람은 자기 속마음을 보이게 하는 법이 없다.'라는 의미이므로 '드러내는'이 알맞습니다.

32회 발효 식품의 우수성

▶ 본문 140~143쪽

1 발효 식품 2 ② 3 청국장 4 ③ 5 윤서 6 항암, 장, 칼슘

어휘·어법 다지기 01 (1) 고유 (2) 선호 (3) 면역력 (4) 해독
02 (1) 고유 (2) 면역력 (3) 섭취 (4) 선호 03 (1) 사달 (2) 사단

음식은 우리의 건강에 많은 영향을 끼칩니다. 어제 무엇을 먹었는지 생각해 보세요. 몸에 좋은 음식을 먹었나요? 몸에 좋은 음식이란 영양소가 풍부해 이것을 먹으면 몸이 건강하고 튼튼해지는 반면, 그렇지 않은 음식을 먹게 되면 면역력이 떨어져 몸이 약해질 수 있습니다. 요즘 햄버거나 피자 등 외국에서 들어온 음식을 선호하는 사람들을 자주 볼 수 있는데, 이러한 음식을 지나치게 많이 먹게 되면 건강이 나빠질 수 있지요. 그에 비해 우리 고유의 음식은 오랜 세월 동안 전해 내려오면서 우리의 입맛에 맞고 몸에 이롭게 발전해 왔습니다. 우리 고유의 음식으로 대표적인 것에는 발효 식품이 있으며, 우리는 몸에 이로운 발효 식품을 잘 먹어야 합니다.

(몸에 좋은 음식을 먹을 경우 / 몸에 안 좋은 음식을 먹을 경우 / 2번의 근거 / 1, 2번의 근거)

▶몸에 좋은 음식을 잘 먹어야 함.

발효 식품은 미생물이 음식물을 분해하여 알코올류, 이산화 탄소 등이 생기게 하여 만들어진 음식으로, 독특한 향과 맛이 납니다. 우리 고유의 발효 식품에는 김치, 된장, 간장, 고추장 등이 있지요. 그렇다면 우리가 발효 식품을 잘 먹어야 하는 까닭은 무엇일까요?

(5번의 근거)

▶독특한 향과 맛이 나는 발효 식품

첫째, 발효 식품은 해독 작용과 항암 효과가 뛰어납니다. 우리 고유의 음식인 청국장은 발효되기 시작하면서 몸에 좋은 물질들이 만들어지지요. 청국장을 살펴보면 콩과 콩 사이에 실 모양의 끈적끈적한 것이 있습니다. 이것은 청국장의 재료인 콩에는 없던 것으로, 발효를 통해 만들어진 것이지요. 여기에 몸에 좋은 여러 가지 좋은 성분들이 있습니다. 그중에서 항암 효과에 좋은 사포닌이라는 성분은 특히 청국장에 풍부하게 들어 있지요.

(5번의 근거 / 3번의 근거 / 3번의 근거)

▶해독 작용과 항암 효과가 뛰어난 청국장

둘째, 발효 식품은 장에 무척 이롭습니다. 사람의 장에는 약 100여 조 마리의 세균이 살고 있습니다. 김치의 경우 발효되는 과정에서 유익한 균이 많이 만들어지지요. 따라서 김치를 먹으면 이러한 유익한 균을 섭취하게 되어 장이 건강해지고 면역력도 높아질 수 있습니다.

(5번의 근거)

▶장에 이로운 김치

셋째, 칼슘을 풍부하게 섭취할 수 있습니다. 우리 고유의 음식 중에는 젓갈이 있는데 이 젓갈은 재료에 소금기가 배어들게 하는 염장 기술로 만들지요. 우리나라는 삼면이 바다이

(4번의 근거)

므로 어패류가 풍부하고 다양합니다. 그래서 물고기를 많이 잡았을 때 젓갈로 담가 저장하기도 하였지요. 젓갈은 생선의 뼈 등이 발효되는 과정에서 연하게 됩니다. 그래서 물고기를 젓갈로 먹을 때는 칼슘이 풍부한 뼈까지 모두 먹을 수 있게 되는 것이지요.
4번의 근거
▶칼슘을 섭취할 수 있는 젓갈

넷째, 단백질을 더욱 잘 섭취할 수 있습니다. 콩에는 단백질이 많이 들어 있는데, 콩을 먹더라도 어떻게 먹느냐에 따라 몸이 영양소를 흡수하는 데에는 차이가 있어요. 우리 조상들은 발효를 통해 콩의 단백질을 더욱 잘 섭취할 수 있는 방법을 찾아낸 것이지요. 콩을 익혀 먹으면 소화 흡수율이 60퍼센트이지만 된장으로 만들어 먹으면 85퍼센트, 청국장은 90퍼센트로 높아집니다. 또한 된장, 고추장, 간장 등은 콩이 발효되면서 비타민이 새로 생기거나 늘어나지요.
소화 흡수율이 달라지는 콩
▶단백질을 잘 섭취할 수 있는 콩

이렇게 발효 식품은 우리 몸에 매우 이로운 음식입니다. 특히 김치는 세계적으로 계속 주목받고 있는 우리 고유의 발효 식품 중 하나이지요. 우리는 조상의 지혜가 담긴 발효 식품의 우수성을 깨닫고, 건강을 위하여 발효 식품을 잘 먹읍시다.
▶발효 식품의 우수성을 깨닫고 잘 먹어야 함.

이렇게 지도해 주세요! 이 글은 우리 몸에 이로운 발효 식품의 우수성을 제시하며 발효 식품이 우리 몸에 매우 이로운 음식이므로 건강을 위하여 잘 먹자고 주장하는 글입니다. 발효 식품에 대한 글쓴이의 주장과 근거를 이해할 수 있도록 지도해 주세요.
• **주제** 발효 식품의 우수성을 깨닫고 잘 먹자.

1 이 글은 우리 몸에 이로운 '발효 식품'에 대하여 쓴 글입니다.

2 글쓴이는 우리 몸에 이로운 발효 식품을 잘 먹어야 한다고 주장하고 있습니다.

오답 **풀이**
① 청국장을 먹지 말라는 것이 아니라, 청국장은 우리 몸에 이로운 발효 식품이라고 하였습니다.
③ 콩을 익혀 먹지 말라는 것이 아니라, 콩을 익혀 먹는 것보다 된장이나 청국장으로 만들어 먹는 것이 소화 흡수율이 더 높다고 하였습니다.
④ 젓갈로 담그면 물고기의 뼈로 칼슘을 섭취할 수 있다고 하였습니다.
⑤ 외국에서 들어온 음식을 지나치게 많이 먹으면 건강이 나빠질 수 있다고 하였습니다.

3 '청국장'은 콩과 콩 사이에 끈적끈적한 것이 있고, 항암 효과에 좋은 사포닌이라는 성분이 풍부하게 들어있다고 하였습니다.

4 젓갈을 먹으면 생선의 뼈 등이 발효되는 과정에서 연하게 되어 칼슘을 풍부하게 섭취할 수 있다고 하였습니다.

5 콩으로 만든 발효 식품을 먹으면 단백질을 풍부하게 섭취할 수 있다고 하였습니다. 감자튀김에 대한 내용은 나타나 있지 않습니다.

6 이 글은 발효 식품을 잘 먹어야 한다고 주장하는 글입니다. 그 근거로 발효 식품이 해독 작용과 '항암' 효과가 뛰어나고, '장'에 무척 이로우며, '칼슘'을 풍부하게 섭취할 수 있고 단백질을 더욱 잘 섭취할 수 있다고 하였습니다.

생각 글 쓰기

◆예시 **답안** 콩을 발효시켜 된장이나 청국장으로 만들어 먹으면 단백질을 더욱 잘 섭취할 수 있다.

이렇게 지도해 주세요! 콩을 먹더라도 어떻게 먹느냐에 따라 몸이 영양소를 흡수하는 데에 차이가 있다고 하였습니다. 발효 식품을 잘 먹어야 하는 까닭을 이해할 수 있도록 설명해 주세요.

어법 다지기

03 (1) 친구가 욕심을 내서 결국 사고나 탈이 난 것을 뜻하므로 '사달'이 알맞습니다.
(2) 그가 회사를 무리하게 키운 것이 단서가 되어 결국 망하게 되었다는 뜻이므로, '사단'이 알맞습니다.

33회 풍물놀이

▶ 본문 144~147쪽

1 ④ 2 ② 3 ⑤ 4 (1) 장구 (2) 북 (3) 소고 (4) 징 (5) 꽹과리
5 풍물놀이, 상쇠, 소고재비
어휘·어법 다지기 01 (1)-㉡ (2)-㉣ (3)-㉢ (4)-㉠ 02 (1) 안녕 (2) 궁굴채 (3) 연희 03 (1) 막따 (2) 발끼 (3) 얄바 (4) 여덜

풍물놀이는 꽹과리, 장구, 북, 징, 소고, 태평소 등을 치거나 불면서 춤추는 종합 예술입니다.(1, 2번의 근거) 우리 민족은 풍물놀이를 다양한 의식에 사용하며 마을의 안녕과 풍년을 기원하였습니다.(2번의 근거) 특히 농사가 주업이었던 우리 민족은 농사 과정에서 늘 풍물놀이와 함께하였으므로, 풍물놀이를 '농악'이라고도 불렀습니다.(2번의 근거) 풍물놀이가 시작되면 사람들은 깃발, 의상, 악기 등을 갖추고 마을을 돌았습니다. 연주하는 악기나 연주자 수는 때에 따라 달라질 수 있습니다.(2번의 근거) 악기를 더하거나 빼기도 하고 여러 명이 같은 악기를 다루기도 합니다.(2번의 근거)
▶풍물놀이의 의미와 특징

풍물놀이가 시작되면 농사가 천하의 큰 근본이라는 뜻인 '농자천하지대본'이 쓰인 큰 깃발을 든 사람이 앞장을 섭니다.(3번의 근거) 그리고 풍물 판을 이끌어 가는 대장 역할을 하는 '상쇠'가 꽹과리를 치며 풍물패 전체를 이끕니다.(3번의 근거) 풍물놀이에서 상쇠는 지휘자에 해당하므로, 풍물패는 상쇠의 가락과 동작에 맞추어 놀이를 전개합니다. 상쇠는 주로 바지와 저고리에 청색, 황색, 적색의 3색 띠를 두르고 머리에는 부포 상모를 씁니다.
▶풍물 판을 이끄는 대장 '상쇠'

풍물놀이에 사용되는 악기에는 상쇠가 드는 꽹과리 외에도 태평소, 장구, 북, 징, 소고가 있습니다. 풍물 악기 가운데 유일하게 가락을 연주하는 악기인 태평소는 음악을 화려하게 만드는 역할을 합니다. 태평소는 세로로 부는 관악기로, 나무로 만든 8개의 지공이 있는 긴 관에 갈대를 얇게 가공하여 만든 서를 꽂아서 연주합니다.「타악기인 장구는 허리가 가늘고 잘록한 통의 양쪽에 가죽을 붙인 악기입니다. 오른쪽은 대쪽으로 만든 가는 채로 치고, 왼쪽은 맨손이나 궁굴채를 들고 칩니다. 우리나라의 대표적인 악기로 반주에 널리 쓰입니다.(3번의 근거) 북은 나무나 쇠붙이로 만든 둥근 통의 양쪽에 가죽을 팽팽하게 씌우고 채로 두드려 소리를 내는 타악기입니다. 징은 놋쇠로 만든 둥근 쟁반 모양의 악기로 왼손에 들거나 틀에 매달아 놓고 둥근 채로 치는 타악기입니다.」(「」: 4번의 근거) 음색이 부드럽고 장중한 것이 특징입니다.(3번의 근거)
▶풍물놀이에 사용되는 악기인 '꽹과리, 태평소, 장구, 북, 징, 소고'

또 춤사위를 위주로 소고를 맡아 연주하는 '소고재비'가 있습니다.(3번의 근거) 소고재비는 고깔이나 상모를 쓰고 춤을 춥니다. 풍물 판을 자유롭게 돌아다니며 춤을 추고 흥을 돋우는 '잡색'도 있습니다. 소고재비와 잡색을 제외한 악기 연주자들은 풍물패 행렬의 앞쪽에 위치해 음악 연주를 담당합니다. 소고재비와 잡색은 이들의 뒤를 따르면서 행렬의 연희적인 역할을 합니다. 소고는 악기이지만 음악적인 역할보다는 멋스러운 움직임을 연출하는 것이 주된 기능이므로 뒤쪽에 위치하는 것입니다.(3번의 근거)
▶소고재비와 잡색

그리고 풍물놀이와 비슷하지만 조금 다른 '사물놀이'라는 것도 있습니다. 사물놀이는 풍물놀이에서 다시 북, 장구, 징, 꽹과리의 네 악기만 가지고 하는, 풍물놀이를 바탕으로 하면서 조금 더 세련되게 발전한 전통 놀이라고 볼 수 있습니다. 풍물놀이는 야외에서 여러 명이 서서 움직이지만, 사물놀이는 네 명이 실내에 앉아서도 흥을 돋우는 점이 가장 큰 특징입니다.
▶풍물놀이와 사물놀이의 다른 점

이렇게 지도해 주세요! 이 글은 악기를 연주하며 춤을 추는 종합 예술인 풍물놀이에 대해 설명하는 글입니다. 풍물놀이의 구성 요소, 그리고 사물놀이와의 차이점에 대해 이해할 수 있도록 지도해 주세요.
• **주제** 악기를 연주하며 춤을 추는 종합 예술인 풍물놀이

1 이 글은 악기를 연주하며 춤을 추는 종합 예술인 풍물놀이의 구성 요소에 대해 설명하고 있습니다.

2 풍물놀이에서 연주자 수는 때에 따라 달라질 수 있다고 하였습니다.

오답 **풀이**
① 농사가 주업이었던 우리 민족은 농사 과정에서 늘 풍물놀이와 함께하였으므로, 풍물놀이를 '농악'이라고도 불렀다고 하였습니다.
③ 우리 민족은 풍물놀이를 다양한 의식에 사용하며 마을의 안녕과 풍년을 기원했다고 하였습니다.
④ 풍물놀이는 여러 명이 같은 악기를 다루기도 한다고 하였습니다.
⑤ 풍물놀이는 꽹과리, 장구, 북, 징, 소고, 태평소 등을 치거나 불면서 춤추는 종합 예술이라고 하였습니다.

3 소고는 악기이지만 음악적인 역할보다는 멋스러운 움직임을 연출하는 것이 주된 기능이므로 뒤쪽에 위치하는 것이라고 하였습니다. 따라서 소고를 맡아 연주하는 소고재비는 행렬의 뒤를 따르면서 연희적인 역할을 합니다.

4 그림에서 ㉠은 장구, ㉡은 북, ㉢은 소고, ㉣은 징, ㉤은 꽹과리입니다.

5 이 글에서는 '풍물놀이'의 구성 요소로 풍물 판을 이끄는 대장 '상쇠', 풍물놀이에 사용되는 악기들, 춤사위 위주로 소고를 연주하는 '소고재비', 춤을 추고 흥을 돋우는 '잡색'에 대하여 설명하였습니다.

생각 글 쓰기

◆예시 **답안** '북, 장구, 징, 꽹과리'를 가지고 공연을 한다는 점이 같다.

이렇게 지도해 주세요! 풍물놀이는 '북, 장구, 징, 꽹과리' 이외에 태평소와 소고도 함께 사용하여 공연을 한다는 점이 다르다고 하였습니다. 그리고 풍물놀이는 야외에서 여러 명이 움직이지만 사물놀이는 네 명이 실내에 앉아서도 한다는 점이 다릅니다. 사물놀이는 풍물놀이에 뿌리를 두고 있지만, 여러 가지 다른 점이 있다는 것을 설명해 주세요.

어법 다지기

03 (1) 겹받침 'ㄺ'은 자음자와 만나면 [ㄱ]만 소리 나므로, '맑다'는 [막따]로 발음됩니다.

(2) 겹받침 'ㄺ'은 'ㄱ'으로 시작하는 말이 붙으면 [ㄹ] 소리가 나므로 [발끼]로 발음됩니다.

(3) 겹받침 'ㄼ'이 모음자 앞에 올 때는 [ㄹ]과 [ㅂ]이 모두 소리 나므로 [얄바]로 발음합니다.

(4) 겹받침 'ㄼ'은 말의 끝에 올 때 [ㄹ]로 소리가 나므로, '여덟'은 [여덜]로 발음합니다.

34회 의무 투표제를 실시하자

▶ 본문 148~151쪽

1⑤ 2③ 3③ 4 병준 5 투표율, 의무 투표제

어휘·어법 다지기 01 (1)-㉡ (2)-㉣ (3)-㉠ (4)-㉢ 02 (1) 당선 (2) 주권 (3) 적발 (4) 결탁 03 (1) 충돌 (2) 추돌

우리나라는 민주주의 국가입니다. 민주주의는 국가의 주권이 국민에게 있고 국민을 위하여 정치를 행하는 제도를 말하고, 선거를 통해서 대표로 일할 사람을 뽑습니다. 이러한 선거는 국민의 뜻이 제대로 정치 과정에 반영되도록 한다는 점에서 '민주주의의 꽃'이라고도 부릅니다. 선거는 학교에서 학급 회장이나 어린이 회장을 뽑는 것처럼 국민들이 대통령, 국회 의원, 지방 의회 의원, 도지사, 시장, 군수, 구청장 (선거를 통해 뽑는 사람들) 등을 투표로 뽑아서 국민들을 위하여 일하게 하는 것입니다. 이렇게 선거에서 투표를 할 수 있는 사람을 유권자라고 합니다. 모든 유권자가 투표를 하면 좋겠지만 안타깝게도 우리나라의 투표율은 1950년대에는 90퍼센트대 이상 유지했던 것 (3번의 근거) 과 달리, 2017년 대통령 선거 77.2퍼센트, 2018년 지방 선거 60.2퍼센트로 높지 않습니다. 투표율을 높이기 위하여 세계 여러 나라들은 '의무 투표제'를 실시하고 있습니다. 투표율이 낮았던 나라들은 이를 실시하여 투표율이 올라갔고, 그 반대로 1993년 의무 투표제를 없앤 베네수엘라는 투표율이 약 30퍼센트 정도 떨어졌습니다. 우리나라도 투표율을 높이기 (2, 3번의 근거) 위해 의무 투표제를 실시하여야 합니다.

▶투표율이 낮은 우리나라는 의무 투표제를 실시하여야 함.

의무 투표제는 국민들 모두가 투표에 참여하도록 하여 의견을 들어 보려는 것입니다. 세계 최초로 실시한 호주를 비롯하여 그리스, 벨기에, 브라질, 싱가포르 등 약 30여 개국에서 실시하고 있습니다. 특히 호주는 투표율이 90퍼센트가 넘어 굉장히 높은 비율을 보입니다. 우리나라와 같이 투표율 (3번의 근거) 이 낮은 나라의 국민들은 대체로 정치에 무관심하거나 지지하는 후보가 없어 투표를 하지 않는 경우가 많습니다. 하지만 투표율이 낮으면 선거를 통해 대표를 뽑았지만 정당성을 가질 수 없는 상황이 발생합니다. 예를 들면 투표율이 50퍼센트인 선거에서 50퍼센트의 득표율로 당선된 사람은 결국 국민 4명 중 1명만 그 사람을 지지하고 다른 3명은 그 사람을 지지하지 않았다고 해석할 수 있고, 따라서 그 당선된 사람이 국민을 대표한다고 하기는 어렵습니다.

▶의무 투표제를 실시해야 하는 까닭 ①

또한 투표율이 낮으면 부정적인 일이 생길 수 있습니다.

투표율이 낮은 것을 이용하여 후보자들이 투표에 적극적으로 참여하는 집단과 결탁할 가능성이 생기는 것입니다. 투표자가 적으면 특정한 세력의 지지만으로도 당선되기 쉬워져 부정 선거로 이어질 위험이 높아집니다. 이러한 문제는 비교적 인구가 적은 농촌 지역에서 후보자가 금품을 제공하다 적발되는 일들을 보면 알 수 있습니다.

▶의무 투표제를 실시해야 하는 까닭 ②

의무 투표제는 타당한 이유 없이 투표를 하지 않을 경우 벌금이나 여러 불이익을 받게 됩니다. 그렇기 때문에 의무 투표제를 실시하면 선거에 대하여 관심을 가질 수밖에 없고, 국민들은 선거와 후보자에 대한 관심이 높아지게 됩니다. 또한 후보자들은 유권자 모두에게 도움이 되는 정책을 내놓아야 당선 가능성이 높아지므로, 더욱 좋은 정책을 내놓기 위해 노력할 것입니다. 그러면 결국 정책 대결로 이어져 건전한 정치 문화를 만들 수 있게 됩니다.

(4번의 근거)

▶의무 투표제의 내용과 장점

여러 연구에 의하면 상대적으로 수입이 많고 교육 수준이 높은 유권자의 투표율이 높고 가난하고 소외된 계층은 낮다고 합니다. 의무 투표제로 인하여 소외 계층의 의견을 듣고 그들의 삶의 질이 높아진다면 모든 계층과 집단의 의견이 합쳐져 보다 나은 사회를 만들 수 있을 것입니다. 우리 사회를 위하여 의무 투표제를 실시해야 할 것입니다.

▶의무 투표제를 실시해야 함.

이렇게 지도해 주세요! 이 글은 의무 투표제 실시에 대한 찬성 의견을 쓴 글입니다. 보다 나은 사회를 만들기 위하여 의무 투표제를 실시해야 하는 까닭에 대하여 생각해 볼 수 있도록 지도해 주세요.

• **주제** 의무 투표제의 내용과 실시해야 하는 까닭

1 이 글은 '의무 투표제'에 대하여 쓴 글입니다.

2 이 글은 호주, 그리스, 벨기에 등 의무 투표제를 실시하고 있는 나라를 예로 들고, 투표율이 낮으면 생기는 문제점을 들어 의무 투표제 실시를 주장하고 있습니다.

오답 **풀이**

① 투표율이 낮으면 부정 선거로 이어질 위험성이 크기 때문에 의무 투표제를 실시해야 한다고 주장하고 있습니다.

② 의무 투표제를 실시하는 다른 나라들을 예로 들었을 뿐 본받아야 한다고 하지는 않았습니다.

④ 의무 투표제를 실시하면 사람들이 선거에 대하여 관심을 갖게 되어 후보자들이 좋은 정책을 내놓기 위해 노력할 것이라고 하였습니다.

⑤ 상대적으로 교육 수준이 높은 유권자의 투표율이 높으니 의무 투표제로 소외된 계층의 투표율을 높여 모든 계층의 의견을 합쳐서 보다 나은 사회를 만들자고 하였습니다.

3 우리나라의 투표율이 1950년대에는 90퍼센트대 이상이었다고 하였습니다.

오답 **풀이**

① 우리나라는 아직 의무 투표제를 실시하고 있지 않습니다.

② 우리나라의 투표율은 계속 낮아지고 있습니다.

④ 2018년 지방 선거의 투표율은 60.2퍼센트였습니다.

⑤ 2017년 대통령 선거 투표율은 77.2퍼센트, 2018년 지방 선거 투표율은 60.2퍼센트로 2018년 지방 선거 투표율이 더 낮습니다.

4 의무 투표제를 실시하면 선거에 대하여 관심을 가질 수밖에 없고, 국민들은 선거와 후보자에 대한 관심이 높아지게 된다고 하였습니다.

5 서론에서 투표율을 높이기 위한 방법으로 의무 투표제를 실시해야 한다고 말하고, 본론에서 의무 투표제의 정당성과 '투표율'이 낮으면 생기는 문제점, '의무 투표제'의 장점에 대하여 말하였습니다. 결론에서는 보다 나은 사회를 위하여 의무 투표제를 실시해야 한다고 주장하고 있습니다.

생각 글 쓰기

◆예시 **답안** 후보자들이 투표에 적극적으로 참여하는 집단과 결탁하여 특정한 세력의 지지만으로도 당선되기 쉬워지기 때문이다.

이렇게 지도해 주세요! 의무 투표제가 필요한 까닭을 생각해 보고, 투표율이 낮으면 부정 선거로 이어질 위험이 높아지는 까닭에 대하여 쓸 수 있도록 설명해 주세요.

어법 다지기

03 '추돌'은 '자동차나 기차 등이 뒤에서 들이받음.'을 뜻하고, '충돌'은 '서로 맞부딪치거나 맞섬.'을 뜻합니다.

(1) 친구와 의견이 서로 맞부딪쳐서 싸우게 된 것이므로 '충돌'이 알맞습니다.

(2) 버스가 앞차를 뒤에서 들이받은 것이므로 '추돌'이 알맞습니다.

35회 지구의 자전과 공전

▶ 본문 152~155쪽

1 자전, 공전 2 ③ 3 (1)-㉠ (2)-㉢ (3)-㉡ 4 ⑤ 5 ㉡, ㉢, ㉣
6 자전축, 하루, 태양
어휘·어법 다지기 01 (1) 태양 (2) 달 (3) 지구 (4) 별자리 02
(1) 달 (2) 지구 (3) 태양 (4) 별자리 03 입게 했다

우리는 지구가 돌고 있다는 사실을 알고 있지만, 이를 잘 느끼지 못합니다. 지구가 움직이는 모습을 눈으로 직접 볼 수 없기 때문입니다. 하지만 지구는 우리가 하루라고 부르는 24시간 동안 한 바퀴를 시속 약 1,700킬로미터로 빠르게 돌고 있습니다. 지구의 북극과 남극을 이은 가상의 직선을 지구의 자전축이라고 하는데,(3번의 근거) 지구는 이 자전축을 중심으로 하루에 한 바퀴씩 서쪽에서 동쪽으로 회전하고 있는 것입니다. 우리는 이를 지구의 자전이라고 부릅니다. ▶지구의 자전

우리는 지구의 자전을 여러 현상을 통해 알 수 있습니다. 우선 지구가 자전하기 때문에 태양, 달 등의 위치가 달라집니다.(2, 4번의 근거) 하루 동안 태양은 동쪽 하늘에서 보이기 시작해 남쪽 하늘을 지나 서쪽 하늘로 움직이는 것처럼 보입니다.(2번의 근거) 밤하늘에 떠 있는 달 역시 동쪽 하늘에서 서쪽 하늘로 움직이는 것처럼 보입니다. 지구가 서쪽에서 동쪽으로 자전하기 때문에 태양과 달이 동쪽에서 서쪽으로 움직이는 것처럼 보이는 것입니다. 또 낮과 밤이 생기는 것도 지구의 자전 때문입니다.(2번의 근거) 지구가 자전하면서 태양 빛을 받는 쪽은 낮이 되고, 태양 빛을 받지 못하는 쪽은 밤이 되는 것입니다.(4번의 근거) 이 때문에 낮과 밤이 하루에 한 번씩 번갈아 나타납니다. ▶지구의 자전으로 나타나는 현상

그렇다면 지구는 자전만 하는 것일까요? 지구는 스스로 회전하는 자전 운동을 하는 동시에 태양 주위를 도는 공전 운동도 합니다. 지구가 태양을 중심으로 일 년에 한 바퀴씩 서쪽에서 동쪽(시계 반대 방향)으로 회전하는 것을 지구의 공전이라고 합니다.(3번의 근거) 지구의 공전 주기는 365.25일로, 1년을 365일로 정한 것은 이러한 지구의 공전 주기를 기준으로 한 것입니다.(2번의 근거) ▶지구의 공전

지구가 태양 주위를 공전하기 때문에 계절에 따라 지구의 위치가 달라지고, 지구의 위치에 따라 밤에 보이는 별자리도 다릅니다.(4번의 근거) 예를 들어 겨울에 오리온자리는 밤에 남쪽 하늘에서 볼 수 있지만, 여름철 대표 별자리인 거문고자리는 태양과 같은 방향에 있어 태양 빛 때문에 볼 수 없습니다. 태양과 같은 방향에 있는 별은 빛에 가려서 볼 수 없고, 태양 반대쪽에 자리 잡은 별자리가 밤하늘에 나타나는 것입니다. ▶지구의 공전으로 나타나는 현상 ①

「지구의 공전으로 인해 별들이 태양을 기준으로 하루에 약 1도씩 동쪽에서 서쪽으로 이동하여 1년 뒤 원래의 위치로 되돌아오는 것처럼 보이는 별의 연주 운동도 나타나고, 태양이 별자리를 배경으로 하루에 약 1도씩 서쪽에서 동쪽으로 이동하여 1년 뒤 원래의 위치로 되돌아오는 것처럼 보이는 태양의 연주 운동도 나타납니다. 또 지구가 공전하는 위치에 따라 지구에서 보이는 가까운 별의 위치가 멀리 있는 별들을 배경으로 달라 보이기도 합니다.」 ▶지구의 공전으로 나타나는 현상 ②

「 」: 4번의 근거

이렇게 지도해 주세요! 이 글은 지구의 자전과 공전, 그리고 이로 인해 나타나는 여러 현상들에 대해 설명한 글입니다. 자전과 공전의 개념을 확실히 이해할 수 있도록 지도해 주세요.

• **주제** 지구의 자전과 공전으로 인해 나타나는 현상

1 이 글은 지구의 자전과 공전에 대해 설명한 글입니다.

2 낮과 밤이 생기는 것은 지구의 자전 때문이라고 하였습니다. 지구가 자전하면서 태양 빛을 받는 쪽이 낮이 되고, 태양 빛을 받지 못하는 쪽이 밤이 되기 때문입니다.

오답 **풀이**
① 셋째 문단에서 지구의 공전 주기는 365.25일이고, 이를 기준으로 1년을 365일로 정했다고 하였습니다.
② 둘째 문단에서 지구가 서쪽에서 동쪽으로 자전하기 때문에 태양과 달이 동쪽에서 서쪽으로 움직이는 것처럼 보인다고 하였습니다.
④ 둘째 문단에서 지구가 자전하기 때문에 태양, 달 등의 위치가 달라진다고 하였습니다.
⑤ 둘째 문단에서 하루 동안 태양은 동쪽 하늘에서 보이기 시작해 남쪽 하늘을 지나 서쪽 하늘로 움직이는 것처럼 보인다고 하였습니다.

3 (1) 자전축은 지구의 북극과 남극을 이은 가상의 직선이라고 하였습니다.
(2) 지구의 자전은 자전축을 중심으로 하루에 한 바퀴씩 서쪽에서 동쪽으로 회전하고 있는 것이라고 하였습니다.
(3) 지구의 공전은 태양을 중심으로 일 년에 한 바퀴씩 서쪽에서 동쪽으로 회전하는 것이라고 하였습니다.

4 지구는 하루에 한 바퀴씩 서쪽에서 동쪽으로 회전하고 있다고 하였습니다.

오답 **풀이**
① 전구는 태양을 나타냅니다.
② 태양의 역할을 하는 전구의 빛을 받는 쪽이 낮이 됩니다.
③ 태양의 역할을 하는 전구의 빛을 받지 못하는 쪽이 밤이 됩니다.
④ 관측자 모형은 전구의 빛을 받고 있으므로, 이 위치는 현재 낮입니다.

5 지구의 위치에 따라 밤에 보이는 별자리도 다르다고 했으며(㉡), 지구의 공전으로 인해 지구에서 보이는 가까운 별의 위치가 멀리 있는 별들을 배경으로 달라 보이기도 하고(㉢), 태

양이 별자리를 배경으로 하루에 약 1도씩 서쪽에서 동쪽으로 이동하여 1년 뒤 원래의 위치로 되돌아오는 것처럼 보이는 태양의 연주 운동도 나타난다고 하였습니다(㉣).

6 이 글은 지구의 자전과 공전에 대해 설명하고, 이로 인해 나타나는 여러 현상에 대해 살펴보았습니다. 지구의 자전은 '자전축'을 중심으로 '하루'에 한 바퀴씩 서쪽에서 동쪽으로 회전하는 것이고, 지구의 공전은 '태양'을 중심으로 일 년에 한 바퀴씩 서쪽에서 동쪽으로 회전하는 것이라고 하였습니다.

생각 글 쓰기

◆예시 **답안** 지구의 공전으로 인해 겨울에 거문고자리는 태양과 같은 방향에 있어 별이 태양 빛에 가려서 볼 수 없기 때문이다.

이렇게 지도해 주세요! 겨울에 오리온자리는 남쪽 하늘에서 볼 수 있지만, 여름철 대표 별자리인 거문고자리는 태양과 같은 방향에 있어 태양 빛 때문에 볼 수 없다는 것을 설명해 주세요.

어법 다지기

03 주어인 '누나'가 '동생'에게 옷을 입는 동작을 하도록 시키는 것을 나타내야 하므로, '누나가 동생에게 옷을 입게 했다.'로 바꾸어 쓸 수 있습니다.

36회 픽토그램

▶ 본문 156~159쪽

1 ④ 2 ④ 3 ④ 4 서우 5 픽토그램, 표지판

어휘·어법 다지기 01 (1) 보행자 (2) 적용 (3) 보편적 02 (1) 적용 (2) 보행자 (3) 표준 03 (1) 곤혹 (2) 곤욕

횡단보도에 서 있다고 생각해 봅시다. 어떤 표지판을 볼 수 있을까요? 바로 횡단보도를 건너는 사람이 그려진 표지판입니다. 횡단보도 표지판은 운전자와 보행자를 위하여 두 종류로 되어 있습니다.(4번의 근거) 빨간 삼각형 속 표지판은 운전자에게 횡단보도가 있으니 주의하라는 것이고, 파란 횡단보도 표지판은 보행자에게 횡단보도를 이용하라는 것으로, 표지판의 그림은 아주 단순하게 되어 있습니다. 이러한 표지판 안의 그림을 픽토그램(Pictogram)이라고 합니다. 픽토그램(Pictogram)은 그림을 뜻하는 픽토(Picto)와 전보를 뜻하는 텔레그램(Telegram)의 합성어로 그림 문자입니다.(2번의 근거) 그렇다면 표지판은 왜 그림으로 이루어져 있는 것이 많을까요?

▶표지판의 픽토그램

표지판은 어떠한 사실을 알리기 위하여 일정한 표시를 해 놓은 판을 말합니다. 언어와 국적, 나이에 관계없이 모두가 쉽게 알 수 있는 형태로 되어 있어야 하기 때문에 단순한 그림인 픽토그램을 사용하여 알리는 것입니다.(4번의 근거) 이렇게 픽토그램이 그려진 표지판은 주로 공공장소에서 많이 볼 수 있습니다. 만약 우리나라에 한국어를 하지 못하는 외국인이 여행을 왔다고 해도 이 픽토그램을 통해 기본적인 것들을 알 수 있게 되는 것입니다.

▶표지판에 픽토그램이 있는 까닭

픽토그램은 사람의 상식, 즉 사람들이 보통 알고 있거나 알아야 하는 지식을 바탕으로 만듭니다.(2번의 근거) 표지판 외에 올림픽 경기 종목을 나타낼 때도 쓰입니다.(2번의 근거) 공, 배드민턴 등 그 종목을 알 수 있는 기구나 물건을 이용해 종목별로 특징을 표현하여 전 세계 사람들이 알아볼 수 있도록 디자인하고, 그러한 것이 없는 경우에는 해당 종목의 대표적인 자세를 표현하여 나타내기도 합니다.(3번의 근거) 또한 우리가 지나다니는 문 위를 보면 비상구를 나타내는 픽토그램을 볼 수 있습니다. 이 그림은 사람이 급히 문을 나가는 모습으로, 항상 불을 켜 두어야 합니다. 만약 건물에 불이 난 경우 밖으로 나갈 수 있는 문을 알리는 역할을 하는 것입니다.

▶픽토그램의 쓰임

오늘날 픽토그램은 국제표준화기구(ISO, International Standard Organization)가 표준을 정해 전 세계에서 똑같(2번의 근거)

이 적용하고 있습니다. 전 세계 사람들 누구나 인정해야 하기 때문에 문화적인 특수성은 제외됩니다.(2번의 근거) 문화적 특수성이란 어떤 문화가 일반적이고 보편적인 문화와 다르게 가지고 있는 특수한 성질을 말합니다. 예를 들어 식당의 픽토그램은 포크와 나이프로 표현합니다. 하지만 우리나라는 밥을 먹을 때 주로 수저를 사용하기 때문에 식당의 적절한 픽토그램은 수저가 되어야 한다고 생각할 수 있습니다. 왜 식당의 픽토그램은 수저가 아닐까요? 그것은 특수한 문화로 여겨지므로 인정되지 않은 것입니다.(4번의 근거) 이는 서구식 양식이 곧 보편적이라는 인식에 기반한 것입니다. 하지만 버스나 지하철, 택시, 비행기 등 교통수단은 문화적 특수성과 관련이 적어 표지판을 통해 무엇을 뜻하는지 알기 쉽습니다. ▶픽토그램의 표준

서울특별시에서는 2016년 일부 장소에 '보행 중 스마트폰 주의 안내 표지판'을 설치하였습니다. 이렇게 시대의 변화에 따라 표지판이 새로 제작되기도 합니다.(2번의 근거) 앞으로 또 어떤 픽토그램이 그려진 표지판이 나올까요? 이렇게 픽토그램은 우리에게 편리함을 주고 삶의 모습을 보여 주는 역할을 하며 우리와 떼려야 뗄 수 없는 존재로 자리 잡았습니다. ▶우리와 떼려야 뗄 수 없는 존재인 픽토그램

이렇게 지도해 주세요! 이 글은 우리가 흔히 볼 수 있는 표지판에 그려진 픽토그램에 대하여 설명한 글입니다. 우리 주변에 있는 픽토그램을 찾아보고 설명해 주세요.

- **주제** 우리 생활과 밀접한 픽토그램의 의미와 활용

1 이 글은 픽토그램의 의미와 쓰임, 픽토그램이 있는 까닭 등에 대하여 설명한 글입니다.

2 픽토그램은 국제표준화기구(ISO)가 표준을 정해 전 세계에서 똑같이 적용하고 있다고 하였습니다. 그래서 픽토그램은 전 세계 사람들 누구나 인정해야 하기 때문에 문화적 특수성은 제외된다고 하였습니다.

오답 **풀이**
① 첫째 문단에서 픽토그램은 그림을 뜻하는 픽토와 전보를 뜻하는 텔레그램의 합성어로 그림 문자라고 하였습니다.
② 셋째 문단에서 픽토그램은 사람의 상식, 즉 사람들이 보통 알고 있거나 알아야 하는 지식을 바탕으로 만든다고 하였습니다.
④ 셋째 문단에서 픽토그램은 표지판 외에 올림픽 경기 종목을 나타낼 때도 쓰인다고 하였습니다.
⑤ 마지막 문단에서 픽토그램이 표지판에 사용되는데, '보행 중 스마트폰 주의 안내 표지판'처럼 시대의 변화에 따라 표지판이 새로 제작되기도 한다고 하였습니다.

3 보기 는 올림픽 경기 종목 중 '육상'을 나타내는 픽토그램입니다. 사람이 달리는 자세를 표현한 것을 알 수 있습니다.

오답 **풀이**
① 골프 픽토그램에는 골프채가 그려져 있습니다.
② 농구 픽토그램에는 농구공이 그려져 있습니다.
③ 사격 픽토그램에는 총이 그려져 있습니다.
⑤ 배드민턴 픽토그램에는 배드민턴 라켓이 그려져 있습니다.

4 둘째 문단에서 표지판은 어떠한 사실을 알리기 위하여 일정한 표시를 해 놓은 판인데, 언어와 국적, 나이에 관계없이 모두가 쉽게 알 수 있는 형태로 되어야 하기 때문에 단순한 그림인 픽토그램을 사용한다고 하였습니다.

5 이 글은 표지판의 '픽토그램'에 대하여 설명하며, '표지판'에 픽토그램이 있는 까닭과 픽토그램의 쓰임, 픽토그램의 표준에 대하여 말하고 있습니다. 그리고 마지막 부분에서 픽토그램은 우리와 떼려야 뗄 수 없는 존재로 자리잡았음을 설명하고 있습니다.

생각 글 쓰기

◆예시 **답안** 전 세계 사람들이 누구나 똑같이 인정할 수 있는 픽토그램을 적용하기 위해서이다.

이렇게 지도해 주세요! 국제표준화기구(ISO)는 픽토그램의 표준을 정해 전 세계에 똑같이 적용하는 일을 한다고 하였습니다. 이렇게 표준을 정하기 때문에 문화적 특수성이 제외되어 누구나 알 수 있는 픽토그램으로 적용되고 있다고 설명해 주세요.

어법 다지기

03 '곤욕'은 '심한 모욕이나 참기 힘든 일.'로, 남에게 당하는 것이고, '곤혹'은 '곤란한 일을 당하여 어찌할 바를 모르는 감정.'으로, 스스로 느끼는 것입니다.
(1) 수진이가 갑작스러운 질문을 받고 어찌할 바를 모르는 감정을 스스로 느낀 것이므로 '곤혹'이 알맞습니다.
(2) 피서객들이 차가 밀려서 참기 힘든 일을 당한 것이므로 '곤욕'이 알맞습니다.

37회 미래 식량

▶ 본문 160~163쪽

1② 2② 3③ 4 누에 번데기 5 서현 6 미래 식량, 곤충, 소

어휘·어법 다지기 01 (1)-㉡ (2)-㉣ (3)-㉠ (4)-㉢ 02 (1) 예측 (2) 배양 (3) 포만감 (4) 식량 03 ②

우리는 매일 음식을 먹고 그 음식물을 통해 단백질, 탄수화물, 지방 등 영양소를 얻습니다. 그렇기 때문에 음식은 인간이 살아가는 데 매우 중요하고, 인류 초기부터 현재까지 식량의 양과 인구수는 밀접하게 연관되어 있습니다. 유엔 식량 농업 기구는 2100년까지 아시아와 아프리카의 인구수가 크게 증가할 것이라고 예측하였습니다. 그렇게 되면 식량의 양이 부족하게 되어 인간은 극심한 식량 문제에 빠질 수 있습니다. 또한 계속되고 있는 지구 온난화에 따른 기후 변화는 식량 생산을(5번의 근거) 더욱 어렵게 만들 가능성이 큽니다. 그래서 생각해 낸 것이 바로 미래 식량입니다. 미래 식량은 어떤 것들이 있는지 살펴보겠습니다. ▶미래 식량이 나오게 된 원인

먼저, 곤충입니다. 곤충은 많은 사람들이 가장 가능성이 있다고 생각하는 미래 식량입니다. 단백질은 인간에게 매우 중요한 영양소인데, 대표적인 단백질 공급원인 소, 돼지, 닭을 사육하는 것에 비하여 곤충을 기르는 것은 물 20퍼센트, 사료는 5퍼센트밖에 들지 않기 때문입니다. 미래 식량으로 적합한 곤충으로 대표적인 것이 갈색거저리 애벌레로, 밀웜(Mealworm)이라고도 부릅니다. 이 곤충은 단백질이 풍부하고(2번의 근거) 지방과 탄수화물이 포함되어 있으며 건강에 좋은 불포화 지방산도 많이 들어 있습니다. 또한 쌍별귀뚜라미도 탄수화물, 지방, 단백질이(2번의 근거) 골고루 들어 있으며 비타민D도 풍부합니다. 누에 번데기의 경우, 말려서 가루로 만든 후 면이나 케이크에 넣을 수 있고,(4번의 근거) 벼메뚜기는 단백질이 풍부하며, 백강잠과 장수풍뎅이 애벌레는 탄수화물, 단백질, 지방, 불포화 지방산, 무기질, 비타민이 풍부합니다.(2번의 근거) 이러한 곤충을 통해 부족하지 않게 단백질을 얻을 수 있게 되는 것입니다. ▶미래 식량으로 가장 가능성 있는 곤충

다음은 실험실에서 배양한 시험관 고기입니다. 이것은 2012년 네덜란드의 마크 포스트 교수가 개발한 것으로, 소의 근육에서(3번의 근거) 줄기세포를 추출하고 이를 수백만 배로 증식하여 고깃덩어리를 얻는 것입니다. 아직은 실험 단계로, 햄버거에 들어가는 고기를 만드는 데에(3번의 근거) 약 3억 7천만 원이 필요할 정도로 엄청난 비용이 듭니다. 하지만 생산법이 개선되고 대량화된다면(3번의 근거) 비용은 많이 줄어들 것입니다. 이 방법이 성공한다면 소를 사육하는 것보다 에너지 소모량은 절반, 온실가스 배출량은 10퍼센트 미만, 물 사용량은 5퍼센트, 필요한 땅은 1퍼센트 정도가(3번의 근거) 될 것입니다. 또한 고기를 얻기 위하여 생명을 죽이지 않아도 되어 주목받는 미래 식량이라고 할 수 있습니다. ▶소에서 얻을 수 있는 시험관 고기

이외에도 인공 달걀인 비욘드 에그는 콩 등의 식물성 원료로 만들었기 때문에 콜레스테롤이 없고, 실제 달걀에 비해 생산비는 18퍼센트 적게 듭니다. 또 미래 식량 중 하나인 소일렌트는(5번의 근거) 완전한 한 끼의 필수 영양소와 에너지를 포함하고 5시간 동안 포만감을 유지할 수 있어 지금도 각광받고 있습니다. 또한 스피룰리나, 클로렐라와 같은 조류에는 비타민, 단백질,(5번의 근거) 미네랄이 들어 있어 지금도 영양 보충제로 즐겨 먹는 사람들이 있지만 머지않아 미래 식량이 될 가능성이 높습니다. ▶여러 가지 미래 식량들

지구의 자원은 한정되어 있습니다. 그렇기 때문에 인간은 계속해서 미래 식량을 개발하려는 시도를 하고 있습니다. 많은 시간과 노력이 필요하겠지만 환경도 생각하는 미래 식량이 계속 개발된다면 지구와 인간의 미래는 분명 밝을 것입니다. ▶환경을 생각하는 미래 식량 개발

이렇게 지도해 주세요! 이 글은 미래 식량에 대하여 설명한 글입니다. 미래 식량이 나오게 된 원인과 미래 식량의 종류, 미래 식량이 환경에는 어떤 영향을 미치는지 생각할 수 있도록 설명해 주세요.
• **주제** 미래 식량의 종류와 우리의 미래

1 이 글은 '인구수'가 증가하면 극심한 식량 문제에 빠질 수 있고, '지구 온난화'에 따른 '기후 변화'는 식량 생산을 더욱 어렵게 만들 가능성이 크기 때문에 그에 대한 해결책인 '미래 식량'에 대하여 설명하고 있습니다. '탄수화물'은 영양소 중 하나로, 이 글에서 중요한 낱말은 아닙니다.

2 갈색거저리 애벌레는 단백질, 지방, 탄수화물, 불포화 지방산, 쌍별귀뚜라미는 탄수화물, 지방, 단백질, 비타민D, 벼메뚜기는 단백질, 백강잠과 장수풍뎅이 애벌레는 탄수화물, 단백질, 지방, 불포화 지방산, 무기질, 비타민이 풍부하다고 하였습니다.

3 시험관 고기가 아직은 실험 단계로 엄청난 비용이 들지만, 생산법이 개선되고 대량화된다면 비용은 많이 줄어들 것이라고 하였습니다.

오답 **풀이**
① 소의 근육에서 줄기세포를 추출하여 만든다고 하였습니다.
② 2012년 네덜란드의 마크 포스트 교수가 개발한 것이라고 하였습니다.

④ 소를 사육하는 것보다 필요한 땅은 1퍼센트 정도가 될 것이라고 하였습니다.
⑤ 햄버거에 들어가는 고기를 만드는 데에 약 3억 7천만 원이 필요할 정도로 엄청난 비용이 든다고 하였습니다.

4 '누에 번데기'의 경우 말려서 가루로 만든 후 면이나 케이크에 넣을 수 있다고 하였습니다.

5 미래 식량 중에 하나인 소일렌트는 완전한 한 끼의 필수 영양소와 에너지를 포함하고 5시간 동안 포만감을 유지할 수 있어 지금도 각광받고 있다고 하였습니다. 또한 스피룰리나, 클로렐라와 같은 조류도 영양 보충제로 즐겨 먹는 사람들이 있다고 하였습니다.

6 이 글은 '미래 식량'이 나오게 된 까닭을 설명하며, 미래 식량으로 가장 가능성 있는 '곤충', '소'에서 얻을 수 있는 시험관 고기, 그 외 여러 가지 미래 식량들에 대하여 말하고 있습니다. 그리고 환경을 생각하는 미래 식량 개발과 밝은 미래를 이야기하며 글을 마무리하고 있습니다.

생각 글 쓰기

예시 **답안** 시험관 고기는 소를 사육하는 것에 비해 온실가스 배출량이 10퍼센트 미만이기 때문에 지구 온난화 해결에 도움이 될 것이다.

이렇게 지도해 주세요! 미래 식량이 나온 원인과 함께 미래 식량에는 어떤 것들이 있고, 환경에 어떤 영향을 미칠 수 있는지 생각해 볼 수 있도록 지도해 주세요.

어법 다지기

03 '고양이가 쥐를 잡았다.'는 '고양이'가 자신의 힘으로 '잡았다'는 동작을 나타내므로 능동 표현입니다. '쥐가 고양이에게 잡혔다.'라고 고쳐야 피동 표현이 됩니다.

38회 서시_윤동주

▶ 본문 164~167쪽

1 2연 9행 2 ④ 3 ⑤ 4 ④ 5 ② 6 ③ 7 부끄러움, 현실
어휘·어법 다지기 01 (1)-㉡ (2)-㉠ (3)-㉢ 02 (1) ㉡ (2) ㉠ (3) ㉢ 03 (1) 결합 (2) 조합

대립 ○: 밝음, 희망, 이상 / △: 현실, 시련, 어둠

죽는 날까지 하늘을 우러러 (하늘: 긍정적 의미의 시어)
한 점 부끄럼이 없기를,
잎새에 이는 바람에도 (바람: 부정적 의미의 시어)
나는 괴로워했다. ▶1연 1행~4행: 과거 – 부끄러움 없는 삶에 대한 소망

별을 노래하는 마음으로 (별: 희망, 순수한 양심과 소망)
모든 죽어 가는 것을 사랑해야지.
그리고 나한테 주어진 길을
걸어가야겠다. ▶1연 5행~8행: 미래 – 미래의 삶에 대한 의지

오늘 밤에도 별이 바람에 스치운다. ▶2연: 현재 – 현실 인식과 자신의 의지
(밤: 부정적 의미의 시어 / 3번의 근거('말하는 이가 처한 어두운 현실'을 의미하는 시어))

이렇게 지도해 주세요! 이 시는 일제 강점기에 부끄럽지 않게 살아가고자 하는 시인의 의지를 표현한 시입니다. 시대 상황과 관련하여 시어의 상징적 의미를 파악할 수 있도록 지도해 주세요.
• **주제** 부끄러움 없는 삶에 대한 소망과 의지

1 이 시는 2연 9행으로 이루어져 있습니다.

2 이 시에서 '밤', '바람'과 같은 시어는 어두운 현실과 시련 등을 상징합니다. 이를 통해 이 시의 말하는 이가 현실을 부정적으로 인식하고 있음을 알 수 있습니다.

오답 **풀이**
① 말하는 이가 과거의 삶을 그리워하는 부분은 나타나 있지 않습니다.
② 말하는 이는 이상과 희망을 지향하며 순수한 삶을 살겠다는 의지를 보이고 있지만, 밝고 희망찬 미래를 확신하고 있지는 않습니다.
③ 말하는 이는 '그리고 나한테 주어진 길을 / 걸어가야겠다.'라며 의지적인 태도를 보이고 있으므로, 화자가 헛된 꿈을 꾸며 현실을 도피하고 있다고 볼 수 없습니다.
⑤ 말하는 이는 현실 극복 의지를 드러내고 있지만, 이를 위해 다른 사람에게 의존하고 있지는 않습니다.

3 이 시에서 말하는 이가 처한 어두운 현실을 뜻하는 시어는 '밤'입니다.

4 이 시에는 '하늘, 바람, 별' 등이 나타나 있지만, 사람이 아닌 것을 사람으로 나타내어 표현하고 있지는 않습니다.

오답 **풀이**
① 이 시에는 말하는 이인 '나'가 겉으로 드러나 있습니다.
② 이 시는 과거(1연 1~4행)–미래(1연 5~8행)–현재(2연)의 순서로 시상이 전개되고 있습니다.

③ 이 시는 '하늘, 바람, 별, 밤' 등 일상에서 쓰는 쉬운 낱말이 사용되고 있습니다.
⑤ 이 시는 긍정적 의미의 시어('하늘, 별')와 부정적 의미의 시어('바람, 밤')를 사용하여 주제를 강조하고 있습니다.

5 이 시는 '부끄러움 없는 삶에 대한 소망과 의지'에 대해 썼습니다.

6 이 시에는 일제 강점기라는 어두운 현실에서도 부끄럽지 않게 살아가겠다는 시인의 모습이 드러나 있습니다. 그러나 일제의 탄압에 직접 맞서 싸우는 시인의 모습은 나타나 있지 않습니다.

오답 **풀이**
① 일제 강점기라는 어두운 시대 상황과 비슷한 '바람'이 부는 '밤'이라는 시적 상황이 나타나 있습니다.
② 이 시에는 일제 강점기라는 어두운 현실에서 어떤 삶을 살아야 하는지에 대한 시인의 고민이 표현되어 있습니다.
④ '나는 괴로워했다.'에서 내면적 갈등을 겪은 시인의 생각이 직접적으로 드러나 있습니다.
⑤ '한 점 부끄럼이 없기를'을 통해 양심을 지키고자 하는 시인의 생각을 짐작해 볼 수 있습니다.

7 이 시는 과거('부끄러움' 없는 삶에 대한 소망)–미래(순수한 삶에 대한 결의)–현재(암담한 '현실'의 상황)의 순으로 시상을 전개하고 있습니다.

생각 글 쓰기

◆예시 **답안** 말하는 이는 일제 강점기라는 어두운 현실과 시련에도 부끄럽지 않게 살겠다는 의지적인 태도를 보이고 있다.

이렇게 지도해 주세요! 작품을 쓸 당시의 시대 상황과 이에 대한 시인의 태도를 생각해 볼 수 있도록 지도해 주세요.

어법 다지기

03 (1) 물은 산소와 수소가 합쳐져 하나가 된 것이므로 '결합'을 써야 합니다.
(2) 시계는 여러 부품들이 모여 한 덩어리가 된 것이므로 '조합'을 써야 합니다.

39회 난중일기_이순신

▶ 본문 168~171쪽

1⑤ 2㉣ 3④ 4③ 5⑤ 6부친, 충청 수사

어휘·어법 다지기 **01** (1) 정세 (2) 공무 (3) 사직 (4) 책망 **02** (1) 정세 (2) 책망 (3) 사직 **03** (1) 삭일 (2) 삭혀야

㉮ 을미년(1595년) 7월

1일 잠깐 비가 내렸다.(5번의 근거 – 날짜, 날씨) 나라 제삿날이라 공무를 보지 않고 홀로 누대에 기대고 있었다. 내일은 돌아가신 부친의 생신인데, 슬픔과 그리움을 가슴에 품고 생각하니, 나도 모르게 눈물이 떨어졌다. 나라의 정세를 생각하니, 위태롭기가 아침 이슬과 같다. 안으로는 정책을 결정할 동량(棟樑) 같은 인재가 없고, 밖으로는 나라를 바로잡을 주춧돌 같은 인물이 없으니, 종묘사직이 마침내 어떻게 될 것인지 알지 못하겠다.(2번의 근거) 마음이 어지러워서 하루 내내 뒤척거렸다.
▶돌아가신 부친을 그리워하고 나라를 걱정함.

㉯ 3일 맑음.(5번의 근거 – 날짜, 날씨) 아침에 충청 수사에게로 가서 문병하니 많이 나았다고 한다. 늦게 경상 수사가 이곳에 와서 서로 이야기한 뒤에 활 열 순을 쏘았다. 이경에 탐후선이 들어왔는데, 어머니께서 평안하시긴 하나 밥맛이 쓰시다고 한다.(3번의 근거) 매우 걱정이다.
▶충청 수사에게 문병을 가고 어머니의 건강을 걱정함.

㉰ 7일 흐리되 비는 오지 않았다.(5번의 근거 – 날짜, 날씨) 경상 수사, 두 조방장과 충청 수사가 왔다. 방답 첨사, 사도 첨사 등에게 편을 갈라 활을 쏘게 했다. 경상 우병사[김응서(金應瑞)]에게 유지가 왔는데, "나라의 재앙이 참혹하고 원수가 사직(社稷)에 남아 있어서 귀신의 부끄러움과 사람의 원통함이 온 천지에 사무쳤건만, 아직도 요사한 기운을 재빨리 쓸어버리지 못하고 원수와 함께 한 하늘을 이는 분통함을 모두 절감하고 있다. 무릇 혈기 있는 자라면 누가 팔을 걷고 절치부심하며 그놈의 그 살을 찢고 싶지 않겠는가. 그런데「경은 적과 마주하여 진을 치고 있는 장수로서 조정이 명령하지도 않았는데 함부로 적과 대면하여 감히 도리에 어긋난 말을 지껄이는가. 또 누차 사사로이 편지를 보내어 그들을 높여 아첨하는 모습을 보이고 수호(修好), 강화하자는 말을 하여, 명나라 조정에까지 들리게 해서 치욕을 끼치고 사이가 벌어지게 했음」에도 조금도 거리낌이 없도다.(「」: 김응서가 이순신의 잘못을 지적하는 내용) 마땅히 군법으로 다스려도 아까울 것이 없거늘, 오히려 관대히 용서하고 돈독히 타이르며 경고하고 책망하기를 분명히 하였다.(4번의 근거) 그런데도 미혹한 것을 고집하기를 더욱 심하게 하여서 스스로 죄의 구렁텅이에 빠져드니, 나는

몹시 해괴하게 여겨져 그 까닭을 알 수가 없다. 이에 비변사의 낭청(郎廳) 김용(金涌)을 보내어 구두로 나의 뜻을 전하니, 경은 그 마음을 고치고 정신을 가다듬어 후회할 일을 남기지 말라."라는 것이었다. 이것을 보니, 놀랍고도 황송한 마음을 이루 다 말할 수 없었다. 김응서란 어떠한 사람이기에 스스로 회개하여 힘쓴다는 말을 들을 수가 없는가. 만약 쓸개 있는 자라면 반드시 자결이라도 할 것이다.

김응서의 유지에 대한 이순신의 분노가 나타남. ▶김응서에게 내려온 유지에 대한 생각

이렇게 지도해 주세요! 이 글은 충무공 이순신이 쓴 일기입니다. 임진왜란 당시 시대 상황에 대해 자세히 알고 이 글에 나타난 글쓴이의 감정을 이해할 수 있도록 지도해 주세요.

• **주제** 어려운 상황에서 느끼는 인간의 감정

1 이 글은 일상을 기록하고 감상을 쓴 일기문입니다.

2 안으로는 정책을 결정할 동량 같은 인재가 없고, 밖으로는 나라를 바로잡을 주춧돌 같은 인물이 없으니, 종묘사직이 마침내 어떻게 될 것인지 알지 못해 마음이 어지러웠다고 하였습니다.

3 글쓴이는 어머니께서 밥맛이 쓰시다고 한다며 매우 걱정이라고 하였습니다.

4 밑줄 친 '조금도 거리낌이 없도다.'는 '마음에 걸리어 꺼림칙하거나 어색함이 없다.'는 뜻이므로, 앞뒤 내용으로 볼 때 잘못에 대한 뉘우침이 없음을 뜻하는 말입니다.

5 글쓴이의 자식에 대한 이야기는 나타나 있지 않습니다.

6 1일에는 돌아가신 '부친'을 그리워하고 나라를 걱정하는 내용이 담겨 있고, 3일에는 '충청 수사'에게로 문병을 가고, 경상 수사와 이야기하고, 어머니의 건강을 걱정하는 내용이 담겨 있습니다. 7일에는 경상 우병사 김응서에게 내려온 유지에 대한 글쓴이의 생각이 담겨 있습니다.

생각 글 쓰기

◆예시 **답안** 충무공 이순신의 인간적인 모습을 볼 수 있고, 나라를 걱정하는 마음을 느낄 수 있다.

이렇게 지도해 주세요! 이 글에서 알 수 있는 시대적 배경과 함께 충무공 이순신이 우리나라를 위해 한 일에 대하여 설명해 주세요.

어법 다지기

03 (1) 화를 참으려고 해도 화를 가라앉힐 수 없었다는 뜻이므로 '삭일'이 알맞습니다.

(2) 멸치젓이 잘 발효되어 맛이 들어야 한다는 뜻이므로 '삭혀야'가 알맞습니다.

40회 소나기_황순원

▶ 본문 172~175쪽

1 (1) 가을 (2) 시골(농촌) 2 ⑤ 3 ③ 4 ⑤ 5 ② 6 개울가, 소녀

어휘·어법 다지기 01 (1)-㉠ (2)-㉢ (3)-㉡ (4)-㉣ 02 (1) 잠방이 (2) 갈밭 (3) 쪽빛 (4) 허탕 03 (1) ㉡ (2) ㉠ (3) ㉢

소년은 개울가에서 소녀를 보자 곧 윤 초시네 증손녀라는 걸 알 수 있었다. 소녀는 개울에다 손을 잠그고 물장난을 하고 있는 것이다. 서울서는 이런 개울물을 보지 못하기나 한 듯이.

(공간적 배경 / 소녀가 서울에서 왔다는 것을 알 수 있는 부분)

벌써 며칠째 소녀는 학교에서 돌아오는 길에 물장난이었다. 그런데 어제까지는 개울 기슭에서 하더니 오늘은 징검다리 한가운데 앉아서 하고 있다.

소년은 개울둑에 앉아 버렸다. 소녀가 비키기를 기다리자는 것이다.

(소년의 소극적인 성격)

요행 지나가는 사람이 있어, 소녀가 길을 비켜 주었다.

다음 날은 좀 늦게 개울가로 나왔다.

이날은 소녀가 징검다리 한가운데 앉아 세수를 하고 있었다. 분홍 스웨터 소매를 걷어 올린 팔과 목덜미가 마냥 희었다.

(소년이 본 소녀의 모습 – 도시 아이임이 드러남.)

한참 세수를 하고 나더니 이번에는 물속을 빤히 들여다본다. 얼굴이라도 비추어 보는 것이리라. 갑자기 물을 움켜 낸다. 고기 새끼라도 지나가는 듯.

「소녀는 소년이 개울둑에 앉아 있는 걸 아는지 모르는지 그냥 날쌔게 물만 움켜 낸다. 그러나 번번이 허탕이다. 그래도 재미있는 양, 자꾸 물만 움킨다.」 어제처럼 개울을 건너는 사람이 있어야 길을 비킬 모양이다.

(「 」: 소년의 관심을 끌기 위한 소녀의 행동)

「그러다가 소녀가 물속에서 무엇을 하나 집어낸다. 하얀 조약돌이었다. 그러고는 벌떡 일어나 팔짝팔짝 징검다리를 뛰어 건너간다.

(「 」: 소년에 대한 소녀의 관심이 나타난 부분)

다 건너가더니만 홱 이리로 돌아서며,

"이 바보." / ㉠ 조약돌이 날아왔다.

소년은 저도 모르게 벌떡 일어서다.」

단발머리를 나풀거리며 소녀가 막 달린다. 갈밭 사잇길로 들어섰다. 뒤에는 청량한 가을 햇살 아래 빛나는 갈꽃뿐.

(1번의 근거(공간적 배경) / 1번의 근거(시간적 배경))

이제 저쯤 갈밭머리로 소녀가 나타나리라. 꽤 오랜 시간이 지났다고 생각됐다. 그런데도 소녀는 나타나지 않는다. 발돋

움을 했다. 그러고도 상당한 시간이 지났다고 생각됐다.

저쪽 갈밭머리에서 갈꽃이 한 옴큼 움직였다. 소녀가 갈꽃을 안고 있었다. 그리고 이제는 천천한 걸음이었다. 유난히 맑은 가을 햇살이 소녀의 갈꽃머리에서 반짝거렸다. 소녀 아닌 갈꽃이 들길을 걸어가는 것만 같았다.

1번의 근거(시간적 배경)

▶개울가에서 소년과 소녀가 서로에게 관심을 가짐.

[중간 부분 줄거리] 소녀의 제안으로 산에 놀러 간 소년과 소녀는 꽃묶음을 만들기도 하고, 송아지를 타기도 하며 재미있게 논다. 그러던 중 소나기가 내리고, 두 사람은 수숫단 속에서 비를 피한다.

→ 소년과 소녀가 산에서 소나기를 만나 비를 피함.

소란하던 수숫잎 소리가 뚝 그쳤다. 밖이 멀게졌다.

수숫단 속을 벗어 나왔다. 멀지 않은 앞쪽에 햇빛이 눈부시게 내리붓고 있었다. 도랑 있는 곳까지 와 보니, 엄청나게 물이 불어 있었다. 빛마저 제법 붉은 흙탕물이었다. 뛰어 건널 수가 없었다.

비가 온 후 도랑의 모습

「소년이 등을 돌려 댔다. 소녀가 순순히 업히었다. 걸어 올린 소년의 잠방이까지 물이 올라왔다. 소녀는 "어머나!" 소리를 지르며 소년의 목을 끌어안았다.」

「 」: 소년과 소녀의 마음이 나타난 부분

개울가에 다다르기 전에, 가을 하늘은 언제 그랬는가 싶게 구름 한 점 없이 쪽빛으로 개어 있었다.

시간적 배경

▶소나기에 불어난 도랑을 소년이 소녀를 업고 건넘.

이렇게 지도해 주세요! 이 글은 시골을 배경으로 한 소년과 소녀의 순수한 사랑 이야기입니다. 사건 구성 단계에 따라 어떤 일들이 있었는지 전체 이야기의 흐름을 설명해 주세요.

- **주제** 소년과 소녀의 순수한 사랑

1 이 글은 '청량한 가을 햇살, 맑은 가을 햇살' 등을 통해 시간적 배경이 '가을'임을 알 수 있고, '개울가, 징검다리, 갈밭' 등을 통해 공간적 배경이 시골(농촌)임을 알 수 있습니다.

2 이 글은 시간의 흐름에 따라 사건이 진행되고 있습니다. 과거와 현재를 교차하면서 사건이 진행되고 있지는 않습니다.

오답 **풀이**

① '청량한 가을 햇살', '맑은 가을 햇살' 등 계절적 배경이 직접 제시되어 있습니다.

② '소년은 개울둑에 앉아 버렸다. 소녀가 비키기를 기다리자는 것이다.' 등 대체로 간결한 문장으로 서술하고 있습니다.

③ 징검다리 한가운데 앉아서 소년의 길을 막는 소녀의 행동으로 소녀가 소년에게 관심이 있다는 것을 알 수 있습니다.

④ 관심이 있어서 길을 막고, 조약돌을 던지는 등 소년과 소녀의 순수한 사랑에 대하여 쓴 글입니다.

3 소녀는 소년에게 '조약돌'을 던지는데 이는 소년에 대한 소녀의 관심을 뜻합니다.

4 이 글에서 소녀는 징검다리 한가운데에 앉아 소년의 길을 막거나 소년에게 조약돌을 던지는 등 소년에 대한 관심을 적극적으로 표현하고 있습니다. 따라서 소녀가 적극적인 성격임을 알 수 있습니다.

5 보기에서는 소년이 아닌 다른 사람이 소녀의 죽음에 대해 말하고 있습니다. 따라서 소녀의 죽음에 대한 소년의 감정이 직접적으로 드러나 있다고 볼 수 없습니다.

6 이 글에서 소년과 소녀는 '개울가'에서 서로에게 관심을 갖게 되고, 이후 산에서 함께 놀다 소나기를 만납니다. 그리고 소나기에 불어 있는 흙탕물을 소년이 소녀를 업고 건넙니다.

생각 글 쓰기

◆예시 **답안** 소녀는 소년과 친해지고 싶어서 의도적으로 소년의 길을 막는 적극적인 행동을 한 것이다.

이렇게 지도해 주세요! 소녀가 조약돌을 던지고, 징검다리 한가운데 앉아서 소년이 건너가지 못하게 하는 행동에 담긴 소녀의 심리를 자세히 설명해 주세요.

어법 다지기

03 ㉠은 어떤 일을 하려고 하는데 뜻하지 않은 일을 공교롭게 당함을 비유적으로 이르는 말입니다.
㉡은 자기에게 관계없는 일이라고 하여 무관심한 모양을 말합니다.
㉢은 몹시 고생을 하는 삶도 좋은 운수가 터질 날이 있다는 말입니다.

실력 진단 평가 정답

01 오래달리기 02 ④ 03 다리, 엉덩이 04 초점 05 고려청자 06 ② 07 비색 08 저작물 09 ⑤ 10 ⑤ 11 유일 12 모방 13 주목 14 소비 15 유지 16 주목 17 소비 18 유지 19 유일 20 모방

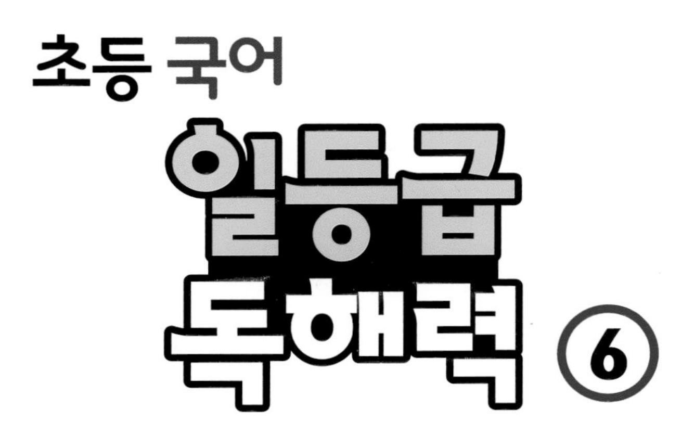

이 책을 추천합니다.

●● 초등학생에게 국어 독해 공부가 필요한 이유는 분명합니다. 글을 읽고 스스로 독해하는 능력이 부족하면 모든 과목의 학습 능력이 떨어질 수밖에 없습니다. 독해 능력은 무조건 책을 많이 읽는다고 길러지는 것이 아니라, 좋은 글감으로 쓰인 글을 읽고, 여기서 정보를 찾아 논리적으로 이해하는 연습을 반복할 때 길러지는 것입니다.

– 문주호 (청봉초등학교 수석 교사)

●● 독해 능력이 떨어지면 수업을 따라가지 못해서 공부에 흥미를 잃게 되기도 합니다. 그래서 독해 공부가 중요합니다. 이 책으로 공부하면 쉽고 재미있는 짧은 글부터 어렵고 긴 글까지 단계별로 읽으며 독해력을 기를 수 있습니다. 매일 독해 공부를 한 뒤, 모르는 어휘에 대한 공부도 함께 하면서 독해력의 기초를 다질 수 있는 좋은 교재입니다.

– 오정남 (밀양초등학교 교사)

●● 초등학교 입학 전부터 꾸준히 독해 공부를 해 온 아이라, 다양한 글을 많이 읽을 수 있는 교재가 필요했습니다. 이 책에서는 문학 작품 외에도 인문, 사회, 과학, 기술, 예술 등 여러 분야의 글감을 골고루 접할 수 있습니다. 또한 문제를 통해 글의 주제를 잡고, 세부적으로 중요한 내용을 정리하면서 어휘까지 복습할 수 있어서 좋았습니다.

– 노인희 (방산초등학교 2학년 학부모)